Smart corses

POR QUÉ SOMOS COMO SOMOS

Eduardo Punset (Barcelona, 1936), escritor, abogado, economista y divulgador científico, ha sido ministro de Relaciones para las Comunidades Europeas, Conseller de Finances de la Generalitat, presidente de la Delegación del Parlamento Europeo en Polonia, representante del FMI, profesor y periodista, y es autor, entre otros libros, de *La salida de la crisis* (1980), *España sociedad cerrada, sociedad abierta* (1982), *La España impertinente* (1986), *Manual para sobrevivir en el siglo XXI* (2000), *Adaptarse a la marea* (2004), *Cara a cara con la vida, la mente y el universo* (2004), *El viaje a la felicidad* (2005) y *El alma está en el cerebro* (2006). Desde 1996 dirige y presenta el programa Redes en Televisión Española. Su último libro es *Por qué somos como somos* (2008).

www.eduardpunset.es

EDUARDO PUNSET

POR QUÉ SOMOS COMO SOMOS

punto de lectura

2010, Santillana Ediciones Generales, S.L.
Torrelaguna, 60. 28043 Madrid (España)
Teléfono 91 744 90 60
www.puntodelectura.com

ISBN: 978-84-663-2394-9
Depósito legal: B-10.865-2010
Impreso en España – Printed in Spain

Primera edición: abril 2010

Impreso por Litografía Rosés, S.A.

Índice

Introducción

Hace muy pocos años, sobre todo en las décadas de los sesenta y los setenta, una reflexión sobre *por qué somos como somos* habría versado casi exclusivamente sobre genética y la programación de las conductas humanas implícita en los genes. Antes de 1953 —fecha histórica del descubrimiento del «secreto de la vida», como llamaron Watson y Crick a la estructura de la molécula del ADN— el entorno modulaba las almas. En la Rusia soviética se podría y debía construir un hombre nuevo transformando la organización social.

Antes de eso era todavía peor. Habíamos fabricado dioses a nuestra imagen y semejanza, y aplacábamos sus iras despeñando humanos por las murallas y consumando sacrificios humanos. Cualquier cosa salvo mirar qué pasaba dentro de uno mismo cuando aprendía, lidiaba con el vecino, amaba, sufría y moría. Es incomprensible —y sobre todo ha sido una fuente de amargura indecible— que hayamos sobrevivido sin saber nunca qué nos pasaba dentro, por qué nos comportábamos como lo hacíamos cuando estábamos emocionados, acosados por el miedo o la indiferencia.

Hoy empezamos a saber, por fin, por qué somos como somos. Una de las primeras cosas que hemos descubierto —hace nada menos que cuatrocientos años, pero como si no— es que ni el planeta ni nosotros mismos somos el centro del universo. Andamos subidos a 250 kilómetros por segundo en un planeta de una estrella mediana en la parte exterior de una de los billones de galaxias existentes. Y, no obstante, ¿cuántas personas siguen creyéndose el centro del mundo?

Nos ha costado más todavía —una mayoría de los habitantes de la Tierra sigue creyendo lo contrario— aceptar que es muy difícil detectar cualquier atisbo de propósito o intención en la historia de la evolución. En la perspectiva del tiempo geológico —¿hay otra manera de medir el tiempo?— somos la última gota de la última ola del inmenso océano cósmico.

Después de llenar páginas enteras, estanterías con los libros confeccionados con ellas, bibliotecas rellenas de esos libros para demostrar las cosas fundamentales que nos diferenciaban del resto de los animales, hemos tenido que renunciar una a una a casi todas de las supuestamente inamovibles verdades.

No es cierto que sólo nosotros sepamos fabricar herramientas, ni que seamos los únicos capaces de reconocernos en el espejo, ni que las demás especies no puedan comunicarse para hacerse entender o confundirse, ni que, finalmente, nadie más en el planeta pueda recurrir a los símbolos o a la capacidad metafórica para innovar. Descendemos de un antepasado común con los primates sociales y éstos, a su vez, del pez pulmonado que supo salir del mar y aposentarse en la tierra.

Sí es absolutamente cierto, en cambio, que estamos programados para ser únicos entre nosotros mismos. La neurobiología y el inconsciente se han confabulado para urdir un entramado en el que las leyes generales del cerebro se concilian con las huellas indelebles de la experiencia individual. Pero eso no quita —como solía decir el paleontólogo Stephen Jay Gould— para que sigamos, en realidad, en el reino de los artrópodos, para que seamos una comunidad andante de bacterias que, sin lugar a dudas, empezó su andadura miles de millones de años antes que nosotros y que nos sobrevivirá otro tanto, y para que lo que llamamos vida tenga que ver, fundamentalmente, con la memoria y sólo con ella.

Pero ahora sabemos, por fin, por qué somos como somos y, por tanto, por qué podríamos ser de otra manera si realmente quisiéramos. Para ello contamos con descubrimientos recientes que permiten iniciar ese camino. La plasticidad cerebral constituye una herramienta insospechada para el cambio. La belleza es la ausencia de dolor de la misma manera que la felicidad es la ausencia del miedo. Somos lo que somos, en gran parte, porque la belleza es un predictor excelso de la salud, nos da la medida de cómo estamos.

No podemos olvidar nunca que lo que es verdad de una clase o de un colectivo puede no serlo de un individuo, pero es bueno saber que, en términos generales, nos lo jugamos todo antes de los 5 años; es en el entorno de la negociación maternal donde se define el nivel de autoestima necesario para lidiar con el vecino, así como las ganas de seguir profundizando en el conocimiento de los demás. De lo ocurrido en aquel marco de negociación afectivo depende si abordamos el mundo adulto con amor, indiferencia, rechazo o ánimo de destruirlo.

Ahora sabemos también que el cerebro tiene sexo y que la diferenciación de géneros aparecida hace unos setecientos millones de años tuvo un impacto sin precedentes en los esquemas de reproducción y, sobre todo, en el coste vital. El coste de la diversidad que garantizaba el sistema de reproducción sexual fue, ni más ni menos, la renuncia a la inmortalidad.

Es muy probable que los graznidos fueran la primera muestra de comunicación verbal; que a ellos sucediera la música; a ésta, el lenguaje, que o bien era innato o bien crecía como un órgano más del cuerpo. La culminación de este proceso fue la escritura que, desde hace unos 4.000 años, introdujo el compromiso, la señal indeleble de una voluntad que permitió modular la convivencia social. Pero el análisis del origen del lenguaje ha permitido matizar que ni sirve siempre para entenderse ni es más perdurable que el lenguaje corporal. El contubernio social, el desafío de los demás, contribuyó como ningún otro factor al desarrollo de la inteligencia social.

Descubrir por qué somos como somos ha sido la primera pista para intentar ser de otra manera y rescatar de las tinieblas y el dogmatismo el código de los muertos que todavía rige el destino de millones de personas. ¿Cuántos años serán precisos para que las pautas configuradas para situaciones pasadas de hace decenas de miles de años den paso a sugerencias más adecuadas a unos humanos que acaban de triplicar su esperanza de vida? Lo primero era profundizar en saber por qué somos como somos.

Al igual que ocurrió con el primer libro de la Colección Redes, *El alma está en el cerebro* (Aguilar, 2006), esta reflexión sobre *Por qué somos como somos* no se habría podido llevar a término sin que el equipo del programa que produce *Redes* con TVE y la productora Smart Planet, sus redactores y editores hubieran rescatado las ideas, los datos y las interrelaciones subyacentes a lo largo de los últimos años. Debo mencionar muy especialmente a Jordi Domènech por esta última revisión y a la directora científica del programa Miriam Peláez por la labor de búsqueda y seguimiento efectuada durante muchos años. Y a TVE, por supuesto, por poner su logística y sus derechos al servicio de la comprensión pública de la ciencia.

EDUARDO PUNSET
Londres, agosto de 2008

PRIMERA PARTE

Los orígenes

CAPÍTULO I

Así empezó todo

El oxígeno que respiramos, el calcio de nuestros huesos, el hierro de nuestra sangre y el carbono de nuestras células se forjaron hace miles de millones de años en el interior de las estrellas. Por eso para entender nuestro origen debemos entender primero el de las estrellas.

UNA HISTORIA CREÍBLE

Hace 5.000 millones de años el Sol todavía se estaba formando y no muy lejos de él, una gran nube de polvo seguía su proceso de condensación. El resultado de ambos procesos fue la formación de una gran bola de apariencia semejante a la que hoy tiene el fuego: el planeta Tierra.

Un enorme meteorito colisiona sobre la superficie de esa Tierra primitiva y debido al impacto grandes fragmentos salen proyectados hacia el espacio. Esos restos giran alrededor de la Tierra y lentamente pasan a ocupar una misma órbita, formando un único anillo alrededor del planeta. Después se condensan y adoptan forma de esfera: así nace la Luna. Con el paso del tiempo la Luna se irá alejando progresivamente de la Tierra hasta ocupar su posición actual.

Varios cientos de miles de años más tarde, la presión en las entrañas ardientes de la Tierra ha aumentado de manera significativa, la corteza terrestre cede y en toda su superficie aparecen gigantescos volcanes e inmensos mares de lava. Esas erupciones volcánicas expulsan gases que formarán la primera atmósfera terrestre, compuesta de nitrógeno, vapor de agua y gas carbónico.

Poco a poco la Tierra se enfría, el vapor de agua se condensa y aparecen intensas lluvias. Lloverá durante unos 100 millones de años y como consecuencia se formarán los océanos. Por primera vez se dan en la Tierra las condiciones apropiadas para el origen de la vida, que surgirá en los océanos.

Hace 250 millones de años existía un solo continente denominado *Pangea*, donde se inició el reino de los dinosaurios. Después este inmenso continente se va fragmentando y los bloques resultantes derivan hacia diferentes zonas del globo.

El impacto de meteoritos sobre la superficie de la Tierra sigue siendo feroz. Hace 65 millones de años un meteorito cae en lo que es hoy el golfo de México. La explosión es tan impresionante que toda la atmósfera se llena de una gigantesca nube de polvo. La Tierra queda cubierta por un oscuro velo, el clima se enfría de manera brusca y muchos organismos vivos, como los dinosaurios, se extinguen si bien las especies aladas de dinosaurios dan lugar a los antecesores de las aves tal y como las conocemos hoy.

Cuando el clima se vuelve más soportable empiezan a desarrollarse los mamíferos, entre ellos el hombre. Desde su aparición tal y como lo conocemos hoy, hace unos 200.000 años, el hombre actual ha logrado colonizar todo el planeta. Puede incluso observar desde el espacio el planeta que le ha visto nacer.

En el futuro, el planeta Tierra y la vida que existe en su superficie seguirán evolucionando, África se acercará a Europa y provocará la desaparición del mar Mediterráneo. Miles de millones de años más tarde, la Tierra se convertirá en un desierto abrasador porque el Sol, cercano ya a su muerte, aumentará radicalmente su tamaño. El calor que generará será desmesurado, descomunal, y desencadenará el fin de la vida en la Tierra. Ésta volverá a ser lo que fue en sus inicios, una gigantesca bola de lava ardiente.

Por último, el calor del Sol será tal que la Tierra literalmente se evaporará, se transformará en una nube de gas y polvo. La Tierra desaparecerá tras haber existido durante casi 10.000 millones de años. Hoy, pues, hemos superado la mitad de su existencia. Como dice James Lovelock: «La Tierra es una señora de edad».

El científico que jugaba a las tormentas

La historia que acabo de contar viene avalada por los conocimientos científicos que poseemos a día de hoy. Sin embargo se plantean cuestiones de criterio: ¿qué entendemos por el inicio de la vida? ¿La formación de la primera estrella o la creación de la primera célula? Hay quien dice, incluso, que esta reflexión sobre el inicio de la vida no debería existir, que no es ciencia siquiera, porque hace miles de millones de años allí no había nadie y los científicos no pueden experimentarlo empíricamente, sólo construir modelos, teorías... ¿Podemos realmente saber algo sobre el inicio de la vida? Ésta es la gran pregunta que le formulo a Ricard Guerrero, catedrático de Microbiología de la Universidad de Barcelona. En su opinión, «cada día sabemos más sobre el origen de la vida en la Tierra. Los estudios contemporáneos sobre el asunto comenzaron en 1953 impulsados por Stanley Miller y lo hicieron con un optimismo desmesurado que la experiencia se encargó de desmentir. No obstante, podemos decir aproximadamente cuándo empezó la vida y en qué condiciones. E incluso afirmar que antes de la vida celular, muy parecida a la nuestra, existió un mundo prebiológico de moléculas muy evolucionadas pero incapaces de subsistir por sí mismas».

El origen de la vida celular nos lleva de inmediato al concepto de evolución. Y éste, automáticamente, a nuestros ancestros. Hace poco se han descubierto restos de un primate que pueden datar de hace 3.600.000 años, casi cuatro millones de años. Tenía una estatura de 1,20 metros y un cerebro mayor que el de un chimpancé. Es decir, que podría tratarse de uno de nuestros antecesores. María Teresa Abelló, bióloga y conservadora de los chimpancés en el zoo de Barcelona, piensa (siguiendo las tendencias más actuales) que no se debe hablar de una línea de evolución humana, sino que quizá existieron diversas líneas y que estos restos pueden pertenecer o no a la que derivó hacia el *Homo sapiens*.

Tras la elección del chimpancé como nuestro pariente más cercano parece esconderse una cierta prevalencia de la idea antropomórfica de la evolución. No cabe duda de que es el animal con quien compartimos mayor carga genética, pero eso no quiere decir que otros primates, por ejemplo los orangutanes, no hayan completado más o mejor su línea evolutiva. Incluso la coquetería nos confunde (se dice que el chimpancé es el único que se reconoce en un espejo), pero según Abelló, «se han dado casos de orangutanes que también lo han hecho y existe bibliografía sobre esto. En cualquier caso, los chimpancés sí se reconocen, e incluso pueden aprovechar la sesión ante el espejo para llevar a cabo su aseo personal».

Desde el punto de vista científico, regresar a los orígenes de la vida significa viajar a principios de la década de 1950. Fue entonces cuando un joven estudiante de 23 años se metió en su laboratorio y llevó a cabo un experimento de consecuencias incalculables. Tomó dos recipientes. Uno lo llenó de agua, simulando el océano y el otro de distintos gases: amoniaco, hidrógeno y metano. Después comenzó a jugar con ellos, simulando rayos mediante descargas eléctricas y *¡eureka!* Resulta que consiguió sintetizar aminoácidos, los precursores orgánicos de las proteínas, la fórmula más elemental de la vida. Un experimento crucial. Otros investigadores, como Haldane y Oparin, habían propuesto que la vida apareció en una especie de *caldo primigenio* en el que flotaban y se mezclaban componentes orgánicos de diversa índole. Pero hasta el momento nadie había sido capaz de demostrar de dónde provenían esos componentes orgánicos. En 1950 Miller rozó con la punta de los dedos un suceso que debió ocurrir en la Tierra hace casi 4.000 millones de años.

La idea de Miller era simple en apariencia: aceptar que, si la vida había ocurrido, era porque era un proceso químicamente inevitable. Y si era químicamente inevitable, se podía reproducir en el laboratorio. Todo se basaba en simular la química existente hace 4.000 millones de años.

Cuando le entrevistamos en *Redes* Stanley Miller, aquel muchacho, tenía muchísimo más de 23 años*, pero seguía buscando el origen de la vida partiendo de los aminoácidos. Su acierto y el de sus colegas fue mezclar los mismos gases y materias que supuestamente había en la Tierra hace miles de millones de años y ser capaces de fabricar aminoácidos, los ladrillos con los que se «construyen» las proteínas y después las células.

¿Por qué no fueron capaces de lograr el segundo paso, es decir, partir de los aminoácidos para conseguir las proteínas y de ellas una célula viva? Por lo visto, como nos explicó Miller, «lo más difícil es conseguir polímeros de estos aminoácidos y lograr que se organicen de tal modo que se puedan autorreplicar, que se reproduzcan por sí mismos. Esto ha resultado muy difícil, creo que el problema estriba en que nos falta algún detalle. En cuanto descubramos el truco, la causa por la que esos aminoácidos no se "reproducen", explicar lo que pasó hace casi 4.000 millones de años será más sencillo».

Pura química

El experimento de Miller fue continuado después por otros científicos, entre ellos Joan Oró, gran amigo de Miller, que descubrió cómo a partir del cianuro de hidrógeno (un compuesto frecuente en la Tierra hace 4.000 millones de años) podía aparecer la adenina, un elemento esencial de nuestro ADN. Aparentemente faltan pocos eslabones entre la quími-

---

* Stanley Miller, químico de la Universidad de California y buscador incansable del origen de la vida, falleció en mayo de 2007. Tuvimos el privilegio de charlar con él en *Redes* en enero de 1999. Desde aquí nuestro emocionado recuerdo.

ca de hace 4.000 años y la vida. «Bueno, faltan muchas cosas», nos explicó Miller, «pero la parte más difícil es obtener algo que pueda autorreplicarse, reproducirse a sí mismo, porque cuando algo es capaz de autorreplicarse entonces se inicia una evolución *darwiniana.* El problema radica en la naturaleza del primer material genético. El ADN (ácido desoxirribonucleico) y el ARN (ácido ribonucleico) se autorreplican hoy en día en la biología actual, y quizá fueron las primeras moléculas que se formaron en aquel océano primitivo, pero yo creo que existieron otras moléculas distintas, más arcaicas, más fáciles de sintetizar en condiciones primitivas. Y ésas fueron la base del primer material genético».

Es como si hubiéramos descubierto la forma y el motor de la vida pero careciéramos del tipo de combustible que movió aquel motor. ¿Será posible que algún día encontremos el puente entre aquellas primeras estructuras y la propia vida, la vida que es capaz de reproducirse a sí misma? Para Miller no existe duda, si sucedió en la Tierra mediante procesos naturales podrá reproducirse en el laboratorio. Es más, piensa que si se encontrara otro planeta en el que se dieran las mismas condiciones que se dieron en la Tierra, la aparición de vida igual a la nuestra sería inevitable. Pura química.

Tal afirmación puede leerse al revés: si se dieran unas condiciones distintas, podría aparecer un tipo de vida distinto. Según Miller, aunque no lo sabemos, es francamente improbable, pues aunque las proteínas fueran diferentes y los ácidos nucleicos tuvieran distinta base, las estructuras de partida serían las mismas. Aunque, admite, hay científicos que piensan lo contrario. Naturalmente, cuando habla de estructuras de partida está hablando de aminoácidos y de azúcares.

Otra manera más reciente y tal vez más moderna de enfocar este problema primigenio, es decir —como ha dicho Kauffman— que la vida es una propiedad emergente que surge cuando la diversidad molecular de un sistema químico prebiótico va más allá de cierto umbral de complejidad. En este sentido, la vida no está localizada en las propiedades de ninguna molécula individual (el ADN), sino que es una propiedad colectiva del sistema de interacción de las moléculas.

En el apasionamiento que producen estos temas, esta impresión de estar tocando el principio de todo, surgen preguntas difíciles de abarcar, desmesuradas quizá, pero que tienen su origen en nuestra propia sangre. ¿Qué pasa con elementos como el carbono o el hierro? Fueron formadas por otros soles o estrellas miles de millones de años atrás y todavía forman parte de nuestros huesos, nuestras células, nuestra sangre. ¿Nos lleva la biología a la cosmología? ¿Tenemos que descubrir los orígenes del universo para conocer los orígenes de la vida? Para Miller la cuestión debe pensarse al contrario: «El término "estructuras básicas" se refiere sobre todo a los azúcares y los aminoácidos, y no pienso que la biología nos lleve a la cosmología, sino más bien al revés. En el *Big Bang*, hace aproximadamente 14.000 millones de años, se formaron hidrógeno y helio, y los elementos como el carbono, el nitrógeno, el oxígeno y el hierro se formaron en una *supernova*, que es una estrella que explotó, y eso diseminó los elementos, que se unieron para formar el Sol y los planetas y, por tanto, también llegaron a nuestros cuerpos. Son elementos que conforman la Tierra, todo lo que en ella existe, y permanecerán aquí miles de millones de años porque bajo ciertas condiciones de temperatura son estables. Si colocáramos esos elementos terrestres en una estrella se transformarían en otros, pero si la evolución se repitiera en otro planeta creo que se llegaría al mismo grado que tenemos en la Tierra. Es bastante razonable pensar que en otros planetas haya seres inteligentes y civilizaciones que se comuniquen».

Agua líquida y estructuras básicas

¿Cómo es posible que delante de una diversidad tan increíble de formas de vida exista una uniformidad tan aplastante en lo que se refiere a sus estructuras básicas? Pocas de ellas combinándose desde el principio de los tiempos han generado dinosaurios, seres humanos, pájaros... Para Miller, el secreto está en que «las estructuras básicas aparecieron en una fase muy incipiente de la evolución, y todos los seres vivos utilizan básicamente las mismas. Pero si las unimos de manera distinta, aparecen proteínas y estructuras diferentes; la evolución *darwiniana* ha usado esas proteínas y ácidos nucleicos para convertirlos en organismos distintos que viven en lugares dispares».

El viaje de la cosmología a la biología que propone el profesor Miller conlleva interrogantes ante los que cualquiera tiende a enmudecer: que esos «elementos» evolucionaran hacia estructuras mucho más complejas es difícil de comprender, pero puede asumirse. Algo distinto ocurría cuando se empezó a pensar que esa mayor complejidad podía desembocar en la inteligencia y la conciencia. Hoy existe un consenso, no obstante, para aceptar que la inteligencia es un fenómeno social. No hay reto mayor para los homínidos que lidiar con el vecino pero al mismo tiempo ese reto nos obliga a desarrollar la inteligencia.

Pero esta «creación» de inteligencia Miller la contempla a escala cósmica: «Creo que sí, no en todos los planetas, porque en algunos no habrá más que microorganismos, pero en otros, si las condiciones son correctas, evolucionarán hasta los seres superiores».

Admite discusión en cuanto al porcentaje en el que sucederá (o sucedió) de ese modo, «pero en cuanto se den las condiciones necesarias para originar vida sucederá, y quizá haya cientos o millones de estrellas o planetas de nuestra galaxia con vida inteligente». Por otra parte, este concepto mecanicista de la inteligencia (es decir, que la inteligencia aparece como un producto del proceso evolutivo) le parece también innegable: «Basta con observar a los animales y comprobar que son más inteligentes cuanto más cerca se encuentran, evolutivamente hablando, de los humanos».

Que los elementos químicos (como carbono, hidrógeno, nitrógeno, oxígeno...) originados por el *Big Bang*, al relacionarse de modos diversos formen diferentes estructuras básicas (aminoácidos y azúcares), y que éstas se combinen formando distintas proteínas y estructuras, que aliadas con ácidos nucleicos formen diferentes organismos, y que éstos a su vez evolucionan según las leyes de Darwin, sigue sin hacernos evidente la diferencia que existe entre un objeto inerte y un ser vivo, entre un pájaro y un vaso. La respuesta está en una cualidad: la autorreplicación. Si hay autorreplicación hay mutación, y también diversidad y evolución. «Muchos compuestos de carbono no están vivos (por ejemplo, los plásticos) y sólo los seres vivos pueden reproducirse y evolucionar. Ésta es la diferencia».

Como para cualquier científico, para Miller el acontecimiento más importante que podría ocurrir en el campo del conocimiento sería aquel que confirmara sus hipótesis. Por tanto, «encontrar vida en Marte o recibir señales de radio de más allá del Sistema Solar sería estupendo y puede suceder». Aunque pensándolo algo mejor y pese a sus certezas, concluye que «comprender de verdad cómo apareció la vida en la Tierra sería otro gran acontecimiento». A día de hoy todavía no lo hemos hecho, pero consuela pensar que, mientras tanto, hemos averiguado algunas cosas más.

Según Ricard Guerrero, no sólo algunas, sino muchas cosas más. Por ejemplo, hemos descubierto que es condición imprescindible la presencia de agua líquida para que exista vida. Por tanto, dependiendo de la presión, en cualquier planeta con una temperatura menor de 100 °C puede haber agua líquida, con lo que se darían los elementos para la vida. Y digo dependiendo de la presión, pues en lugares con altas presiones, como en el fondo del mar, a una profundidad de 2.500 metros, hay agua líquida a una temperatura de 120 °C.

Partiendo de un concepto casi «milagroso» de la vida, de algo que se daría con una dificultad asombrosa, hemos pasado a conocer su origen desde elementos tan sencillos como el hidrógeno y el oxígeno. Casi familiares. Sabemos eso, pero mucho más importante es haber llegado a saber que «si la vida se hubiera solamente dado y no evolucionado, se habría agotado en nuestro planeta en unos 300 millones de años. Tenemos idea de que la vida empezó hace 3.850 millones de años cuando las condiciones eran adecuadas, pero hace 3.500 se habría podido acabar». La razón es que se habría terminado la materia desde la que se producía. La simple evolución de los materiales habría agotado el carbono, el hierro presente en la corteza terrestre y ahí se habría detenido la vida... Pero entonces «los organismos descubrieron el primer ecosistema, el primer método según el cual se podían reciclar los elementos y, desde entonces, desde el punto de vista de la materia, la vida se hizo sostenible». La energía (el Sol) era inagotable, pero la materia...

Teóricamente, el mecanismo era, es, sencillo: el organismo 2 aprovecha lo que hace el 1 y el organismo 3 aprovecha lo que hace el 2 y el organismo *n* aprovecha lo que hace el *n* – 1, pero produce un material que puede ser aplicado y utilizado, a su vez, por el organismo 1. A esto los científicos lo llaman «colaboración simbiótica», aunque Ricard Guerrero prefiere verlo como «una buena lección que debemos aprender los humanos: que cuando producimos algo tenemos que pensar en cómo reciclarlo».

En este momento me acuerdo de mi charla con Daniel Dennett, filósofo y también uno de los grandes científicos del momento y un apasionado de la colaboración entre las especies, porque piensa que en ella residen las verdaderas respuestas de la evolución y de la vida.

Su teoría, más o menos, se resume así: «Uno de los momentos más importantes en la evolución de la vida tuvo lugar hace más de mil millones de años. Las células procariotas simples y primitivas fueron invadidas por otras células vecinas y apareció un nuevo tipo de célula, la eucariota. Esta célula, que podríamos considerar como una célula procariota infectada, era más competente que las demás, puesto que era el resultado de la unión de fuerzas entre varias células. Por tanto, en vez de pensar en estos invasores como parásitos deberíamos considerarlos como visitantes simbióticos muy útiles. Cada uno de nosotros aloja miles de variedades de visitantes simbióticos. Llevamos bacterias en el aparato digestivo, ácaros en el pelo o en la piel. En este momento hay miles de visitantes simbióticos en todos ustedes, y mejor así».

Dennett no trata de ponernos nerviosos al hablar de estos visitantes simbióticos. Yo también los tengo en mi cuerpo y por más que me duche siguen ahí. Y está bien que así sea, porque no podría vivir si no fuera por algunos de ellos. Sin esa simbiosis con células distintas que podían absorber oxígeno sin perecer, producir más energía o ir más deprisa no se habría formado la comunidad andante de células que nos sostiene.

A VUELTAS CON LA EVOLUCIÓN

Sigo dándole vueltas a las palabras de Miller... Es difícil admitir que una máquina, si continúa cerca del hombre (es decir, si el hombre sigue prestándole atención), pueda evolucionar hasta ser consciente. «Fíjate en los animales», me dijo Miller. María Teresa Abelló es una gran experta en animales y ella también sostiene que cuando están cerca del hombre evolucionan más. Es de las que defiende la importancia del entorno hasta el extremo de vincularlo con el desarrollo de diferentes organismos, algo que, bien pensado, nos remite a un estudio del Instituto de Tecnología de Massachusetts que demuestra que los benjamines de la familia destacan por ser más rebeldes pero también más innovadores que sus hermanos mayores. Según Abelló, es posible que el entorno, sus circunstancias, les empujen a más.

Cuesta sin embargo admitir que, por ejemplo, el chimpancé «se haya quedado donde está» simplemente porque su entorno no le exigió más, porque no se movió hacia un entorno más desafiante, más difícil. «Es muy lógico pensar eso», dice Abelló. «Los ecosistemas se forman también con los individuos que los pueblan y ayudan a que permanezcan estables. Si un animal se adapta, permanece, y si no surge nada que le desplace de su lugar, se especializa en esas condiciones dadas y no evoluciona. El ser humano parece que abandonó "su ecosistema" reiteradamente, invadiendo diversas áreas del planeta hasta ocuparlo todo y, en cada ocasión adaptándose a diferentes condiciones de vida».

Entre tanta confianza en la evolución como la que se desprende de las palabras de María Teresa Abelló, algunos conservamos dudas, interrogantes... quizá debidos a la ignorancia. Hay cosas que para muchos siguen siendo un misterio. Por ejemplo, el asunto del oxígeno. Los científicos dicen que en la Tierra primordial no había oxígeno, pero si no había oxígeno tampoco pudo haber ozono y, por tanto, nada protegía al planeta de los rayos solares ultravioleta, que habrían acabado con todo. Y sin embargo la vida empezó sin oxígeno. «Empezó de una manera anaeróbica, es decir, sin oxígeno. De la misma manera que las bacterias que producen la fermentación del vino o la cerveza hoy en día, que no necesitan oxígeno para nada. Es más, el oxígeno es un producto biológico, algo que aparece porque unos seres a los que llamamos cianobacterias comienzan a producirlo a partir del agua». Estas palabras de Ricard Guerrero sobre las cianobacterias productoras de oxígeno nos hacen imaginar un planeta recubierto de miles de millones de cianobacterias emitiendo burbujas. «Sí, y eso ocurrió, tardó unos mil millones de años en completarse el proceso que, además, tuvo consecuencias insospechadas: murieron organismos preexistentes, porque el oxígeno es letal». He contemplado docenas de frascos llenos de cianobacterias ondulantes en el laboratorio de la bióloga Betsy D. Dyer. ¿Cómo es posible que organismos aparentemente tan ajenos a nosotros nos fabricaran una atmósfera a medida?

Para nosotros el oxígeno resulta imprescindible para vivir, por eso no es fácil de entender que el oxígeno mate, pero lo hace si no dispones de una serie de enzimas que te protejan de sus efectos, literalmente abrasadores. «Sin oxígeno no se habría podido mantener la vida vegetal, la vida animal y, por supuesto, la vida intelectual, porque el oxígeno es necesario para respirar y para obtener más energía de los alimentos. Hubo un momento en que la primera gran hecatombe ecológica habría podido acabar con la vida, pero ésta evolucionó ante la presencia de oxígeno, y hoy en día hay muchos organismos que dependen de él, que resisten sus escasos efectos nocivos y lo utilizan como nosotros para respirar, pero también existen microorganismos que nos recuerdan que la vida empezó sin oxígeno, porque continúan viviendo en condiciones totalmente anaeróbicas».

Hasta hace no demasiado tiempo pensábamos que la Tierra reunía unas condiciones muy particulares y que sólo en esas condiciones se había podido producir la vida. Ahora la propuesta es totalmente distinta: si la vida no hubiera aparecido, la situación actual de la Tierra sería idéntica a la que hay hoy en Venus (que está más cerca del Sol) o Marte, algo más alejado. Nosotros estamos, más o menos, en medio. Las condiciones de Venus y Marte hoy son muy similares entre sí y las de la Tierra, muy distintas a las de ambos. La razón es que en la Tierra, en un momento dado, apareció la vida. Apareció la atmósfera, con el oxígeno y el nitrógeno, y gracias a eso se mantiene en un equilibrio estable.

¡Qué desperdicio!

Aquí estamos, subidos a este peñasco llamado planeta Tierra, que gira sobre sí mismo cada 24 horas a una velocidad aproximada de 30 kilómetros al minuto. Aquí estamos, digo, interrogándonos y respondiendo a cuestiones que hace sólo unas décadas quedaban relegadas a los dominios de Dios, de la ignorancia o de los profetas. Son tiempos de grandes preguntas: ¿Qué pasa con la vida en otros planetas?

Según los últimos descubrimientos, su existencia es perfectamente plausible. Recientemente se descubrió que en la Tierra existe vida bacteriana en simas de dos kilómetros de profundidad. Bacterias que no necesitan el Sol, que consumen hidrógeno producido en las rocas y soportan bajísimas temperaturas. Sólo una cosa condiciona su vida: la existencia de agua líquida. Pero esa vida que continúa latiendo a 2.000 metros de la superficie comenzó sobre ella. Estos hechos, me cuenta Guerrero, «han ampliado totalmente el paradigma. Ya no necesitamos tener un planeta de tamaño parecido a la Tierra, al lado o cerca de ella, a una distancia de 150 millones de kilómetros, que es una unidad astronómica correspondiente a la distancia media de la Tierra al Sol. Y la estrella no tiene por qué ser parecida al Sol. Es decir, que donde haya un planeta en unas condiciones determinadas y en el que todavía haya actividad, puede haber vida. En la Luna no, porque está muerta, pero sí en otros planetas». Es decir, que las posibilidades son muchísimas y la vida puede ser una consecuencia de la evolución planetaria en cualquier sitio del universo. Lo contrario parecería un desperdicio de espacio, porque la Tierra es un pequeño planeta de una pequeña estrella, que a su vez pertenece a una galaxia mediana. Pero esa galaxia forma parte de un cúmulo de galaxias que están junto con muchas otras. Si realmente sólo hubiera vida y —además sólo vida inteligente— en la Tierra, la mayor parte del universo se habría desperdiciado. Ésta sería, al menos, la opinión de un gran número de científicos en nuestro tiempo. Pero nadie puede, desde luego, excluir la idea escalofriante de que estemos solos en el universo; de que «la vida» —como ha dicho Ken Nealson, el biólogo de la NASA que dirigió durante mucho tiempo los equipos multidisciplinares encargados de buscar vida en el universo—, «es una equivocación». Algo irrepetible.

Todo esto lo pensamos, decía, desde un peñasco que gira sobre sí mismo y se desplaza a más de 220 kilómetros por segundo en una galaxia situada en un universo en expansión. Y no se nos mueve un pelo.

Pero ¿somos monos o no somos monos?

En realidad es una respuesta que ya no nos preocupa tanto, porque al menos ya sabemos qué tipo de mono somos. Es muy difícil afirmar que somos, como decía Miller, «los únicos que estamos aquí, en todo este mar de estrellas».

Una famosísima actriz española me dijo en una ocasión: «Eduard, yo no puedo admitir que desciendo del mono», y efectivamente María Teresa Abelló estaría de acuerdo con ella, porque piensa que descendemos de otro tipo de primates. Un antecesor que sería cercano a los chimpancés en el que se produjo el llamado gen cultural, el salto de la inteligencia; algo que se calcula pudo suceder hace 500.000 años y que desde hace 100.000 responde a la tipología actual de los humanos. Un nuevo paradigma de la ciencia. «Creo que fue así, que las condiciones ambientales iniciaron una evolución distinta, una rama distinta de primates. Fuera por la conquista de nuevos espacios o por otra razón. El hombre se supone que procede de África, pero conforme fue desplazándose hacia el hemisferio norte se enfrentó a condiciones quizá más adversas, lo que le hizo cambiar, mejorar. El eslabón perdido existe porque la aparición del lenguaje es una cosa, la aparición de la pintura otra, pero el momento clave todavía no está claro», dice Abelló. Resulta paradójico que muchas personas sigan preocupadas —desde hace más de dos siglos— por su supuesta pertenencia a un antepasado común de los primates sociales y no les choque, en mayor medida, que su ADN —descubierto mucho más tarde, en 1953— sea muy parecido al de la mosca del vinagre. ¿Es menos estrambótico compartir rasgos, como ocurre con el sueño y el aprendizaje, con la mosca del vinagre que con los chimpancés?

Al pensar en los chimpancés, en sus habilidades, surge una duda razonable. Otra pregunta. Entre sus habilidades (comunicarse un poquito, fabricar alguna herramienta sencilla) y las nuestras ¿existe un trayecto no recorrido o un abismo insalvable? Dicho de otra manera: ¿la evolución humana ha sido cuantitativa o cualitativa? Porque lo cierto es que se produjo una ruptura, tras la que todo comenzó a ser distinto. «No cabe duda de que antes, mucho antes de 100.000 años, existían hombres parecidos a nosotros que aunque no pertenecieran a nuestra línea, eran claramente homínidos. ¿Qué sucedió entonces? Como nos enseñó Miller, podemos fijarnos en las condiciones (que podrían haber sido muy distintas a las actuales) para pensar en un cambio paulatino. El salto cualitativo habría requerido un desencadenante que desconocemos. El pensamiento se produce a través de procesos físicoquímicos, moleculares. ¿Qué agente pudo desencadenar el salto de pensar en cosas sencillas a la capacidad de abstracción? Muchos científicos se inclinan por el salto cuantitativo, «por una reacción ante distintas experiencias».

El azar y la necesidad

Si el siglo XX fue el de la física, el XXI es, sin duda, el de la biología. Saber cómo algo inerte empezó a reproducirse, encontrar la molécula de la vida, es el objeto de numerosas investigaciones. Las distintas disciplinas que buscan explicar el origen de la vida: la geología, la astronomía, la física, la química, la historia, la filosofía y la religión proponen diversas teorías, pero todas coinciden en que hubo un componente de azar. Este componente azaroso del origen de la vida, algo que pudo no ocurrir, abre curiosamente vías al pensamiento, a la investigación. Juli Peretó, bioquímico de la Universidad de Valencia, opina que este azar existe «en el sentido de que unas determinadas condiciones físicas son necesarias para que surja la vida. Que dadas unas determinadas condiciones físicoquímicas, la probabilidad de que aparezcan componentes de la materia viva es relativamente alta. Hay siempre un componente de contingencia histórica, es decir, tiene que haber una conjunción de una serie de características, de componentes y de propiedades, de condiciones para que esto se dé, y siempre hay un componente de casualidad».

Existen muchas definiciones de vida, pero una de las propiedades básicas admitidas por los biólogos como característica fundamental de los seres vivos es la réplica, es decir, la copia de los ácidos nucleicos. Entender cómo pudo aparecer la primera molécula capaz de copiarse a sí misma es otro de los elementos básicos del estudio del origen de la vida. «Un descubrimiento de estas características, encontrar un ácido nucleico que se copie a partir de sí mismo completaría una pequeña parte de un rompecabezas mucho más grande, pero no dejaría de ser una pequeña parte de la solución del problema».

Esta posición menos optimista respecto a los avances científicos y a la cercanía de una posible solución final al enigma del origen de la vida se debe a que cuanta más información poseemos sobre el funcionamiento de las células, más compleja se vuelve la cuestión. O dicho de otra manera: sabemos más biología que hace 50 años y, por tanto, tenemos muchas más preguntas que responder. A más conocimiento, más incógnitas.

Hay científicos que para explicarse el origen de la vida necesitan reproducirla a través de un experimento, y otros que pretenden tener una narración unificada de los procesos químicos que podrían haberse dado en la Tierra primordial y generado las primeras células. Juli Peretó interpreta el estudio del origen de la vida como una ciencia histórica. De la misma manera que tenemos narraciones coherentes y creíbles de los acontecimientos históricos, «algún día la biología podrá tener una narración coherente de cómo ocurrió, o cómo pudo ocurrir, el origen de la vida, sin pretender reproducir experimentalmente este origen, de la misma manera que a nadie se le ocurriría para demostrar que ocurrió la batalla de Waterloo repetirla experimentalmente», afirma.

¿Vida en otros planetas?

En la actualidad los científicos ven indicios en algunos planetas de las condiciones que se dieron en el origen de los seres vivos. Por el momento se estudian Marte, Titán y Europa (la luna de Júpiter), además de los cometas que periódicamente surcan el cielo. «Hasta el momento no tenemos ninguna prueba de que exista ninguna forma de vida presente o pasada en otros cuerpos celestes del Sistema Solar o de fuera del Sistema Solar. Lo que sí que podemos pensar es que en algunos cuerpos del Sistema Solar, particularmente en Marte, se han podido dar condiciones muy similares a las de la Tierra primitiva. No hay ninguna razón para pensar que aquello que estaba pasando en la Tierra hace aproximadamente 4.000 millones de años, que dio lugar a la vida, no podría haber estado ocurriendo también en el planeta Marte».

No podemos asegurar si existe vida en Marte o no. La exploración realizada en la superficie ha indicado que, efectivamente, no hay vida. La mayor parte de la comunidad científica parte de esta constatación para cuestionar la existencia de vida en el resto del universo. Es cierto, sin embargo, que en capas más profundas u otras partes del planeta podría existir alguna forma de vida o restos fósiles de ella, y en 2008 una nueva expedición ha recogido y está analizando nuevas muestras.

La confirmación del *Big Bang*, la gran explosión de materia y energía concentrada en un punto que dio lugar a la creación del espacio-tiempo, del universo, originó un gran debate hace poco en el seno de la Iglesia, al poner en entredicho algunas convicciones religiosas tradicionales. La idea de que la vida tiene una base sobrenatural forma parte de casi todas las religiones y es una constante del pensamiento idealista. Sin embargo, los científicos opinan que la vida en el universo no está tocada por el dedo de Dios. Para algunos científicos como Peretó, la visión del planeta Tierra como el único en el que ha aparecido la vida y de que no hay otro —no ya en el Sistema Solar, sino en general en todo el universo—, donde haya surgido vida, es arrogante. «No creo que podamos asegurar que las condiciones naturales que se pudieran dar en el planeta Tierra hace 4.000 millones de años no se estén dando o no se hayan producido centenares o miles de veces en otros lugares del universo, de manera que no me parece que la vida sea un fenómeno único al Sistema Solar o a la Tierra».

Por ahora todas las fórmulas de vida descubiertas proceden de un tronco común. Encontrar en la Tierra un organismo que utilice un código genético distinto o bien otras moléculas con metabolismos distintos y que sean ejemplo de un tronco diferente representaría un gran avance científico. «Encontrar una forma diferente de vida en la Tierra o en otro planeta sería muy importante para la biología, de hecho creo que sería el descubrimiento más grande de la historia de la ciencia, porque permitiría a la biología comparar características que proceden de orígenes distintos».

La vida es algo más diverso de lo que alcanzamos a ver con nuestros ojos. Las bacterias llevan en la Tierra miles de millones de años más que las plantas y los hombres, y están preparadas para subsistir en condiciones mucho más extremas. Por todo eso es razonable pensar que la extinción del hombre debido a un cataclismo natural o cultural no significaría el final de la vida. Admitámoslo: no todo se acaba con nosotros.

ético: encontrar una forma diferente de vida en la Tierra o en otro planeta sería muy importante para la biología. De hecho creo que sería el descubrimiento más grande de la historia de la ciencia, porque permitiría a la biología comparar organismos que proceden de orígenes distintos.

La vida es algo más diverso de lo que alcanzamos a ver con nuestros ojos. Las bacterias llevan en la Tierra miles de millones de años más que las plantas y los hombres, y están preparadas para sobrevivir a condiciones mucho más extremas. Por todo eso es razonable pensar que la extinción del hombre debida a un cataclismo natural o cultural no significaría el final de la vida, sino que no todo se acaba con nosotros.

[illegible]

Tanto es así [illegible]

[illegible]

CAPÍTULO II

Somos una comunidad andante de bacterias

Stephen Jay Gould dice en su libro *La grandeza de la vida: la expansión de la excelencia de Platón a Darwin* que, en realidad, los animales considerados más complejos hemos llegado tan tarde a la existencia comparados con las bacterias que, en lugar de reino animal, deberíamos hablar del reino de las bacterias. Él lo dice, no sé si en serio o en broma, pero en realidad nosotros todavía tenemos que demostrar que existimos, vamos, que somos algo en comparación con ellas. Estaban aquí miles de millones de años antes que nosotros, fueron las precursoras de la vida y de nosotros mismos. El hecho de que sean microscópicas, invisibles para nosotros, no puede hacernos ignorar que su existencia se prolonga desde hace 3.850 millones de años, mientras que la de nuestra especie, sólo 200.000 años. Una magnitud que no resiste la comparación, sobre todo si, además, pensamos que forman parte de nosotros, que nos constituyen esencialmente. «Somos la última gota de la última ola del inmenso océano cósmico», solía repetir Gould.

Tanto es así, que la mejor manera de definir a los humanos es recordar que somos comunidades andantes de bacterias. Fue un momento crucial de la historia de la vida cuando, hace aproximadamente 2.500 millones de años, las bacterias se unieron entre sí para formar células complejas y esas células complejas formaron parte de nosotros. «Estamos hechos de bacterias unidas las unas a las otras».

¿Será verdad que en mi boca hay más bacterias que habitantes en Nueva York? A Betsy D. Dyer, profesora de Biología del Wheaton College de Massachusetts, no le cabe la menor duda y afirma que «sobre la Tierra existen más bacterias que cualquier otro tipo de organismo, realizando funciones muy diversas».

Desde el punto de vista estético no resulta particularmente estimulante considerarse un conglomerado de bacterias. Sin embargo sí resulta fascinante desde la perspectiva científica. ¿Somos realmente bacterias, grupos de bacterias? Betsy Dyer lo expresa de una forma muy gráfica: «Sí, somos comunidades andantes de bacterias en el mismo sentido en el que los pájaros son una comunidad de bacterias voladoras, ya que nosotros mismos estamos hechos de esas bacterias simbióticas originales que se unieron».

Dyer califica de crucial este momento, hace 2.500 millones de años, en el que, según la *teoría endosimbiótica* popularizada por Lynn Margulis, las bacterias se unieron para formar células. ¿Cómo pudo ocurrir? ¿Por qué? Una de las hipótesis más interesantes que se barajan ahora mismo acerca de cómo sucedió es que la temperatura de la Tierra era todavía muy elevada. La actividad tectónica era enorme: volcanes y fuentes de agua caliente configuraban un impresionante escenario. «Las primeras bacterias fueron bacterias de fuentes de agua caliente y, si en la actualidad quisiéramos tener una idea de cómo era aquella primera bacteria de las fuentes termales, podemos ir de vacaciones a Hot Springs, en Arkansas, y conocer un ambiente similar».

Un ambiente que entonces, hace aproximadamente 4.000 millones de años, era el único existente, y que hoy «sobrevive» en algunos lugares del planeta. Esto me hace pensar en la posibilidad de realizar una especie de arqueología bacteriana, de buscar los orígenes de la vida observando los restos de comunidades de bacterias. Posibilidad que se amplía según Betsy Dyer, puesto que además «las bacterias llevan consigo, en su secuencia de ADN, su historia. Y mucho de lo que hemos logrado entender sobre su evolución está contenido en su información genética».

Hace muchos años que el hombre busca entre los fósiles las huellas de su pasado más remoto, pero hasta hace muy poco no se había planteado la posibilidad de rastrear entre los restos arqueológicos de los microorganismos y poder así retroceder en el tiempo miles de millones de años hasta casi tocar los orígenes de la vida.

Es esta una arqueología en la que el tamaño del objeto de estudio está alrededor de las milésimas de milímetro, lo que dificulta enormemente el estudio de los restos fósiles en su hábitat natural. La microscopía electrónica de barrido por dispersión hace posible que, sin romper la configuración original del objeto se pueda acceder no sólo a las formas externas, sino también a la composición de sus elementos internos; pero aun así, y en el mejor de los casos, ¿cómo saber que lo que estamos observando son realmente las huellas de un ser vivo y no simples restos minerales?

El meteorito que llegó de Marte

Jacek Wierzchos, experto en Microscopía Electrónica de la Universidad de Lérida, ha encontrado bacterias vivas en las rocas de sal de los desiertos de Atacama (Chile) y Negev (Israel) y ha estudiado el meteorito ALH84001, procedente de Marte. Compartió sus experiencias con nosotros durante una charla en *Redes*. A la pregunta de cómo distinguir si estos fósiles son realmente procedentes de microorganismos vivos y no de simples restos minerales nos responde: «Es cierto. Es una duda muy razonable, puesto que estos cristales fósiles tienen la misma composición química que los de origen inorgánico. Pero existen casos particulares, excepciones. Estoy pensando en las magnetobacterias, unas bacterias de la Tierra que forman cadenas de cristales de magnetita que les permiten su orientación con el campo magnético terrestre. Cuando este ser muere, su célula desaparece pero permanece, en ocasiones, la cadena, reflejada ahora en cristales de magnetita. Y es precisamente la presencia de esa cadena lo que diferencia a las magnetitas de origen biológico de aquellas otras producidas a través de procesos inorgánicos».

Esa huella de una vida en ciertos fósiles, la huella de las bacterias, es lo que está permitiendo la búsqueda de vestigios de vida fuera de nuestro planeta. Precisamente, afirma Wierzchos, «es lo que estamos buscando y lo que estamos encontrando dentro del meteorito ALH84001. Es decir, presencia de diminutos cristales de magnetita en forma de cadena. Al encontrarlos sabemos que estamos ante un posible indicio de presencia microbiana. En este caso, en otro planeta».

Por supuesto, estos depósitos de magnetita en forma de cadena también se han encontrado en rocas terrestres y han sido descritos como procedentes de magnetobacterias. Existen múltiples casos en los que determinados compuestos inorgánicos guardan una huella de una «vida». Un rastro de su origen orgánico.

En 2008 la sonda *Phoenix* ha recogido y está analizando nuevas muestras de la superficie del planeta rojo, que se están analizando en la actualidad. Se están preparando además futuros viajes a Marte para traer a la Tierra nuevas muestras. Muestras distintas de las que disponemos hasta ahora, elegidas conscientemente y recogidas en las zonas donde se espera encontrar huellas de actividad microbiana. Lo crucial en esta nueva circunstancia será saber reconocer qué es una huella de actividad microbiana, cómo es un fósil de un microorganismo, qué forma y qué características tiene. El estudio de estos fósiles requiere una preparación.

Existe un territorio en la Tierra donde, en opinión de Wierzchos, podemos ejercitarnos: el desierto antártico. Un ambiente seco, tremendamente seco y también extremadamente frío, en el que es posible explorar este mundo microbiano vivo, muerto y fosilizado. Para Wierzchos, un fósil del desierto antártico es «un microorganismo mineralizado o, más exactamente, las huellas que en forma de depósitos inorgánicos pueden dejar estos microorganismos durante su vida». Es decir, que, en su opinión, realizar este tipo de estudios en la Antártida es como actuar dentro del ámbito de la *astrobiología*, nombre que debe recibir el estudio de las muestras de Marte. Una disciplina científica que nos prepara para dar respuestas sobre la vida fuera de nuestro planeta.

La vida sexual de las bacterias

Un biólogo amigo me contó una historia que pretendía explicar la vida «sexual» de las bacterias: su alocado intercambio de genes. Imagínate —me dijo— que Elizabeth Taylor se zambulle en una piscina con sus ojos violeta y, una vez en el agua, traga unos genes que cambian el color de sus ojos a marrón. Al salir se seca con una toalla que contiene genes de flores y de palomas y, de repente, alza el vuelo con los ojos marrones y con flores en las alas. ¿Te lo imaginas? Bueno, me dijo, pues ésa es la vida sexual de las bacterias.

La historia parece gustarle a Betsy Dyer. «Sí, lo que para una persona o un animal superior es una fantasía, probablemente es la forma normal en la que suceden las cosas si recordamos que lo que más abunda en la Tierra son las bacterias, ellas dominan. Son increíblemente promiscuas, en el sentido de que captan el ADN que está disponible en el entorno por el motivo que sea, de otra especie que esté presente».

Una locura sólo en apariencia. Un continuo intercambio de genes que garantiza la diversidad y, probablemente, la prolongación indefinida de la vida. Una locura que confunde los razonamientos de aquellos que están acostumbrados a pensar que el intercambio de ADN se produce sólo entre miembros de la misma especie y de una cierta manera. Y que eso es todo. Pero en el mundo de las bacterias lo normal es todo lo contrario. En ellas la circulación de la información genética es mucho más libre. Nosotros somos extraordinariamente fieles y ellas, extremadamente promiscuas.

EXTREMÓFILOS: ¿QUIÉN ES EL RARO?

¿Y cómo es nuestra relación con las bacterias? Para algunas somos como una especie de parque nacional en el que pueden vivir muy agradablemente. Un lugar lleno de sabores y de humedad. Para otras resultamos del todo prescindibles, e incluso intercambiables. Cuenta Betsy Dyer una divertida paradoja sobre esto último: las mismas bacterias que dan sabor y olor a los quesos *Limburger* y a otros de fermentación superficial, quesos deliciosos pero de muy fuerte olor a calcetines usados, son las mismas que «anidan» entre los dedos de nuestros pies. Una frontera muy sutil entre lo delicioso y lo ofensivo en lo que a olores se refiere. Pertenecen al grupo de aquellas bacterias para las que los humanos resultamos un lugar interesante en el que habitar, un lugar con suficiente humedad interior y, en ocasiones, exterior. Pero no cabe duda de que para la inmensa mayoría de ellas somos totalmente desconocidos. Viven en ambientes que nosotros no resistiríamos: manantiales de agua caliente, estuarios marinos o formando bancos en las profundidades marinas. «Constituyen parte del grupo que los biólogos denominan organismos "extremófilos", aunque, bien mirado —comenta Dyer— los extremófilos somos los humanos, que necesitamos unas condiciones concretas para vivir, sobre todo unas condiciones de temperatura que, superados ciertos límites por arriba o por abajo, acabarían con nosotros. «Extremófilo» es sólo una palabra que pone de manifiesto nuestro habitual punto de vista antropomórfico y que define a aquellos microorganismos capaces de sobrevivir en condiciones extremas de calor, frío, salinidad o acidez. Condiciones que para cualquier otro ser vivo son mortales. En muchos casos estos organismos son también los responsables directos de la especial vistosidad de algunos paisajes extremos, como es el caso del río Tinto (en Huelva), un ambiente sumamente ácido en el que medra un tipo especial de extremófilos que es el causante del color rojo de las aguas».

El paisaje marciano del río Tinto, de tan extraña belleza, hace años que fascina a numerosos científicos por variadas razones. Entre ellos a Ricard Amils, catedrático de Microbiología de la Universidad Autónoma de Madrid, que trabaja en su laboratorio con muestras extraídas del río con el objetivo de desentrañar cómo funciona el ecosistema microbiano y en qué nos pueden ser de utilidad estas bacterias. Entre otras, se estudia su posible función en operaciones de biominería y, lo que resulta muy interesante, en sus posibles usos como «secuestradores» o «fagocitadores» de metales pesados. En la metalurgia contemporánea la precipitación de metales pesados se realiza con técnicas electroquímicas muy costosas y contaminantes. «Si se pudiera hacer con métodos biotecnológicos, sería algo muy interesante para el futuro», afirma Amils.

Además de este hipotético interés práctico, los extremófilos tienen un alto interés científico en la búsqueda de respuestas sobre las cuestiones que afectan al origen de la vida. Un asunto siempre oscuro desde el punto de vista conceptual, pero quizá también literal, pues al parecer tuvo lugar en ausencia de luz. Además, en el origen de la vida el escenario geológico era extremo, existía actividad volcánica, la temperatura era altísima. Es decir, un origen extremófilo o, al menos, de condiciones extremas. Un escenario que nos lleva a pensar en los quimiolitotrofos, bacterias que se ha descubierto que obtienen energía a partir de las piedras en total ausencia de luz y a varios kilómetros de profundidad.

Y EN EL PRINCIPIO FUE LA NOCHE

Un grupo cada vez mayor de científicos, entre los que se cuenta Ricard Amils, piensan que el origen de la vida en la Tierra (si es que fue en la Tierra) no pudo deberse a la existencia de carbohidratos producidos por la luz, a la fotoquímica. Los impactos de meteoritos debían de producir inviernos muy largos, periodos extensos de oscuridad y, por tanto, en este supuesto, es cuando cobra significado y es interesante explorar «la probabilidad de que los microorganismos que son capaces de obtener energía a partir de minerales sin ayuda del Sol pudieran haber sido los primeros pobladores de la Tierra y probablemente, responsables de su transformación».

Hoy es un lugar común que al existir agua en estado líquido y una fuente cualquiera de energía, hay vida. Estas dos condiciones se dan en muchos lugares, no sólo en la Tierra, sino también en el Sistema Solar y probablemente fuera de él. Podemos encontrar actualmente rastros de microorganismos adaptados a las condiciones que los geólogos otorgan al periodo del arcaico tardío, hace entre 3.000 y 2.500 millones de años, muy cerca del origen del planeta. Y eso es lo que sorprende más, que los registros fósiles más antiguos que tenemos están muy cerca del origen del planeta. «Eso, a algunos, nos dice que el origen de la vida es sencillo y que, al mismo tiempo, no es una operación cerrada. Hay gente que piensa que eso es una constante cosmológica, un imperativo cosmológico: si se dan las condiciones, surge la vida».

Lo más fascinante de las bacterias, de los microorganismos, además de su adaptabilidad a condiciones impensables para la vida mediante el intercambio de información, es su capacidad de simbiosis.

Increíble pero cierto

La profesora Dyer es una entusiasta de las termitas y, más concretamente, de las bacterias que residen en su sistema digestivo, debido a su capacidad de «colaboración», de simbiosis, algo que ocurre en el sistema digestivo de cualquier animal herbívoro que necesita una «comunidad» de bacterias que le ayude en su digestión. Por eso las bacterias de las termitas, que les permiten digerir madera, son tan interesantes. «No habría termitas si no existieran esas bacterias», apunta Dyer. «Pero tampoco existirían las vacas sin una comunidad bacteriana capaz de digerir la hierba. Y esto me lleva a mi hipótesis favorita, a los saurópodos o dinosaurios gigantes, que se alimentaban de plantas de las copas de los árboles. Las enormes proporciones de su cuerpo en forma de barril probablemente estaban en relación directa con la gigantesca comunidad de bacterias simbióticas que habitaba en él y les permitía hacer la digestión».

De las bacterias se pueden escuchar cosas increíbles relacionadas con la tecnología. Por ejemplo, que pueden construir biomotores, que se desplazan a través de pistas de un lugar a otro (así como nosotros viajamos desde Madrid hasta París, ellas se trasladan desde una mano hasta el cuello de nuestro cuerpo). Que además lo hacen con motores y, lo que resulta aún más increíble: con brújulas para orientarse. Esto, que parece un delirio, Betsy Dyer lo resume de manera implacable: «Es cierto, y no creo que sea tan extraordinario si se piensa desde el punto de vista de una bacteria, cosa que yo hago a menudo». Todo esto se puede esperar, en su opinión, de organismos que han tenido casi 4.000 millones de años para evolucionar.

En efecto, las bacterias utilizan instrumentos como motores. Cuando se mira por el microscopio electrónico es increíble ver lo parecidas que son a los motores eléctricos y, además, algunas de ellas son capaces de orientarse por sí mismas utilizando imanes muy pequeños. Son bacterias que esencialmente pueden detectar los polos magnéticos de la Tierra y se orientan con respecto a ellos. Éste fue el resultado de un trabajo del equipo de Dyer realizado hace algunos años. Según el mismo, la inmensa mayoría de las bacterias despliegan sus flagelos (apéndices móviles en forma de látigo que les permiten desplazarse) de manera caótica, aleatoria, y cuando sus sensores químicos detectan la presencia de elementos nutrientes inician movimientos rectilíneos de aproximación. Sin embargo, las llamadas bacterias magnetotácticas utilizan para orientarse los magnetosomas, pequeñas partículas férricas que sintetizan en su interior y que usan como pequeñas brújulas de navegación. Cuando en el laboratorio se cambia de dirección el campo magnético, puede observarse que las bacterias cambian también el sentido de su movimiento. Por otra parte, en 1973 se comprobó que muchas bacterias se desplazan haciendo girar sus flagelos como una hélice, para lo que disponen de un motor eléctrico en el que la diferencia de potencial de su membrana hace las veces de batería. El flagelo está unido a un eje y éste, al cuerpo celular mediante cojinetes y juntas universales. También dispone de un mecanismo de encendido, de un rotor y de un cambio de marchas. La velocidad de giro de ese «motor» es de 16.000 revoluciones por minuto, lo que imprime a la bacteria una velocidad equivalente a recorrer la longitud de su organismo 60 veces cada segundo. Una velocidad vertiginosa, si la comparamos con la del guepardo, que en velocidad punta recorre el equivalente a su longitud «sólo» 25 veces cada segundo. Las similitudes entre los motores eléctricos bacterianos y los diseñados por el hombre son asombrosas, aunque es evidente que uno no se copió del otro. Si no consideramos al motor bacteriano como un diseño inteligente, quizá deberíamos plantearnos si nuestro diseño de motores no es un imperativo de la naturaleza.

El oxígeno: ¿bueno o malo?

Además de todas estas cosas extraordinarias y difíciles de asimilar, el papel de las bacterias pudo haber sido fundamental en el origen de la vida. Existe una teoría que defiende que las cianobacterias que estuvieron presentes en el mismísimo comienzo fabricaban oxígeno como un subproducto de su metabolismo que liberaban como un agente letal a la atmósfera. Dyer sostiene que pese a que el oxígeno era un elemento muy peligroso en aquel tiempo, fue precisamente su presencia lo que permitió el desarrollo de la vida animal. «Y sigue siéndolo, aunque tiene algo de bueno y algo de malo. El oxígeno también es el motivo por el que envejecemos y morimos. La oxigenación, la acumulación de oxígeno, es un veneno destructivo para las moléculas biológicas. Cuando la Tierra era relativamente joven había poco o ningún oxígeno, y esa ausencia probablemente fue el motivo de que las moléculas se unieran y formaran la vida».

En un tiempo de tanto aprecio por el oxígeno, al que casi hemos transformado en un sinónimo de salud, causa perplejidad escuchar ciertas cosas. Por ejemplo, que el agrupamiento de las primeras moléculas en el origen de la vida fuera un mecanismo de defensa frente a él. «Cuando hubo un exceso, una acumulación de oxígeno en la atmósfera, se produjeron reacciones diversas, una de las cuales fue esconderse de él. En nuestros días todavía existen organismos que huyen del oxígeno o que buscan lugares para vivir al que éste no pueda acceder fácilmente. Es decir, que el oxígeno es generalmente perjudicial para aquellas moléculas que consideramos fueron esenciales para el desarrollo de la vida, hasta el punto de que si pensamos en las primeras etapas de ésta no lo encontraríamos. Por el contrario, si descubriéramos un planeta como la Tierra, con un 20 por ciento de oxígeno en su atmósfera, podríamos pensar que las cianobacterias habían hecho su trabajo».

Reivindiquemos las bacterias

Confieso que las cianobacterias me seducen, me intrigan. ¿Será cierto que el paisaje de la Tierra primordial estaba constituido por pequeñas montañas de cianobacterias, amontonadas capa sobre capa? Para Dyer esto es indudable. Y aunque por aquel entonces también habría mares poco profundos, las cianobacterias saben esperar pacientemente a que llueva, por lo que habrían sobrevivido también en ambientes secos. Algo que contradice la opinión común según la cual una bacteria es algo en permanente actividad. «Las bacterias», según Dyer, son «pacientes y prudentes». Es decir, unos «sujetos» que hay que imitar.

Ricard Guerrero, catedrático de Microbiología de la Universidad de Barcelona, ha participado en el hallazgo de bacterias en el delta del Ebro que se distinguen, entre otras cosas, por su movilidad y capacidad de orientación. Entre ellas la *Titanospirillum velox*, una bacteria muy grande (de entre 20 y 30 micrómetros de longitud) y un complicado sistema de movimiento que utiliza los flagelos y la membrana de forma simultánea. También han detectado bacterias magnetotácticas. A Ricard Guerrero y a Isabel Esteve, catedrática de Genética y Microbiología de la Universidad Autónoma de Barcelona, les pedí que me ayudaran a desmontar la «mala prensa» de las bacterias cuando les entrevistamos para *Redes*. Hay que terminar con el miedo a las bacterias, que es también el miedo a las enfermedades. Las bacterias son el origen y el sustento de la vida y, curiosamente, como nuestro primer acercamiento a ellas en los orígenes de la microbiología fue sobre agentes patógenos, sobre las bacterias causantes de enfermedades, el punto de vista que las describe como verdaderos aliados aún es muy nuevo. «Pero ahora estamos en una etapa muy diferente, tomando conciencia de que las bacterias pueden hacer muchas cosas para la vida: la biomineralización, la producción de metano...», afirma Esteve.

¿Inmortales?

Bien, admitamos la bondad de estos microorganismos, pero la curiosidad me obliga a plantearme otra pregunta emocionante. Si estos «bichos» estaban «aquí» hace casi 4.000 millones de años, y ahora los paleontólogos y los microbiólogos dicen que sobrevivirán al hombre otros 2.500 millones de años, la pregunta es simple: ¿Son inmortales las bacterias?

Viven en excelentes condiciones en soluciones cuyo pH varíe de 0 a 10, o en temperaturas de entre 0 y 90 °C. Es más, algunas viven mejor a 110 °C. Según Isabel Esteve, «esta capacidad de adaptación se explica de diversas maneras, pero la más extraordinaria es su capacidad de desarrollar distintos sistemas metabólicos, de alternar rutas metabólicas: fotosíntesis o fermentación, según convenga».

Esta adaptabilidad que las hace casi inmortales, ¿les habrá ahorrado también la evolución? Cambian mucho, es más, la primera evolución fue la suya. Y fue muy rápida, tal vez sólo duró 300 millones de años. A la Tierra se le calculan 4.550 millones de años desde aquel primer intervalo de tiempo llamado Hadeano (un infierno de volcanes, sin agua líquida). Unos 650 millones de años más tarde empieza el periodo Arqueano o Arcaico, momento en el que existe agua líquida en forma de mareas muy fuertes, porque la Luna estaba muy baja y la Tierra se inundaba casi a diario. Fue entonces cuando se dio la evolución de prácticamente todos los sistemas metabólicos. Por tanto, en términos cósmicos, la vida apareció muy rápidamente.

En aquel tiempo de diluvios universales no sólo de agua, sino de azufre, se produjo la evolución de prácticamente todos los sistemas metabólicos. Todo el mundo sabe que el motor de la célula eucariota, lo que la permite respirar, son unas diminutas estructuras llamadas mitocondrias, y que éstas poseen una serie de enzimas que forman el complejo ciclo de Krebs. Pues bien, estas enzimas proceden de unas bacterias que no respiraban, que vivían sin oxígeno. De bacterias que hicieron una primera fotosíntesis que desprendía azufre en lugar de oxígeno.

Me intriga la permanencia de estos seres microscópicos que al reproducirse por escisión son potencialmente inmortales. No sólo potencialmente inmortales, afirma Ricard Guerrero, «las puedes matar, pero si no, no dejan ningún cadáver». Mientras que en las bacterias (con la única excepción de la *lexoesporia* o formación de esporas) no dejan cadáveres al morir, las células eucariotas (que ya no son bacterias) sí lo dejan. Por ejemplo, las células de levadura se reproducen por gemación, de tal manera que, después de que aparezcan 25 o 30 hijas de la célula madre, ésta muere y deja un cadáver que será reciclado para alimentar a las nuevas generaciones. El más antiguo de estos «cadáveres de células eucarióticas pudo producirse hace 2.500 millones de años».

Curiosos estos seres que hoy mimamos en los laboratorios para tratar de arrancarles sus secretos. Seres que evolucionaron dotándose de sofisticados «motores» para sus desplazamientos y que, sin embargo, al desarrollarse en cultivos en los que egoístamente tratamos que no les falte de nada, se vuelven perezosos e incluso dejan de producir sus flagelos. En cambio, en condiciones extremas, «duras para su subsistencia, donde han de desplazarse para buscar el alimento o la fuente de energía, entonces sí invierten energía en producir su flagelo». De la misma manera que inventaron sus «motores» para subsistir, las cianobacterias hicieron lo propio cuando en las condiciones de hambruna de los orígenes de la vida en la Tierra inventaron la fotosíntesis.

Y EN EL FUTURO ¿QUÉ?

Si habláramos de humanos, hace tiempo que habríamos utilizado las palabras «talento» y «virtud» para referirnos a las bacterias. Talento es construir un motor cuando hace falta, y virtud, lograr que nada de lo creado entorpezca la vida. Nada aparece en la naturaleza que no pueda ser reciclado. Esto es, tenemos que aprender que cuando hacemos una nueva máquina deberíamos prever también cómo reciclarla. Las bacterias no hacen nada que no puedan reciclar y gracias a eso se ha mantenido la vida. Gracias a esta «virtud», los científicos pueden pensar el origen de la vida como una «ecopoyesis», es decir, la aparición de un primer ecosistema sostenible que propició la extensión de la vida en la Tierra, frente a la mera «biopoyesis» que, de no haber existido un proceso de reciclado, se hubiera agotado en 200 o 300 millones de años. Pero el talento también se equivoca, el más perfecto ordenador produce errores, y las bacterias, también. Lo asombroso de sus equivocaciones es que son responsables, nada menos que de la evolución de la vida. Me refiero a la evolución y a la mutación porque «si la maquinaria hubiera sido perfecta, no habríamos pasado de bacterias».

Por tanto, las cianobacterias cambiaron la vida del planeta, y su especialización a lo largo de millones de años constituye una apasionante novela de ciencia ficción. Son las que fijan el nitrógeno y permiten existir a las plantas, pero además son responsables de numerosos ciclos biogeoquímicos indispensables para la vida. Un ciclo biogeoquímico es el que cierra, sin solución de continuidad, distintas fases de un proceso necesario para la vida sin dejar restos, reutilizando continuamente las diferentes sustancias que se producen. Por esta razón se puede pensar sensatamente en su utilización científica para, por ejemplo, regenerar los mares degradados e incluso contrarrestar las radicaciones. De hecho, se ha secuenciado recientemente el genoma de una bacteria interesantísima descubierta en 1956. Se trata de una bacteria extremófila llamada *Deinococcus radiodurans*, capaz de resistir a una radiactividad tres mil veces superior a la mínima necesaria para matar a un ser humano. Puede resucitar después de haberse deshidratado casi por completo. Tiene varias copias de su ADN y puede reparar las cadenas que se hayan roto durante la radiación. Y también, por lo mismo, debe tenerse el máximo cuidado cuando necesitamos combatirlas: ellas hallarán la forma de vencer a nuestros antibióticos, de reciclarlos para seguir viviendo, sobre todo si hacemos un uso irracional de ellos. Porque, al final, las bacterias siempre ganan.

SEGUNDA PARTE

Evolución de las especies y el gran salto adelante

CAPÍTULO III

No hay propósito en la evolución

La supervivencia de la Tierra, sus distintas maneras de enfrentarse a los cataclismos cósmicos y biológicos parece denotar un comportamiento inteligente, una suerte de intención. Éste es el eje de la teoría *Gaya*, formulada por el químico James Lovelock, según la cual la Tierra y la biosfera se comportan como un todo, como un único organismo inteligente que se autorregula. Hace millones de años, por ejemplo, la Tierra estaba cubierta de plantas coníferas, una especie cuyas hojas en forma de aguja tardan 20 años en desintegrarse después de caer al suelo. Si esta situación se hubiera prolongado, con el dominio de las coníferas sobre el resto de las plantas nunca habríamos tenido tierra fértil. Pero eso cambió, la Tierra se «curó» de la infección de coníferas y otras plantas pudieron progresar y formarse el manto terrestre.

MISTERIOS DEL TIEMPO GEOLÓGICO

Dice mi amigo Jorge Wagensberg que «si la Tierra fuera realmente inteligente como dicen algunos, la mejor manera de garantizar su supervivencia sería desembarazándose de nosotros».

No cabe duda de que los miles de millones de seres humanos que hemos proliferado sobre el planeta podemos ser considerados también una infección, de la misma manera que un microorganismo puede infectar a una manzana. Pero es curioso que lo que llamamos «la explosión demográfica» ya no representa el peligro que hace décadas se pensaba podía ser. Hemos descubierto que la Tierra se autorregula, como lo hizo con la población de coníferas y con tantas otras circunstancias en su larguísima historia.

No es el planeta quien debe comportarse inteligentemente, sino nosotros. «Hemos creído durante siglos que la Tierra estaba hecha a nuestra medida y que su historia coincidía con la de la humanidad. Pero ahora sabemos que la Tierra tiene miles de millones de años y que nuestra historia es sólo un fragmento, «un segundo de ese inmenso periodo de tiempo cósmico». Estas palabras de Stephen J. Gould, el célebre biólogo y paleontólogo de la Universidad de Harvard y gran divulgador científico, hacen el problema entendible. Hemos tardado miles de años en darnos cuenta de que nuestro planeta no era sólo el escenario de nuestra historia, de la historia humana, sino un ente autónomo, muy anterior a nosotros, vivo y con su propia historia. Una historia que, al haber atravesado etapas increíbles, difíciles de comprender, nos hace soñar con la existencia de un instinto de supervivencia, con una inteligencia.

Estos misterios del tiempo geológico, la conciencia de que no podemos saber lo que ocurre hoy u ocurrirá mañana sin entender antes lo que sucedió hace miles de millones de años, me empujaron a buscar el magisterio de Gould. A viajar a Cambridge, una pequeña localidad de Massachusetts, en Estados Unidos, donde está la sede de la Universidad de Harvard. Allí, en una especie de biblioteca abarrotada de fósiles, trabajaba de manera incansable. Él es quien mejor ha expuesto al mundo los misterios de la evolución, el autor de la expresión «tiempo geológico», que tanto le gustaba usar.

Precisamente dentro de esa miríada de siglos que resume la expresión «tiempo geológico» sucedieron las cinco extinciones masivas de la vida animal que hasta ahora conocemos. Me pregunto si existen indicios de que en el futuro volverán a ocurrir. «Efectivamente se conocen cinco extinciones masivas ocurridas en los 550 millones de años de existencia de vida animal en la Tierra, lo que, aproximadamente, supone una extinción cada 100 millones de años. Por tanto, no es algo que suceda muy a menudo.

»Por supuesto no ha habido en la Tierra otra especie como la humana, tenemos una conciencia única, para bien o para mal, y somos la más poderosa: estamos haciendo desaparecer otras especies modificando su hábitat. Con la cantidad de especies que estamos eliminando cada día puede ser que la humana esté causando una extinción masiva, pero podríamos ser suficientemente inteligentes para que esto no suceda».

«El futuro dirá», continúa Gould, «pero una extinción masiva nunca ha significado la completa desaparición de la vida. La vida sigue y aquí estamos. Si los dinosaurios no se hubieran extinguido hace 65 millones de años estoy seguro de que no estaríamos ahora aquí, puesto que los dinosaurios habrían dominado a todos los pequeños mamíferos durante algunos cientos, miles de años, hasta que hubiera aparecido otro importante fenómeno externo. El resultado es que la desaparición de los dinosaurios dio a los pequeños mamíferos la oportunidad de evolucionar».

La propia palabra «evolución» parece encerrar, desde un punto de vista semántico, un destino de complejidad. Parece referirse a un recorrido en el cual, con el paso del tiempo, las cosas, los seres vivos alcanzarían mayores grados de complejidad, de sofisticación. Sin embargo, Gould se opone a esa visión de las cosas, en el sentido de que no advierte una línea de progreso hacia la complejidad. «No la veo. Las bacterias han dominado siempre la vida en la Tierra, y pensar que nosotros, por el hecho de ser criaturas más complejas, tenemos mayores probabilidades de éxito no me resulta convincente. Eso no garantiza nuestro éxito a largo plazo. Hay restos fósiles de bacterias que tienen más de 350 millones de años y ellas todavía son la forma de vida dominante en la Tierra».

Artrópodos frente a homínidos

El profesor Gould no se dejaba impresionar por la habilidad del ser humano de interpretar la historia siempre desde un punto de vista antropomórfico. Probablemente hallemos placer en imaginar la evolución siempre referida a nosotros, los mamíferos complejos, pero, «no somos tan importantes, si tenemos en cuenta la historia de la Tierra en conjunto. Lo que ocurre es que, por razones químicas y físicas, la vida debe originarse a partir de estructuras muy simples. Existe un espacio disponible para las formas de vida más complejas, pero los seres vivos en su gran mayoría siempre se han mantenido en el nivel de las bacterias y les va francamente bien».

Gould se divierte «científicamente» bajándoles los humos a los homínidos, describiendo la importancia de otras categorías dentro del reino animal. La importancia de su aparición en la escala evolutiva y su complejidad. En especial es un gran entusiasta de los artrópodos (insectos, crustáceos y arácnidos, básicamente), de los que existen más de un millón de especies descritas. «Por supuesto que los artrópodos son más importantes que los homínidos, con gran diferencia. Constituyen la línea de vida pluricelular más extendida. Sólo hay cerca de 4.000 especies de mamíferos, y 40.000 especies de vertebrados, pero hay millones de especies de insectos y muchas otras que todavía no hemos identificado. Sin duda los artrópodos son cuantitativamente la forma de vida animal dominante hoy día, y seguirán ahí cuando nosotros ya no existamos. Podríamos extinguirnos en un holocausto nuclear y la diversidad de los insectos no se vería gravemente afectada. Hay más de 5.000 especies distintas de escarabajos, por tanto, teniendo en cuenta que los artrópodos son mayoritarios y que una gran parte de los artrópodos han evolucionado bastante, se puede decir que son los precursores del grupo animal dominante del planeta». Para Gould seguimos en el reino de los artrópodos.

Miroslav Radman, profesor de la Universidad París V y gran especialista en genética, ha dedicado más de 15 años al estudio de las bacterias, y sus conclusiones sobre el futuro de la ciencia son algo pesimistas. Afirma que es más incierto que nunca. Que hoy día no existen atisbos de en qué dirección apuntan los futuros cambios del conocimiento humano. Para Gould, «esto es el resultado de un cambio cultural, que es mucho más rápido que cualquier evolución biológica. La evolución biológica, aunque predecible, es tan lenta que nos rompe los esquemas. En cambio, los avances tecnológicos de la humanidad son impresionantes y además totalmente impredecibles. En los últimos 200 años hemos desarrollado técnicas para destruir la Tierra, comunicarnos al instante, salir del planeta. Podemos hacer más cosas que nunca».

Este aumento de la incertidumbre se acompaña de un crecimiento paralelo de las opciones al alcance de los humanos. Entre ellas, garantizar la biodiversidad parece la mejor apuesta para sobrevivir. Gould desconfía de la inteligencia humana para conseguirlo, y lo hace por su conocimiento de que, en épocas pasadas, la biodiversidad era mejor o, dicho de otra manera, de mayor calidad. Probablemente en la actualidad existan más especies que nunca, pero en su opinión, en épocas pasadas existieron más organismos con «anatomías básicas distintas». Y si desaparecen esas anatomías diferentes, desaparecen con ellas líneas evolutivas irrecuperables «con millones de años de historia a sus espaldas que se destruyen en una minúscula fracción de tiempo».

La misión del científico

Parece pues que la tarea del científico y en especial la del que aspira a comunicar sus conocimientos es la de *desfacer entuertos*. Luchar contra los tópicos, los errores, los lugares comunes... que en muchas ocasiones responden a intereses creados. Gould es un destacado adalid en este campo, el de la lucha contra los malentendidos. «Lo peor que podemos hacer, y lo hemos hecho a lo largo de la historia, es no reconocer que todos los humanos somos iguales. La especie humana sólo tiene unos 200.000 años y ahora que podemos analizar las diferencias genéticas entre los seres humanos, vemos que aunque existan diferencias entre las distintas razas en lo que se refiere a rasgos externos, como la piel o el cabello, es evidente que somos muy parecidos. Hay unas pequeñas diferencias genéticas entre las denominadas razas humanas, pero estamos equivocados si caemos en nuestros propios prejuicios y asumimos que hay diferencias entre estos grupos y que el nuestro es el mejor». Ésta es la triste historia del racismo, la xenofobia y los genocidios. Todo está basado en esto y es moral y biológicamente terrible. Otro error que cometemos es considerarnos los reyes de esta Tierra y pensar que tenemos el derecho a decidir el futuro, y como tenemos poder para hacerlo, no nos preocupamos por los problemas que causamos a otros organismos y no nos importa nada lo que hacemos con otras especies o con el entorno. Es un error trágico con consecuencias potencialmente muy peligrosas y seguro que con un poco de modestia, si reconociéramos que todos somos una especie unificada y que tenemos menos poder del que creemos, todo iría mejor. Eso es lo que opina Gould.

El progreso, ¿un concepto acabado o emergente?

La modestia que predica Gould tiene su expresión científica —y su receta, podríamos decir— en una distinta concepción del tiempo. Si al menos de vez en cuando «pensáramos el tiempo» desde la perspectiva geológica que él propone, saldríamos ganando. «Absolutamente. Éste es el concepto más importante con el que la paleontobiología está contribuyendo a la humanidad. La Tierra tiene miles de millones de años, no sólo unos miles, y hasta hace poco, dos o tres siglos, en el mundo occidental se nos educaba en la idea de que la Tierra tenía 4.000 o 5.000 años de antigüedad, y que toda su historia, excepto la de los primeros días, estaba protagonizada por los humanos.

Este etnocentrismo, este pensar que la Tierra estaba hecha a nuestra medida y que su historia coincidía con la de la humanidad nos volvió arrogantes. Nos creíamos, nunca mejor dicho, «el ombligo del mundo». Ahora sin embargo comprendemos que la Tierra tiene miles de millones de años y que la historia de la humanidad es sólo el último fragmento de un segundo en el final de este inmenso periodo de tiempo cósmico. «Pienso», dice Gould, «que esto nos ayuda a comprender que la Tierra no está hecha para nosotros, que somos sus invitados y que estamos aquí gracias a un afortunado accidente. Quizá esto aumentará nuestro respeto y nuestra humildad».

Esta perspectiva geológica del tiempo debería ayudarnos a ser más felices y a darnos cuenta de que, vistas con la suficiente perspectiva, las cosas se vuelven relativas. En el fondo, lo que está diciendo es que a corto plazo nada es posible y que a largo plazo todo lo es. ¿Saber esto nos ayuda a vivir? Pensar, de vez en cuando, en la perspectiva del tiempo geológico, ¿ayuda en algo a la gestión del cortísimo plazo en el que vivimos atrapados?

Gould parece decirnos: no me cuentes historias, hombre. Yo no veo progreso por ningún lado, la evolución no tiene ninguna intencionalidad manifiesta de ir hacia un lado u otro. Se van sucediendo acontecimientos y, como resultado de ellos, unos somos un poco más complejos, y otros, más simples.

Inteligencia y crueldad de la naturaleza

El agua es nuestro elemento primordial. Un elemento que estuvo presente en los orígenes y que aún guarda numerosos secretos sobre aquellos tiempos. De entre ellos, Joaquím Tintoré, doctor en Oceanografía e investigador del CSIC, ha estudiado algunos que apuntan a que el planeta Tierra es un sistema «inteligente», al menos «un sistema extremadamente complejo en el que interactúan todo tipo de fenómenos de escalas muy diversas y, en este sentido, sí podemos pensar en una «inteligencia».

La Tierra mueve los mares. Nosotros, los humanos, en cambio, si queremos mover un minúsculo cochecito tenemos que introducir en él alguna fuerza de energía... «Sí, es una muestra de la fuerza increíble de la naturaleza. Los vientos, por ejemplo, al empujar la capa superficial del mar. Las capas profundas del mar interaccionando con la topografía del fondo, que no es plana, sino que tiene montañas mucho más altas incluso que las terrestres. Todo esto le da una gran complejidad a los movimientos de esas gigantescas masas de agua. Un ejemplo concreto de mecanismo regulador serían los procesos que tienen lugar en la capa superficial del océano, las turbulencias. Ellas consiguen que el mar absorba una cantidad muy importante de dióxido de carbono atmosférico. Este gas, producido por la combustión de hidrocarburos, es uno de los factores que más están contribuyendo al cambio climático. El océano actúa, sin duda, como regulador de todo este problema».

Esto es un ejemplo de regulación. Pero existe la versión contraria. De pronto aparece en la atmósfera un terrorífico tornado y, ¿alguien me puede hablar de la inteligencia de un tornado? Recuerdo que en una ocasión un reportero de la CNN se encontraba en un lugar de Florida donde acababa de pasar un tornado. Allí, a una mujer que contemplaba su casa destruida, le preguntó: ¿qué sentido puede tener todo esto? «Ninguno», respondió ella desolada. «Todos sabemos que la naturaleza puede ser extremadamente bella», dice Tintoré, «y al mismo tiempo devastadora». En este sentido, conocer bien los océanos puede ayudarnos, pues es un entorno maravilloso pero también terriblemente hostil y brutal. Precisamente la gratuidad de ciertos fenómenos de la naturaleza, su aparente «irracionalidad», pudiera validar la definición de progreso propuesta por científicos como Jorge Wagensberg: «Porque un tornado no sirve absolutamente para nada y no hay ninguna intencionalidad en él. Es sólo una incertidumbre, una fluctuación del entorno. Lo inteligente y lo que progresa es todo aquel sistema que se hace resistente, independiente, insensible a que haya tornados o fenómenos similares. Curiosamente eso no significa que haya que aislarse, sino al contrario, significa que hay que intercambiar mucha información con el exterior, saberlo predecir a tiempo».

Lo terrorífico, lo desconocido, lo destructivo genera una extraña atracción en los humanos. Existen quienes persiguen a los tornados y se acercan lo más posible «al ojo del huracán». Esto, que es algo atávico, ha dado lugar a numerosas disquisiciones filosóficas y hoy filosofía y ciencia parecen volverse a acercar. La nueva disciplina de la biónica trata de descubrir las innovaciones de la naturaleza: lo difícil que es imitar una pluma, una tela de araña, la propia mano del hombre... Frente a estas maravillas de la naturaleza existen dos posturas, la de quienes defienden las ventajas de imitarla y la de los que piensan que el hombre debe seguir su propio camino. A día de hoy aún no ha sido posible sintetizar el material del que están hechas las telas de araña. Tampoco el «cemento» (mezcla de saliva y barro) que utilizan las termitas, y que es más resistente que cualquiera de los que soportan nuestros rascacielos. Para algunos, merece la pena investigar e imitar, «copiar para no repetir un proceso natural tan largo. Otros en cambio piensan que esos conocimientos están ya en nosotros por genética, selección natural y experiencia: es decir, que el hombre y la naturaleza deben seguir cada uno su camino.

Volver a lo natural

Uno de los puntos de encuentro de esta discusión pudiera ser el tema de la energía. Cada día recibimos noticias sobre energías renovables, sobre cambios revolucionarios. De pronto toda la energía va a ser eólica o solar, más tarde pasamos a la biomasa, pero seguimos enganchados al petróleo. Algo realmente descorazonador es el asunto de la fusión nuclear: siempre faltan 20 años para que sea una realidad. Lo sensato parece ser que nuevos materiales aumentarán la eficacia de todas estas alternativas, como está ocurriendo con la energía solar. Y esto, no para sustituir a las ya existentes, sino para que sea posible consumir menos petróleo y, en todo caso, hacerlo de una manera más limpia.

Sólo en China existen más de 30.000 especies de plantas. Estamos hablando de otra de las grandes maravillas de este planeta: las plantas medicinales, algo más antiguo que el hombre. Una de las razones por las que merece la pena conservar la diversidad, por lo que cada vez que se quema un área de la Amazonia (y han ardido zonas con extensiones comparables a Bélgica) debemos ser conscientes de que hemos perdido miles de plantas cuyos principios activos no conoceremos nunca. Y esto es algo irreparable. ¿Quién se preocupa de que esto no suceda? ¿Lo hacen las grandes empresas farmacéuticas?

Jorge Wagensberg ha investigado en Amazonia y ha constatado que «algunas tribus llevaban unos 7.000 años investigando con plantas empleando el método ensayo-error. Los indios de la Amazonia son grandes investigadores, van por la selva y cuando ven una planta que no conocen —lo que ocurre a menudo porque la diversidad es muy grande— la mordisquean y empiezan a investigar para qué puede servir. Recuerdo que tenían analgésicos, incluso plantas que nosotros llamaríamos drogas. Algunas muy divertidas, como, por ejemplo, para dormir, el equivalente a una pastilla para dormir. Otras, para una vez te has dormido, soñar, incluso para tener dulces sueños. Y también para despertarse, para facilitar el diálogo y contarse los sueños».

Habituados a los antibióticos, a los específicos industriales contra nuestros males, es difícil recuperar esa confianza en lo natural, pero no deberíamos olvidar esa línea de investigación. No deberían olvidarla nuestros sintetizadores de «milagros».

El misterio del tiempo... atmosférico

A nadie se le ocurriría preguntarle a un amigo experto en Bolsa las predicciones sobre el comportamiento de los mercados de valores en los próximos treinta días. Y si lo hiciéramos le otorgaríamos escaso valor a la respuesta. No ocurre eso, sin embargo, con las predicciones climatológicas. No sólo las pedimos, sino que si por alguna razón nos las dan equivocadas, nos enfadamos mucho. Esta confianza ¿se debe a nuestra ignorancia sobre la complejidad de lo que preguntamos? A juicio de Tintoré, «se debe probablemente a un cúmulo de factores. El primero es que, sin duda, entre todos hemos explicado mal la complejidad de los sistemas ambientales. Se me ocurren ejemplos como el tema del clima, que tú citabas, otro sería el ahora ya muy conocido fenómeno de El Niño, que tiene repercusiones en todo el planeta. Y en todo este tipo de sistemas ambientales se ha progresado mucho, pero su tremenda complejidad hace que poder realizar predicciones muy exactas sea una tarea a largo plazo». Sin llegar a la perspectiva del tiempo geológico del que hablaba Gould, Tintoré opina que la predicción climatológica a largo plazo debe separarse de una perspectiva temporal inmediata, del día a día.

Las teorías más modernas sobre la predicción van en este sentido. Hasta hace muy poco tiempo los errores de predicción eran el resultado de un conocimiento insuficiente de la naturaleza. Una vez conocidas las condiciones presentes, fotografiado un instante de la máquina en operaciones —lo que después se llamarían las condiciones iniciales—, era tan fácil como coser y cantar profundizar en el conocimiento del funcionamiento de la máquina para saber cómo se comportaría en el futuro.

Hoy sabemos, en cambio, que nuestra incapacidad para predecir no arranca de que nos falte ultimar el raciocinio de lo explicable o completar nuestro conocimiento de las cosas. El principio de incertidumbre está en la propia naturaleza, nos pongamos como nos pongamos y esforcémonos todo lo que queramos. Es uno de los descubrimientos más importantes —se lo debemos a Werner Heisenberg (1901-1976)— de la historia de la Humanidad; no sólo ha permitido comprender el mundo cuántico, en el sentido de que no podemos predecir completamente la trayectoria futura de una partícula como un electrón o un fotón, sino que ha impregnado y desfigurado el reino apacible de la seguridad de que las cosas son como parecen.

El principio de incertidumbre preside ahora la vida del universo, de la misma manera que la certeza de la existencia de los dioses, el cielo y los infiernos presidía la de nuestros antepasados.

Prevenir las catástrofes ¿es posible?

Que el sistema científico de predicción de catástrofes debe ser más complejo parece innegable, pero deducir que entonces será más progresivo invita a la duda. Un ejemplo cercano: las cadenas de televisión en Europa han aumentado de forma exponencial, sin embargo, la audiencia sigue prefiriendo su cadena de siempre... «Que exista la palabra *progreso* no significa que los sistemas hayan de progresar, también pueden regresar. Una cosa es la palabra y otra cosa es la teoría que usa esta palabra, y la verdad es que Stephen J. Gould tiene también razón en que hay muchas líneas regresivas y líneas que no han cambiado. «El tiburón, sin ir más lejos, lleva más de 250 millones de años con la misma forma y le va estupendamente».

La predicción es, en relación con las catástrofes naturales, algo que los ciudadanos exigen de la ciencia, y los esfuerzos en este sentido son ímprobos. Éste es un relato de cómo en nuestros días la ciencia intenta adelantarse a las consecuencias de un grave fenómeno meteorológico, El Niño. Los medios que se ponen en funcionamiento recuerdan la estrategia de las grandes batallas.

El Sol no calienta uniformemente toda la superficie de la Tierra, sino que las zonas tropicales reciben más energía que las zonas polares, donde los rayos del Sol llegan con demasiada inclinación. Los océanos y la atmósfera distribuyen este exceso de calor que se origina en las zonas tropicales. Como consecuencia de ello, se forman inmensas masas de nubes por toda la superficie del planeta. La rotación terrestre también afecta la distribución de esa gran cantidad de calor.

En los océanos, el calor acumulado se difunde en forma de grandes corrientes de agua caliente, que experimentan una gigantesca evaporación, provocando la aparición de grandes masas nubosas y, como consecuencia, de lluvias muy abundantes.

Los vientos alisios influyen decisivamente en la formación de esta gran masa de agua caliente, de superficie similar a la de Estados Unidos. Siguiendo unos periodos variables de tres a siete años, los vientos alisios pierden intensidad y las aguas calientes se desplazan hacia el este del Pacífico, llegando a las costas de Perú. A este fenómeno meteorológico se le conoce como El Niño. El Niño modifica el clima de ciertas zonas, provocando inundaciones o sequías que en ocasiones pueden ser catastróficas.

Las zonas más afectadas por El Niño han sido identificadas y clasificadas por los científicos, y con la finalidad de comprender mejor la evolución de este fenómeno, se han instalado más de 50 estaciones terrestres en islas y atolones del Pacífico. Se recogen parámetros físicos del océano, que generalmente se tienen en cuenta para los estudios climáticos: la temperatura, la salinidad, las mediciones directas de las corrientes.

Para estudiar las corrientes se dejan a la deriva unas boyas que transmiten por satélite la posición exacta en la que se encuentran en todo momento, permitiendo estudiar las corrientes del océano. De este modo, y con la ayuda de un barco oceanográfico, se puede preparar un mapa cartográfico de corrientes. En estos mapas quedan anotadas las corrientes de superficie y las corrientes de profundidad, todas las variables que de un modo u otro tienen un papel importante en la aparición y evolución del fenómeno de El Niño.

Los resultados de estos estudios permiten avanzar en el conocimiento del papel de los océanos en la meteorología. Ya está demostrado que las corrientes superficiales de agua caliente están directamente relacionadas con las alteraciones que provoca el fenómeno de El Niño. Todos los datos recogidos son automáticamente enviados en tiempo real vía satélite al centro de operaciones, donde son procesados para ser posteriormente analizados. Además, aquí también se recibirán los datos recogidos por los aviones especializados en estudios atmosféricos. Son aparatos muy sofisticados, capaces de atravesar el interior de un ciclón en pleno vuelo. Están equipados con radares y sensores que pueden registrar variaciones rápidas de temperatura, presión, viento y humedad del aire. También miden el número y el tamaño de las partículas que forman las nubes, las gotas de lluvia y los fragmentos de cristales de hielo que se detectan durante el vuelo.

Científicos de todo el mundo se ocupan de analizar los datos que se reciben. Dichos datos alimentan modelos matemáticos muy complejos, cuyo objetivo es mejorar el conocimiento sobre la meteorología, siempre con la finalidad práctica de predecir el comportamiento climático de nuestro planeta. Los resultados son prometedores; los sistemas meteorológicos, cada vez más perfectos, y los científicos están logrando cálculos y análisis de predicción cada vez más fiables.

Comparados los datos reales con los obtenidos con un sistema de previsión, las diferencias son mínimas. Los modelos utilizados para las previsiones meteorológicas están limitados todavía a unos pocos días. En el futuro, con mejores observaciones atmosféricas y oceanográficas, podremos contar con modelos matemáticos más precisos que permitirán formular previsiones meteorológicas a largo plazo.

Para terminar, una reflexión: las estrategias que los humanos planifican y ponen en práctica para adelantarse a los designios de la naturaleza y, sobre todo, a sus consecuencias negativas, nos acercan cada día al conocimiento de lo que los optimistas llaman «inteligencia» y otros contemplan como reacciones aleatorias que dependen de la presencia o no de distintos elementos físicos y químicos. En cualquier caso, aumentan nuestro conocimiento y, con él, nuestra inteligencia.

CAPÍTULO IV

La inteligencia nace para manipular o ayudar al vecino

El habla, que es aire transformado en ondas sonoras, esconde los secretos de esa paradoja que es el cerebro humano, algo muy complejo. Cuando hace tiempo el hombre primitivo pasó de proferir gritos e interjecciones a la comunicación verbal, esta capacidad de comunicación le sirvió para sobrevivir y se convirtió en una cualidad que muchos consideran única a su especie, en algo que le distinguiría del resto de los animales más evolucionados con los que comparte otras habilidades. A pesar de las numerosas investigaciones que se han llevado a cabo, no sabemos con certeza cómo y cuándo surgió el lenguaje, pero sí que está directamente relacionado con la evolución del cerebro porque, para entenderse, para comunicarse entre sí, los hombres necesitaron poseer un cerebro muy complejo. Por eso cuando hablamos del origen del lenguaje estamos hablando también del origen del cerebro humano.

El tamaño sí importa

El tamaño del cerebro humano es muy superior del que cabría esperar en un animal de las proporciones de un hombre. A propósito de esto siempre recuerdo lo que me explicó una vez un amigo científico: existe una relación inversa entre la cantidad de esperma que produce un varón y su nivel de testosterona, de manera que si se produce gran cantidad de esperma durante la procreación el nivel de testosterona será bajo y el tiempo de gestación de un bebé nacido de él, más largo. Ese tiempo lo aprovechará el cerebro de esa criatura para desarrollarse más. El periodo de gestación de los mamíferos humanos es largo, desde luego, pero la hipótesis de la testosterona en realidad sirve únicamente para preguntarnos: ¿por qué el cerebro humano durante la gestación, y aun después, no deja de crecer?

Según Harry Jerison, profesor emérito de Ciencias del Comportamiento de la Facultad de Medicina de la Universidad de Los Ángeles, el crecimiento del cerebro «no está directamente relacionado ni con el sexo ni con los niveles de testosterona. Sí, por el contrario, con el hecho de ser primates y con el tipo de vida que llevamos los humanos». Es decir, que nuestros modelos de crecimiento se relacionan en primer lugar con la especie a la que pertenecemos y en segundo con nuestro complejo sistema de vida, único en el reino animal. Las sociedades humanas, al ser más numerosas, requieren mayores y más avanzadas habilidades interpersonales y de comunicación. O dicho más claramente: para desenvolverse dentro de un grupo de relaciones cada vez más complejas se necesita un cerebro mayor.

Esto es algo muy lógico que sin embargo deja sin contestar nuestra primera pregunta. Volveremos, pues, a formularla cambiándole el sujeto, para ver si de esta manera podemos avanzar: ¿por qué los primates tienen el cerebro más desarrollado que el resto de los mamíferos?

Aunque tampoco existe una respuesta científica a este interrogante, el paso del tiempo —uno de los métodos empíricos más reputados— nos dice que siempre fue así. «Hace 50 millones de años —nos cuenta Jerison— los primates ya eran los mamíferos de cerebro más grande y así ha sido desde que estamos seguros de que aquellos animales eran primates. Una seguridad que se remonta a 50 o a 55 millones de años atrás, porque si añadiéramos sólo otros cinco millones ya habría discusión sobre el asunto. Pero, en cualquier caso, un cerebro para ser grande necesita tiempo para desarrollarse y los primates debieron de disponer de él. Mucho más en el caso de los humanos, pues al nacer su cerebro sólo tiene un tercio del tamaño que alcanzará al llegar a la edad adulta».

Comparado con otros animales mamíferos, el desarrollo de nuestro cerebro es lento. No obstante la palabra «adulto», relacionada con el desarrollo físico de este órgano, no debe asustar a nadie. Tal y como nos explica el profesor Jerison, «nuestro cerebro se hace "adulto" entre los 3 y los 5 años. A esa edad, lo que pesaba al nacer 300 gramos, podrá pesar un kilo, o incluso más». De ahí quizá el énfasis de pedagogos, médicos y pediatras en la buena «educación» de los bebés y los niños en el transcurso de ese periodo de la vida..., ya que a los 6 años el cerebro humano ya ha alcanzado el 90 por ciento de su tamaño adulto. Es decir, que anatómicamente ya está todo hecho. O peor aún, para que todo esté hecho ha sido necesario que alguna parte se destruya. «A los 5 años muchas neuronas han tenido que morir para que el cerebro tenga un funcionamiento normal, por eso en el momento de nacer el potencial de creación de neuronas es muy superior al número de las que sobrevivirán a los 5 años. Esta temprana destrucción de neuronas es un fenómeno muy peculiar, seguramente relacionado con la necesidad de espacio, con el hecho de que la arborización o ramificación axodendrítica (la ramificación de las distintas partes de la neurona) pueda producirse y formarse así un cerebro normal».

El proceso de formación del cerebro, humano o no, es una de las cuestiones que intriga a la comunidad científica, en particular la relación que guarda con el resto del cuerpo en cuanto a tamaño. El profesor Harry Jerison ha ideado un parámetro, llamado «cociente de encefalización», con el que intenta cuantificar en una sola cifra la relación entre el tamaño del cerebro y el tamaño del cuerpo. Nos la explicó cuando nos visitó en *Redes.* Jerison afirma que «en los humanos esta relación es de 7,4; es decir, una proporción siete veces mayor que la media del resto de los mamíferos». Aunque él mismo pone en cuarentena tal exactitud, no cabe duda de que el cerebro de un hombre es mucho mayor del que se podría esperar en un animal de su tamaño. Un lobo, por ejemplo, es un animal que pesa, de media, entre 60 y 70 kilos, lo mismo que un ser humano adulto; pero su cerebro rara vez sobrepasa los 150 gramos, casi diez veces menos que el cerebro de un hombre. Lo que Jerison llama «el cociente de encefalización» expresa, simplemente, lo grande o pequeño que es un cerebro en relación con la media de los mamíferos, a lo que sería esperable de un animal de su tamaño y peso.

La materia gris

De cualquier forma, y al margen del tamaño, lo que verdaderamente nos intriga y además resulta de extrema utilidad en la vida es eso que llamamos inteligencia. Y aquí encontramos la primera paradoja: el cerebro del elefante, el mayor de los mamíferos terrestres, es cuatro veces mayor que el nuestro, pero no por ello es más inteligente.

Los humanos somos los mamíferos de cerebro más grande en relación con nuestro tamaño, y los que nos siguen en este *ranking* no son el resto de los primates, supuestamente nuestros parientes en la escala evolutiva, sino, sorprendentemente, los delfines. Por esta razón habremos de fijarnos en otras características de la evolución del cerebro aparte de su tamaño. Si el aumento del volumen de la masa cerebral es algo que ha caracterizado a todos los mamíferos superiores, esto no ocurre en la misma proporción con las distintas capas que la componen. La corteza cerebral, capa superficial de materia gris que contiene columnas altamente organizadas de cuerpos neuronales y que se dispone en pliegues prominentes formando circunvoluciones, se ha desarrollado de manera extraordinaria en los homínidos. Desde los *Australopitecus* (los más primitivos) hasta nosotros, los *Homo sapiens*, se ha triplicado la capacidad craneal con relación al resto de primates. Y esta proporción se dispara si consideramos sólo la corteza: si la alisáramos equivaldría a cuatro folios, mientras que la de un chimpancé sólo a uno, la de un mono a una tarjeta postal y la de una rata a un sello de correos. Además el 80 por ciento de esta corteza se corresponde con zonas de asociación entre estímulos sensoriales y respuestas motoras, con acciones localizadas en el área prefrontal e implicadas en la generación de recuerdos, el reconocimiento de lo que nos rodea y la concentración intelectual.

Este estrato del cerebro es, por tanto, el responsable de la inteligencia. Su enorme desarrollo en los homínidos es lo que ha hecho posible la aparición de conductas complejas que se rigen por órdenes que no pasan necesariamente por el sistema límbico, el centro regulador de los sentimientos, y que generan respuestas sin implicaciones emocionales, lo que llamamos respuestas racionales, una característica fundamental de la inteligencia. Con ello no quiero ignorar uno de los descubrimientos más importantes y recientes al considerar el cerebro: la integración de las respuestas emocionales y racionales. Cualquier proyecto supuestamente racional se inicia con una emoción y ha sido influido por ella antes de que concluya.

Pero, como ocurre siempre con la evolución, para que esta parte fundamental del cerebro humano se desarrollara tuvo que existir una necesidad de ello, de que se hiciera más grande, de que, en relación con el de otros animales, fuera superior. La pregunta que surge entonces es: ¿cuándo ocurrió esto y por qué?

Venimos de los reptiles. Pero parece que los reptiles nunca necesitaron un cerebro tan grande o, simplemente, grande. ¿Cuándo comenzaron los sucesores de esos reptiles a necesitar un cerebro mayor? Y ¿de qué forma? Porque hablar todavía no hablaban.

La respuesta, nos dice Jerison, «hay que buscarla 200 millones de años atrás, y 200 millones de años es mucho tiempo. Efectivamente aquellos sucesores de los reptiles no hablaban, pero el habla también nos ayudará a comprender lo que sucedió».

La pregunta oportuna en este momento, según el profesor Jerison, sería: «¿Por qué surgió un nuevo grupo de animales?». Y la respuesta es: «Porque en el medio ambiente existía un sitio para ellos. Existía una franja vacía en la que los reptiles podían desarrollarse».

Todos los expertos, desde hace sesenta o cien años, admiten que los reptiles poseen la visión más aguda, también desde el punto de vista de la diferenciación del color, de todo el reino animal. Sus retinas están dotadas de gran cantidad de células nerviosas, lo que convierte sus ojos en instrumentos únicos. Para Jerison, la respuesta está justamente en este hecho. En el momento en el que aparecieron los primeros mamíferos ya existían reptiles (o un tipo de animales equiparables, ya que existe discusión sobre el asunto). ¿Qué sucedería si no hubieran tenido esa maravillosa visión? ¿Qué sucedería si se hubieran visto obligados a vivir en la oscuridad y a utilizar otros sentidos? «Lo cierto es que existían unos animales que surgieron del grupo, a los que nos referiremos como «reptiles parecidos a mamíferos». Y estos animales ocuparon precisamente la franja vacía: la noche. Eran animales nocturnos o, si no eran nocturnos, su periodo de actividad era el crepúsculo, cuando el Sol se pone y no hay mucha luz. Eran reptiles, tenían una vista excelente... pero no la necesitaban. Y en algunos casos cuando no se necesita un sentido, éste se deteriora. Así que es probable que estos animales tuvieran que desarrollar otros sentidos que hicieran en la oscuridad lo que hace la vista». O dicho de otra manera, ese rápido mapa de una situación que proporciona la vista tuvieron que conseguirlo con otros medios, con otros sentidos. ¿Dónde está la comida? ¿Dónde el enemigo? ¿Aquello es peligroso? ¿Hacia dónde hay que huir? Necesitaban este tipo de información pero debían conseguirla de otra manera, probablemente a través del olfato y el oído. Y aquel cambio fue muy importante.

El sexto sentido

La naturaleza nos ofrece modelos muy refinados de este tipo de evolución. Entre los animales que aún nos acompañan, los murciélagos disponen de un sistema de ecolocalización que es capaz de sustituir con eficacia a la visión. En general, para localizar los objetos emiten señales de ultrasonidos que retornan a ellos en forma de eco, del mismo modo que funciona un sónar, y con la información de esos «retornos» reconstruyen la realidad con tanto detalle como nosotros lo hacemos con los ojos.

La opinión de Jerison y otros científicos es que cuando hace 200 millones de años el grupo de «reptiles parecidos a mamíferos» evolucionaron a mamíferos, además del sentido de la vista, desarrollaron excelentes sistemas olfativos y auditivos. Por los restos de pequeños huesos del oído que han llegado hasta nosotros sabemos que el sistema auditivo era muy bueno. Lo confirman los cambios que sufrieron en la forma del cráneo al transformarse los huesos que eran parte de la mandíbula en los reptiles en huesecillos del oído.

Cuando hace 50 millones de años estos mamíferos tuvieron que adaptarse a la vida en el mar, tenían que sobrevivir en un mundo hostil, vasto y tenebroso. Aprendieron a nadar y a respirar fuera del agua al mismo tiempo, aprendieron a dormir con un solo hemisferio, manteniendo el otro en vigilia para poder respirar. Este rudo proceso de adaptación a un nuevo medio forzó el proceso hacia un alto grado de «encefalización». Su cerebro se desarrolló de forma extraordinaria.

Por estas razones el delfín es el mamífero que rivaliza con el hombre en la escala de la capacidad craneal y en el desarrollo de aquella área, la corteza cerebral, en la que se desarrollan los procesos más complejos. Posee memoria, es capaz de resolver situaciones inesperadas y siente y expresa sus emociones hasta el punto que su sexualidad no está solamente abocada a la reproducción, sino también al placer, e incluye la homosexualidad y un variado repertorio de caricias. Como el agua transmite con gran facilidad las ondas sonoras, los delfines han desarrollado una suerte de «sexto sentido» ultrasónico (semejante a la ecolocalización de los murciélagos), que utilizan para orientarse y detectar animales o barcos a grandes distancias. Las señales acústicas que emiten con un mecanismo situado en su cabeza, debajo del orificio por el que respiran, rebotan en las masas sólidas para regresar de nuevo a sus oídos. Alternando con sus famosos «chasquidos», también emiten silbidos desde la parte más profunda de la laringe. Estos silbidos se cree que forman un lenguaje, un sofisticado sistema de comunicación relacionado con la excitación sexual y otras emociones.

El delfín analiza los «retornos» de sus señales a través de mapas tridimensionales entrelazados. Podríamos decir que ve con el sonido, pues mientras el cerebro humano sólo es capaz de captar entre 20 o 30 señales sonoras por segundo, el delfín puede distinguir hasta 700. Por otra parte, ya sabemos que en estado salvaje se saludan entre ellos con un silbido particular para cada individuo y que, convenientemente entrenados, pueden llegan a comprender mensajes complejos de los humanos. Su notable grado de conciencia se ha comprobado en numerosos experimentos, y sabemos que llegan no sólo a reconocer a otros delfines, sino a autorreconocerse. Es decir, que tienen conciencia de sí mismos, son seres inteligentes que en cautiverio sufren de estrés y de tristeza y pueden llegar a morir por ello, aunque sea, aparentemente, con una sonrisa.

Desventajas de la inteligencia

El profesor Jerison ha estudiado en profundidad la evolución del cerebro humano concentrándose, sobre todo, en las supuestas ventajas de un cerebro muy desarrollado en relación con el tamaño y el peso corporal. Sin embargo, los neurólogos afirman que la depresión es una enfermedad mental que sólo afecta a los seres que tienen la capacidad de reflexionar sobre sí mismos, de pensar su pasado y su futuro. Es decir, que sólo se pueden deprimir los humanos porque tienen un cerebro grande. En este sentido, ¿sufrimos quizá de un exceso de cerebro?

Según el famoso psiquiatra británico Tim Crow, el origen de la esquizofrenia debemos buscarlo en la evolución de los cerebros de mayor tamaño. Él afirma que la esquizofrenia es el precio que paga el *Homo sapiens* por tener la capacidad del lenguaje. Esta noción es sin duda sugerente y nos conduce al terreno de los problemas de la inteligencia, pero para Jerison el interés se centra en el agrandamiento del cerebro, que supone un nuevo salto evolutivo de magnitud equiparable al que hubo hace 200 millones de años cuando al pasar de reptiles a mamíferos, los animales necesitaron el oído y el olfato, además de la vista.

«En la evolución de todos los linajes de homínidos, desde el *Australopitecus* en adelante, surgió en un momento determinado la necesidad de poseer un "mapa" más preciso del territorio que ocupaban, constituido ahora por unos cuantos kilómetros cuadrados, y no sólo unos metros cuadrados, como le ocurría al reptil». Esa necesidad de información está en el origen del agrandamiento del cerebro humano. Según Jerison, esto debió de suceder cuando el cerebro humano tenía el tamaño del de un chimpancé o algo más, y la evolución hacia el lenguaje vino de la necesidad de conocer, de reconocer, un territorio mayor. Y del conocimiento, que no del tamaño, viene la depresión. Pues, como afirma Jerison no sin cierta ironía, «cuando conocemos mejor el mundo también nos conocemos mejor a nosotros mismos y cuando te conoces a ti mismo, es muy probable que no te gustes tanto». Por lo que, para él, la esquizofrenia, la depresión, incluso los desórdenes bipolares podrían tener su origen en el mejor conocimiento de nosotros mismos. Algo muy complejo y en lo que influyen múltiples factores, entre ellos, saber que vamos a morir, la renuncia a la inmortalidad que conllevó el cambio del sistema de reproducción. La conciencia de la muerte ha significado un gran impulso en la evolución. A excepción del hombre no existe un animal que la tenga. Así que, ya lo ven, cuando hablamos de inteligencia no todo son ventajas.

El cráneo n.º 5

Ya hemos visto que el lenguaje —del mismo modo que la capacidad de fabricar herramientas— no es una particularidad específica del hombre. Cada día más se está renunciando a la supuesta división entre animales superiores e inferiores, con quienes compartimos los cinco sentidos. Ya hemos visto que hablamos porque el desarrollo de nuestro cerebro lo ha hecho posible y la interrelación social, necesario. Ahora nos resta entender cómo y cuándo surge el lenguaje, tanto hablado como escrito. Para ello y en primer lugar, una pequeña lección de anatomía.

La morfología de nuestras vías aéreas superiores es distinta de la del resto de los mamíferos, especialmente la peculiar posición de la laringe muy baja en el cuello. En los mamíferos, excepto el hombre adulto, la posición elevada de la laringe permite conectar ésta con la cavidad nasal durante la ingestión de líquidos, de tal manera que éstos pasan de la boca al tubo digestivo sin interrumpir la respiración. Lo mismo ocurre con nuestros bebés, que tienen la capacidad de respirar al tiempo que amamantan. En cambio a partir de los dos años no somos capaces de respirar mientras bebemos.

Entre la orofaringe y la laringe se encuentra el espacio supralaríngeo, que es una vía común al tubo respiratorio y al tubo digestivo. Este espacio es el que favorece la función de producir una amplia gama de sonidos en los que se basa nuestro lenguaje. En términos de selección natural, esta especialización que comporta la facultad de hablar compensa con creces tanto la pérdida de la capacidad de beber y respirar al mismo tiempo como el riesgo de atragantarse.

A pesar de las numerosas investigaciones realizadas hasta la fecha seguimos sin saber con certeza cómo y cuándo nació el lenguaje, ya que no es posible estudiar fósiles del aparato fonador, no existen. La laringe, formada por cartílagos y sostenida por músculos, no fosiliza; sí lo hacen, en cambio, otras estructuras óseas relacionadas con ella, como son la base del cráneo y el hioides, un hueso frágil y diminuto situado en la base de la lengua y que hace anatómicamente posible la capacidad de hablar.

En 1992 se descubrió en la Sima de los Huesos de Atapuerca el llamado cráneo n.º 5, perteneciente a un pre *Neanderthal* de 300.000 años de antigüedad que aportó pruebas anatómicas del aparato fonador. Este hallazgo supuso la evidencia fósil de que existió un escalón intermedio en la evolución del aparato fonador entre chimpancés y humanos.

Así pues, sabemos que los homínidos de la Sima de los Huesos hablaban, aunque los sonidos que eran capaces de articular diferían de los que actualmente componen el lenguaje. En concreto eran incapaces de pronunciar correctamente las vocales *i*, *a*, *u*. Su aparato fonador les impedía hacerlo con precisión y velocidad. Hablar no es lo mismo que emitir sonidos, hace falta utilizar las capacidades mentales implicadas en la construcción del lenguaje y que éste genere una comunicación, una transmisión de conocimiento. Es razonable suponer que fueron esas capacidades mentales (cerebrales) las que hicieron muy rentable la extraña (con respecto a otros primates) posición de la laringe humana.

Cruzar el Rubicón

Al hilo de todo esto, y en beneficio de esas capacidades del cerebro, no sólo dependientes de su tamaño, tuvimos en *Redes* la ocasión de charlar con dos autoridades mundiales en paleoantropología y expertos en el origen del lenguaje, los profesores Philip Tobias y Ralph Holloway. Es fantástico, sobre todo, cuando a uno se le ocurren preguntas radicales y, aparentemente, inocentes. Por ejemplo, ¿podían o no podían los *Neanderthal*, hace 200.000 años, hablar como hablo yo?

El profesor Tobias está seguro de que «podían hablar, ya que tenían una cultura muy desarrollada y quizá necesitaban el habla para comunicarse. Su anatomía era algo diferente de la nuestra, pero tenían una cultura magnífica». Hay una cierta admiración en sus palabras, hasta el punto que considera «una lástima que hoy en día el término *Neanderthal* se haya convertido en un insulto», ya que «si más personas se comportaran como los *Neanderthal* tendrían más cultura y serían más sofisticadas». Holloway en cambio se muestra algo más escéptico: «Creo que hablaban mucho, pero no sé si lo hacían tan bien como nosotros. Tampoco sé si eran tan evolucionados como los *Cro-Magnon*, nadie lo sabe, sólo si pudiéramos usar una máquina del tiempo o encontráramos uno dentro de un bloque de hielo en Siberia podríamos saberlo con seguridad». En todo caso, ambos coinciden en que hablamos con el cerebro, no con nuestra lengua. Y esto es lo fundamental. La laringe, la garganta y los labios, todos estos órganos son meros agentes ejecutores. «Hablamos con nuestro cerebro», afirma Tobias.

Hablo con mi cerebro, siempre y cuando éste sea lo suficientemente grande... ¿o no? Ante mi insinuación, Holloway expone la teoría, fruto de sus investigaciones, según la cual el tamaño cerebral no influye de una manera determinante en la función del habla. «Lo dudo, yo creo que es la organización de la corteza cerebral y algunas partes de la subcorteza las que son importantes para esta función». Hace ya varias décadas Holloway realizó un estudio sobre una enfermedad conocida como microcefalia, o cabeza pequeña, en la que la cara y el resto del cuerpo crecen con normalidad pero el cerebro de repente deja de crecer. El resultado es que la persona que sufre esta enfermedad tiene un cerebro muy pequeño, más pequeño incluso que el de un mono. Y sin embargo descubrió que algunos de estos microcefálicos son capaces de aprender una lengua, de hablar y ser comprendidos. Sufren de un retraso mental profundo, pero aun así son capaces de hablar.

En antropología existía una teoría que se llamaba *rubicón cerebral*, por la cual había que poseer al menos 750 centímetros cúbicos de materia cerebral para ser considerado perteneciente al género *Homo*, lo que está relacionado con la posibilidad de hablar. Sin embargo, estudios como el de Holloway con la microcefalia dejan claro que la naturaleza puede concebir o procesar un cerebro lo suficientemente organizado como para ser capaz de hablar sin llegar a cumplir con los requisitos de un tamaño, digamos, estándar.

Tal vez, entonces, la diferencia, el salto evolutivo, no resida tanto en el habla como en la escritura. ¿Sería ésta, realmente, la diferencia de los otros estadios de los homínidos con nosotros? ¿Con el *Homo sapiens*? «Nadie o muy pocos científicos», afirma Tobias, «aunque llevamos 30 o 40 años hablando de cuándo surgió el habla, han planteado esta cuestión. Por las investigaciones arqueológicas sabemos cuándo empezó la escritura. Muy al principio no hubo escritura, sino representaciones gráficas, miles de cuevas con pinturas en España, Francia, Sudáfrica y quizá, gradualmente, como en los jeroglíficos, los rasgos de las pinturas se fueron estilizando, transformándose en signos, en símbolos comprensibles para esa comunidad, y a partir de ahí empezó la escritura, primero en China por lo que sabemos, y después en Oriente Próximo y luego en el Nuevo Mundo».

Así que quizá sea la escritura lo que ahora consideramos la gran diferencia, lo que nos hace diferentes del resto, si es que somos realmente diferentes. A Ralph Holloway le atrae considerar el lenguaje como una de las actividades cognitivas del cerebro, actividad que comparte ciertos patrones con otros aspectos del conocimiento. Le resulta, por ejemplo, «extraordinario que los restos de fósiles muestren la existencia de herramientas de piedra altamente estandarizadas, obedientes a un patrón, a un conocimiento, y que dichos patrones no puedan justificarse por ningún tipo de mecanismo genético, en la misma forma que sí, por el contrario, se puede explicar el modo en que una araña construye su tela y que, de hecho, se pueda llegar a clasificar a las arañas según el tipo de tela que tejen. Pero los miles de herramientas, docenas de miles, con una antigüedad de entre 1,5 y dos millones de años, muestran patrones, semejanzas extraordinarias. Es difícil imaginar cómo pudieron existir sin un alto grado de cohesión social». ¿Todo esto sugiere un entramado comunicativo, una capacidad de explicarse las cosas entre ellos? Según Holloway, no sólo eso: el comportamiento social sería la clave de la adquisición de ciertas capacidades.

Herencia frente a entorno

Si todo esto es cierto, ¿qué podemos responderle a una escuela de psicolingüistas abanderada por Steven Pinker, eminente psicólogo de Harvard, cuando afirma que la capacidad humana para el lenguaje es genética, que nacemos con la sintaxis, la capacidad de ordenar las palabras de manera que signifiquen algo? A mí, cuando hablo con mis nietas pequeñas me parece increíble que en tan poco tiempo hayan aprendido algo tan complicado. A una de ellas, de 4 años, si le propongo un juego matemático muy sencillo, resulta que no le gusta, que no le interesa y no sabe solucionarlo. Pero si por el contrario el juego propuesto tiene que ver con las palabras, con el lenguaje, es increíble hasta qué punto domina una cosa tan compleja. Ante esto no puedo dejar de preguntarme: ¿podría darse este dominio lingüístico sin algún tipo de herencia genética o es algo adquirido paulatinamente a partir de nuestro entorno cultural, familiar y escolar?

En *Redes* también debatimos con los profesores Holloway y Tobias sobre el eterno dilema *genética frente a entorno*, en esta ocasión referido a la adquisición del lenguaje. ¿La capacidad de hablar es algo que heredamos al nacer, el idioma crece o se extiende como un órgano cualquiera o es un lento proceso de adquisición en el que influye el entorno en que crecemos?

Ralph Holloway piensa que «han de concurrir necesariamente ambas cosas». Citando un estudio basado en el análisis de modelos cerebrales obtenidos mediante escáneres cerebrales de personas que hablan el chino o el inglés, me comentó que se habían comprobado cuestiones muy interesantes. Sometidos los sujetos de estudio a una batería de tests relacionados con la entonación, la sintaxis y la estructura de verbos y de nombres, pudo comprobarse que el cerebro de los chinos tenía un mayor número de zonas iluminadas (es decir, activas) que el de los ingleses. La razón es que en el lenguaje inglés la entonación no existe o tiene un carácter muy secundario, mientras que en el chino es fundamental, tanto como la morfología o la sintaxis. «Pero lo importante, señala Holloway, «no reside en esta diferencia, sino en el hecho de que la entonación no es parte del modelo de lenguaje con el que nacen los chinos, sino algo adquirido en un proceso de formación y desarrollo que se produce en la existencia individual de cada uno de ellos». Por otra parte, afirmaba, en ese proceso de formación se desarrollan ciertas partes del cerebro haciéndolo más grande y distinto del de una persona que utilice otro lenguaje. Esta visión coincidiría con la formulación más moderna de la llamada plasticidad del cerebro en el sentido —como está demostrando el neurólogo Pierre Magistretti, profesor de la Escuela Politécnica Federal de Lausanne, Suiza, entre otros— de que la experiencia deja una huella en el cerebro.

«Por tanto, está demostrado que el entorno afecta realmente a la estructura del cerebro y viceversa. Pero los humanos, si nacen en una cultura en la que existe un lenguaje lo aprenderán aproximadamente en el mismo periodo de tiempo con independencia de su complejidad, y lo harán bastante bien. Lo que nos habla también sin duda de un componente genético».

Esa maravilla llamada sintaxis

Siempre me he preguntado por qué desde muy pequeñitos somos capaces de decir: «el perro muerde un hueso», de construir una frase con lo que los lingüistas llaman sintaxis, que es algo así como el garante del sentido, lo que hace que las palabras que pronunciamos conformen un mensaje inteligible. Nunca he sabido por qué. ¿Qué haría un chimpancé con las mismas palabras? Probablemente nada y, en todo caso, algo muy distinto, si seguimos el pensamiento del profesor Tobias, para quien el hecho de poder hablar tiene una base genética. O dicho de otra manera, no le cabe duda de que «el cerebro hereda ciertas capacidades y algunas muy específicas. La de hablar, desde luego, pero también la musicalidad o el talento matemático. Familias como la numerosísima de los Bach, en la que padres, hijos y nietos fueron excelentes músicos o, por lo menos músicos, parece corroborarlo. Aunque también el hecho de estar todo el día oyendo música tiene su importancia y, por otra parte, lo que no puede hacer el gen es determinar si se ha de componer una sonata o un *boogy-woogie*. Pero sin duda la herencia, lo que llamamos predisposición genética, existe. Y no sólo para las cualidades más o menos positivas, también para la enfermedad. Es interesante desde el punto de vista analítico el hecho de que existan familias con graves enfermedades mentales en las que encontramos a la vez el genio y la esquizofrenia, en ocasiones en el mismo individuo. Dos recientes premios Nobel son esquizofrénicos. En otros casos, es el pariente o el descendiente del genio el que sufre de esquizofrenia o responde al tipo esquizoide, como en el caso del hijo de Einstein».

Las investigaciones que se están llevando a cabo sobre estos temas desde el punto de vista evolucionista son apasionantes y algunas nos acercan a hipótesis sorprendentes. Por ejemplo, según afirma Tobias, es posible que en su origen (que puede remontarse 150.000 años) «el gen de la esquizofrenia haya sido decisivo en cuestiones que nada tienen que ver con el comportamiento psicótico, sino con el genio, la capacidad de liderazgo, la música o la religiosidad». Asunto este de la religiosidad que fue determinante en los primeros tiempos de evolución de la cultura. Hoy día, sin embargo, la ciencia apuesta con mayor facilidad por desvincular las enfermedades mentales como la depresión o la esquizofrenia del genio para considerarlas, simplemente, enfermedades mentales.

Resulta desconcertante concebir que el «papel» de un gen pueda variar con el tiempo, pero a la vez, detrás de esta teoría hay un trasunto de sentido común relacionado con el anacronismo de todo: ideas, creencias, valores, símbolos. ¿Por qué no los genes? Regresando a las preguntas más elementales pero no menos interesantes, ¿es nuestra inteligencia la que nos permite adquirir el lenguaje, los idiomas o es más bien el lenguaje el que nos hace inteligentes? Los científicos sugieren que algo residente en los genes y en su organización nos permite alcanzar el lenguaje y, a su vez, éste hace evolucionar, transformarse, a nuestro cerebro.

Ralp Holloway se muestra convencido de la labor civilizadora del lenguaje, de su capacidad para hacer eficaces los comportamientos individuales y, sobre todo, de su importancia para la interacción humana, para crear sociedades. En su opinión, «cuando hablamos de lenguaje humano nos olvidamos con frecuencia de que se trata de algo extraordinario, asombroso. De algo que se basa en un código arbitrario en el que no existe una relación necesaria entre las palabras del que habla y aquello que está diciendo. De algo con un increíble poder de invención».

Un increíble poder de invención y de mentira, por tanto. El refrán castellano *hablando se entiende la gente* es a menudo una tontería, porque hablando la gente confunde a los demás y, lo que es peor, se confunde a sí misma.

Además de la posibilidad del engaño, que no deja de ser una estrategia muy evolucionada, la característica fundamental del lenguaje humano hablado (hay quien defiende la existencia de un lenguaje anterior basado en los signos) es su capacidad de proyectarse en el futuro. Los distintos lenguajes humanos poseen un sentido del futuro, de lo futurible, que no existe en los monos más evolucionados, como los chimpancés. Es lo que Tobias llama «el elemento subjuntivo de todos los lenguajes» y que tan indispensable nos resulta. El *¿Qué pasaría si? ¿No sería maravilloso si...?* La comunicación de los orangutanes, chimpancés o gorilas carece, que sepamos, de este tipo de construcciones. Como escribió el célebre lingüista Noam Chomsky: «no podemos utilizar el lenguaje si no poseemos la gramática». Y esa gramática es como un código genético. Un código de infinitas combinaciones, permutaciones y modulaciones que responde eficazmente a múltiples necesidades y, lo que es más importante, a deseos, intenciones y voluntades. Esa gramática, esa sintaxis, a la que Tobias otorga el valor de una mutación, de gigantesco salto evolutivo, es lo que hace posible el lenguaje. «Si no se hubiera producido esa mutación, nos limitaríamos a repetir sonidos, señales que vendrían a significar sólo un presente sin proyección y apenas contenido». Una mutación, por tanto, que es la base de los cambios y la evolución del hombre contemporáneo.

¿Cuál habrá sido la primera palabra? No lo sabemos, pero es muy probable que tuviera mucho que ver con el sexo o la comida. O con la seguridad, ¿no habrá estado relacionada con la seguridad? Consultados, los más sabios responden: la seguridad también. Pero antes el sexo y la comida.

CAPÍTULO V

El gran salto adelante de hace 40.000 años

En ocasiones pienso que lo más apasionante de la investigación biológica quizá se encuentre, como en la vida, no en el principio ni en el final, sino en el recorrido necesario para llegar de uno a otro, en la «biografía biológica» imprescindible para que un acto corriente tenga lugar. ¿Cuáles son los mecanismos que van desde un gen, desde un cromosoma, desde una molécula hasta... el ladrido de un perro, hasta el sentimiento del amor, hasta el hecho de recordar algo con ternura?

EL DESCUBRIMIENTO DEL GEN

Seymour Benzer (1921-2007) forma parte de una generación de científicos norteamericanos de origen humilde e ideas bohemias que creció a la sombra de la Gran Depresión de la década de 1930 y aportó una nueva visión arriesgada e innovadora de las ciencias que dio lugar a los grandes descubrimientos interdisciplinares del siglo pasado.

Su interés por la biología comenzó en el sótano de su casa en Brooklyn, donde en 1934 montó un laboratorio mientras realizaba sus estudios de Física. En la década de 1940 participó en las iniciativas que impulsaron la invención del transistor y el desarrollo de la electrónica, pero su ansia por formular nuevas preguntas le llevó a trabajar en la física de la vida, uniendo su trabajo al de James Watson y Francis Crick, para descubrir los secretos de la molécula de ADN.

Después de este hallazgo histórico, de conocer la esencia misma de los genes, Benzer necesitaba una nueva cuestión que resolver y ésa fue averiguar la relación entre genes y conducta. Así fue como comenzó a estudiar la mosca del vinagre *(Drosophila melanogaster)* y, con ayuda de sus estudiantes, se dedicó a provocar mutaciones en su genoma que condujeron, de manera sorprendente, a alteraciones en el comportamiento de los insectos que se transmitían a las nuevas generaciones.

Darwin tenía razón

Jonathan Weiner es científico e investigador en la Columbia University's Graduate School of Journalism y autor de una monografía sobre Benzer titulada *Tiempo, amor, memoria: estudios sobre los orígenes del comportamiento.* Cuando Weiner supo que los biólogos moleculares poseían el medio de pasar de la observación a escala genética de los humanos a la determinación de experiencias como el sentido del tiempo o incluso la vida amorosa, vivió ese conocimiento como una amenaza. Nos lo explicó en *Redes:* «Sentí que la ciencia invadía la última área de experiencia reservada a los poetas. Que el patrimonio particular de los filósofos y los artistas podía ser saqueado». Habiendo sido investigador residente en la Rockefeller University, de Nueva York, y profesor visitante del Departamento de Biología Molecular en la Universidad de Princeton, autor de artículos memorables publicados en el *New Yorker,* el *New York Times, Naturalist, New Republic* y *Washington Post,* y editor de la importante revista *The Sciences,* su opinión merece no sólo ser escuchada, sino además, tenida muy en cuenta. La genética del comportamiento, es decir, la «biografía biológica» de los actos es el apasionante tema del libro mencionado antes y que demuestra cómo el descubrimiento del ADN está cambiando nuestra manera de ver el mundo, e incluso nuestras vidas.

Algunos genetistas y neurocientíficos afirman que ya no cabe la posibilidad de plantear preguntas teológicas. Preguntas sobre el determinismo, por ejemplo. ¿Está escrito en los genes el destino de cada uno? ¿Dependemos de alguna voluntad superior? Su respuesta quizá sería: mira tu cerebro y no hables de filosofía. ¡Mira cómo funciona tu cerebro! Pero lo cierto es que, aunque nueva, esa manera de pensar, de explicar todas las cosas con el cerebro y con los genes también es, en sí misma, una filosofía. Así opina Weiner: «Una nueva forma de explicar la vida que se remonta a los inicios de la revolución científica, hace ya algunos siglos, y que ahora sin embargo, al formar parte de la globalización, llega a todo el planeta. Todos estamos buscando por ese lado las respuestas, pero ¿las encontraremos todas aquí? No lo sé. Es como si todas nuestras experiencias se iluminaran desde un ángulo nuevo y extraño, el ángulo de los átomos y las moléculas. Pero si se ilumina a un pez desde abajo en lugar de hacerlo desde un lado, se obtiene una imagen extraña, y casi no podemos reconocerlo. Ahora nos encontramos en esta situación. Estamos todos iluminando el rostro del hombre desde un ángulo extraño. ¿Cómo vamos a reconocernos? ¿Cómo vamos a recomponer esa imagen distorsionada para saber qué significa ser humano si intentamos explicar las experiencias humanas sólo desde el punto de vista de los átomos y las moléculas? Sin embargo, una de las primeras cosas que se han descubierto es que Darwin tenía razón: está todo tan relacionado que cuando miramos un caracol o una mosca, estamos también mirando a un primo nuestro. Es increíble lo estrecha que se ve esa relación cuando se observa desde el ADN».

Escrito en los genes o 'la mosca mutante'

Este cambio de paradigma en la humanidad comenzó por el estudio de una mosca pequeña, la mosca del vinagre, la hoy archifamosa *Drosophila melanogaster*. Y comenzó, como casi todo, por casualidad. En la Universidad de Columbia (Nueva York) había un laboratorio repleto de animales destinados a experimentos científicos, hasta el punto de que no cabía ninguno más. En él gobernaba el maravilloso biólogo Thomas Hunt Morgan (1886-1945). Cuando uno de sus estudiantes quiso hacer un nuevo experimento, le dijo: «Mira, pon unos plátanos muy maduros aquí en el alféizar de la ventana dentro de un frasco y mete dentro unas moscas del vinagre; no las moscas grandes comunes, sino esas diminutas, y haz el experimento con ellas. Son baratas, se alimentan de plátanos, las podemos guardar en frascos y no ocupan mucho sitio». El estudiante se llamaba Seymour Benzer.

Benzer quiso demostrar que existía un gen que obligaba a cierto comportamiento de las moscas en relación con la luz. Morgan había observado que la inmensa mayoría de las *Drosophila* tienen los ojos rojos, pero encontró una con los ojos blancos y pudo determinar dónde se encontraba la mutación genética que había producido ese cambio. «De ahí sacó Benzer la idea», nos contó Weiner, «de observar mutaciones del comportamiento en vez de en las características físicas». Y lo hizo colocando miles de moscas *Drosophila* en un laberinto de cristal, de tubos de ensayo, en una habitación oscura. Para realizar los primeros experimentos que intentaban relacionar la conducta y la genética, Benzer eligió la mosca del vinagre por ser un animal que, en términos evolutivos, se encuentra a medio camino entre los organismos más simples (las bacterias) y los seres humanos (bastante más complejos). Aunque, al igual que las polillas, todas las moscas se sentían atraídas por la luz, no todas presentaban la misma afinidad por ella, de modo que su comportamiento resultaba impredecible. Introducidas en un largo tubo de ensayo con uno de sus extremos iluminado, la mayoría de las moscas se dirigían hacia él pero, al cabo de unos segundos, algunas retrocedían, otras avanzaban y sólo algunas permanecían más alejadas.

Al realizar la misma prueba con moscas mutagenizadas, es decir, que han sufrido daños en sus genes, resultó que algunas presentaban un comportamiento extraño que nada tenía que ver con la variabilidad típica de las moscas normales. Las moscas cuyas mutaciones habían afectado a su conducta respecto a la luz permanecían apartadas de la multitud y se movían con gran dificultad. Sus descendientes actuaban de la misma manera, lo cual indicaba que este comportamiento se heredaba de generación en generación mediante los genes.

Posteriores experimentos dieron lugar a nuevas moscas mutantes que corroboraron la teoría de que la conducta estaba determinada, al menos en cierta medida, por los genes.

Estas moscas tenían mutados genes responsables de una amplia variedad de aspectos del comportamiento. Entre ellos, el gen *Timeless* (del inglés «eterno»), responsable del cambio en los ritmos del sueño; el *Dissatisfaction* (insatisfacción), que hace que la hembra que lo posee evite el contacto con los machos, y el *Pirouette* (pirueta), cuya mutación conlleva que las moscas se muevan en arcos cada vez más pequeños hasta quedarse inmóviles, son ejemplos especialmente curiosos.

Estos descubrimientos permitieron saber que el comportamiento podía ser reconocido, identificado y localizado en un mapa genético tan certeramente como cualquier otro aspecto hereditario. Otro ejemplo de la herencia de la conducta lo encontramos en los pájaros recién nacidos, que pueden, por instinto, reconocer si las aves que sobrevuelan sus nidos son depredadoras o no sólo con ver su forma y sus movimientos: en consecuencia se esconderán o no.

Un avance importantísimo se produjo cuando Benzer se interesó en la observación de la conducta de las moscas con respecto al tiempo. En realidad y para ser más exactos, ¡con respecto a la siesta! Realmente increíble, pero constituyó la primera demostración de la participación de los genes en el comportamiento, afirma Weiner: «Las moscas, como nosotros, se despiertan por la mañana, se echan una siesta al mediodía y duermen por la noche, todo en un ciclo de 24 horas. Hacen esto incluso si han crecido en la oscuridad total, incluso si no han visto nunca la luz. Es posible observarlo gracias a los rayos infrarrojos, que son invisibles para ellas. Tienen este ciclo de 24 horas porque está escrito en sus genes». Benzer encontró moscas mutantes que tenían ese «reloj biológico» estropeado, y presentaban ritmos circadianos alterados. Lo más curioso es que, mucho más recientemente, se ha podido estudiar el primer mutante de reloj biológico humano: una familia en la que todos sus miembros comienzan a sentir sueño por la tarde, duermen, e invariablemente se despiertan a las cuatro de la madrugada. Y se ha comprobado que este comportamiento anómalo está relacionado con una mutación del mismo gen que Benzer y sus estudiantes habían encontrado en la mosca del vinagre, de modo que algo nos une muy estrechamente a ella.

El gen 'Matusalén'

Decía al principio de este capítulo que Benzer fue un genuino representante de una generación de científicos bohemios. De científicos a los que, un poco en la estela de Nikola Tesla, el investigador austro-húngaro que quiso surtir gratuitamente de energía eléctrica al planeta, el dinero parecía no interesarles, y la explotación de los descubrimientos, aburrirles. Sólo les interesaba el misterio. Cuando sus hallazgos en el campo de la física hicieron posible la invención del transistor y por tanto la revolución electrónica e informática, Benzer abandonó su trabajo y decidió plantearse, junto a Watson y Crick, la gran pregunta: ¿qué es un gen? Una vez hallada la respuesta que ha cambiado la concepción de la vida a las nuevas generaciones a partir de las décadas de 1950 y 1960, encuentra que existe demasiada gente explorando sobre el mismo territorio y vuelve a interrogarse sobre algo que nadie se había preguntado nunca antes: ¿qué relación hay entre los genes y el comportamiento? y ¿cómo podríamos pasar de explorar una pequeña hélice de ADN a conocer su influencia sobre nuestro comportamiento? Fue entonces, según explica Weiner en su apasionante biografía, cuando realizó los ahora aparentemente sencillos experimentos con las moscas del vinagre. ¿Qué relación existe entre un fragmento de ADN y el instinto de una mosca para acudir hacia un punto de luz o apartarse de él? Según Weiner, «cuando Benzer hacía el experimento de una mosca que se acerca a un punto de luz, eran las dos o las tres de la madrugada. Benzer permanecía despierto durante toda la noche en su laboratorio. Todas las noches desde que tenía veinte años. Era incapaz de levantarse de la cama hasta las doce o la una de la tarde para ir al laboratorio. Tenía que trabajar por la noche y dormir hasta muy tarde». En este sentido su reloj biológico se asemejaba al de los mutantes humanos recientemente investigados. ¿Puede ser que Benzer fuera, como las moscas que le ayudaron en sus descubrimientos, un mutante? En cualquier caso, no cabe duda de que tenía un problema con el tiempo.

Nada más apasionante que la búsqueda de las causas. Algo que no es más, ni menos, que la búsqueda de un interruptor que nos permita encender o apagar una luz. Si podemos responsabilizar a nuestros genes de que nos despertemos a las dos de la madrugada, ¿a qué distancia estamos de encontrar, por ejemplo, al responsable del envejecimiento? Y una vez hallado, de decirle: no tengas prisa, tranquilízate. Parece que Benzer, aunque sólo fuera por razones personales, tenía mucho interés en encontrar una respuesta. De hecho descubrió una mosca mutante llamada *Metuselah* (Matusalén), que vive más de cien días (algo que para una mosca es mucho tiempo). En la actualidad los científicos buscan genes *Matusalén* en los seres humanos, y creen que ya han encontrado algunos. Lo que quieren es comprender qué hacen esos genes, por qué la mosca *Matusalén* vive más de cien días. «La idea no es necesariamente proporcionar genes *Matusalén* a los seres humanos, pero si logramos determinar qué fabrica el gen, qué producto es el que transmite al organismo, entonces quizá podamos hacer píldoras *Matusalén* y es posible que cada uno de nosotros logre vivir unos cuantos días más».

Los epidemiólogos dicen que nuestra esperanza de vida potencial es de unos 150 años y, sin embargo, sólo vivimos la mitad. Y afirman: esto es así por culpa de la contaminación, la alimentación, el estrés. Pero Benzer pensaba, Weiner está de acuerdo, que todo lo explicarán mejor los genes. «Son los genes los que nos ayudan a soportar la contaminación. Benzer estaba convencido de que hay diversos genes responsables de la duración de la vida. Algunos nos ayudan a soportar el cansancio, y otros fabrican diversos productos en el interior del organismo que nos ayudan a vivir más tiempo. Pero soportar el cansancio es una de las cosas más importantes, y quizá reside en los genes».

En cualquier caso, los resultados prácticos de estas investigaciones beneficiarán a nuestros hijos y a nuestros nietos. La Organización Mundial de la Salud afirma que un 20 por ciento de los niños que nacen ahora vivirá más de 100 años. Esto es algo que se ha convertido en un tópico y contra los tópicos lo mejor es esperar a que dejen de serlo.

Dilema moral

Jonathan Weiner es también autor de un libro, *The Beak of the Finch (El pico del pájaro pinzón)*, traducido a múltiples idiomas y ganador del premio Pulitzer en 1995, sobre Darwin y la evolución de las especies en las islas Galápagos. Estas islas fueron un paraíso que está dejando de serlo a pasos agigantados por el impacto de la presencia del ser humano en él y por la contaminación de los mares con hidrocarburos. Sin embargo, Weiner interpreta el fenómeno de manera paradójica, si no directamente optimista: «Nuestro éxito como seres humanos en el planeta está afectando a la vida, trayendo extinción y también evolución. Sólo podemos confiar en que las especies bellas, útiles y necesarias, sigan existiendo. El sistema tiene que ser capaz de evolucionar y adaptarse rápidamente, en primer lugar, para hacer frente a nuestro éxito formidable en la Tierra. Es un problema moral terrible el que se nos presenta. Y con los genes *Matusalén* estamos intentando aumentar nuestro éxito».

Sí, un problema moral, porque, ¿cómo podemos dejar de desear vivir más tiempo? ¿Cómo podemos dejar de desear que nuestra familia lo haga? Y, por otra parte, si miramos hacia la gran familia de la naturaleza, a todas las especies que, de alguna manera, forzamos a desaparecer, es inevitable una pregunta: ¿Aún hemos de consumir más?

Frente a la longevidad optimista sugerida por los genes *Matusalén*, Benzer hizo otros descubrimientos que, por el contrario, nos hablan de la existencia de límites dentro de nuestro sistema biológico. Por ejemplo, descubrió que los ratones, las moscas y los seres humanos, después de un periodo de tiempo determinado, son incapaces de continuar aprendiendo o prestando atención a nuevas informaciones: desconectan. Llega un momento en el que el organismo es incapaz de captar las señales. Y esta coincidencia en el agotamiento de la capacidad de recepción con las moscas o los ratones, nos dice también que, básicamente, el mecanismo para recordar o aprender que proporciona el ADN es el mismo en los tres casos. Una lección de humildad que el hombre trata de burlar... Un grupo de científicos, algunos de ellos discípulos de Benzer, han encontrado un gen que ayuda a la memoria: al insertarlo en el ADN de una mosca, la dotó de una extraordinaria memoria fotográfica. De esta manera, apunta Weiner, «alguien dotado con ese gen recordaría cualquier cosa vista una vez durante el resto de su vida». Yo me pregunto: ¿Podríamos tener hijos geniales si les inyectamos genes de memoria gráfica?

El gran salto adelante

Hemos visto lo que nos enseñan las moscas sobre nuestra biología molecular y nuestro comportamiento. En el capítulo anterior debatimos sobre cerebro y lenguaje, y aprendimos que la sintaxis —aquello que nos permite formular frases con sentido— es como un código genético de infinitas combinaciones, una mutación responsable del llamado gran salto adelante, que es la base de los cambios y de la evolución del ser humano.

Y es que ¿hay algún tema más importante que llegar a saber realmente lo que sucedió hace, más o menos —existe debate sobre esto—, 40.000 años? ¿Qué ocurrió entonces para que un tipo especial de homínidos, que somos nosotros, se diferenciara tan drásticamente de seres muy parecidos, de los antecesores de los chimpancés y de otros primates?

Muchos afirman, ya lo hemos visto, que lo que nos hizo distintos fue el lenguaje. Pero otros animales también se entienden entre ellos, también tienen su lenguaje. Otros apuntan a la capacidad para fabricar herramientas, pero los chimpancés también pueden fabricarlas como ha demostrado fehacientemente el primatólogo y etólogo Jordi Sabater Pi. Otros científicos insisten en la capacidad simbólica o en la conciencia o incluso en la cocina como rasgos diferenciadores y transformadores. ¿Cuál es la diferencia, tan tremenda, con el nuestro?

Manuel García-Carpintero es catedrático de Filosofía del Lenguaje en la Universidad de Barcelona. En su opinión no debemos confundir el lenguaje humano con otros sistemas de representación, pues la característica diferencial del lenguaje humano es que está basado en una sintaxis. Y, por otra parte, algo todavía en estudio es si el lenguaje humano es una cuestión evolutiva gradual o tiene su origen en un cambio drástico, y «uno de los modos de estudiarlo es tener presentes las diferencias entre los *modos de representación*, que son de alguna forma lenguaje y el lenguaje propiamente humano. Existen dos ejemplos muy claros: por un lado, los lenguajes que hemos sido capaces de enseñarles a los chimpancés y, por otro, las llamadas lenguas *pidgin* [una degeneración del vocablo inglés *business*, son lenguas surgidas en comunidades de individuos, por ejemplo, esclavos llegados de lugares diferentes, o comerciantes en la época del colonialismo, que para comunicarse necesitaron inventar un lenguaje común]. También hay que tener en cuenta los lenguajes de personas que han tenido la desgracia de crecer aisladas, de los famosos *niños salvajes*».

En este último caso, estos niños no han sido expuestos a la sintaxis, a la influencia de un medio que permite adquirir el lenguaje humano. Parece que si esa «exposición» no tiene lugar antes de la adolescencia, esas personas serán capaces de adquirir un sistema de representación que tiene muchas cosas en común con las lenguas *pidgin*, pero que son notablemente distintos al lenguaje humano.

YO, TARZÁN; TÚ, JANE

Nim es el nombre de un chimpancé que después de un riguroso, estudiado y costoso entrenamiento, fue capaz de aprender algunas palabras y construir «frases» con ellas. Pero de este tipo: *Cosquillea mí Nim juega; Mi banana, tu banana mí tú da.*

Jenny, una *niña salvaje*, a pesar de tener un notable nivel de inteligencia, utiliza el lenguaje de manera muy deficiente con frases de este tipo: *Mostaza compra tienda; Jenny tiene mamá, tiene bebé crece.*

Sartas de palabras. Palabras que significan, que nombran, pero ¿qué falta aquí? Núria Sebastián, psicóloga y pedagoga, es una gran especialista que trabaja en una de las escasas instituciones españolas y europeas centradas en la evolución del lenguaje, el Grup de Recerca Neurociència Cognitiva (GRNC) de la Universidad de Barcelona. ¿En qué punto está el chimpancé que nombra objetos y situaciones respecto a un niño que empieza a hablar a los tres años? «La situación es muy distinta, de hecho cuando la gente dice: "mi hijo ya conoce el lenguaje", en realidad lo que debería decir es: "mi hijo ya empieza a hablar". Es evidente que antes de empezar a hablar tenemos que aprender el lenguaje, también es evidente que un bebé, cuando nace, no conoce la lengua de su entorno, no sabe qué lengua va a acabar hablando al cabo de estos dos o tres años». Hay diferencias importantes entre el chimpancé *Nim* respecto a un niño cualquiera. El chimpancé *Nim*, después de ser sometido a un aprendizaje del lenguaje de los signos (pues es evidente que los chimpancés no pueden hablar, pero sí utilizar el lenguaje humano de los signos), llega a construir sartas de palabras, que tienen un poder comunicativo importante, pero carecen de lo que el niño va a adquirir en su primer año o año y medio de vida. Me refiero a la sintaxis, a las partículas especiales que caracterizan el lenguaje humano. Quizá ese niño no posea un vocabulario elaborado o tan sofisticado como lo tendrá al cabo de unos años, pero sí sabrá manejar la gramática, el tiempo de los verbos.

Es decir, hemos llegado donde estamos porque la sintaxis nos permite situarnos en el tiempo, construir representaciones complejas de la realidad y realizar relaciones y pensamientos abstractos. Construir la complejidad y habitarla.

Ventajas de tener sintaxis

Dice Núria Sebastián que «la estructura cerebral responsable del lenguaje se va desarrollando con independencia de si, posteriormente, el sujeto va a utilizar una lengua más o menos elaborada. Es decir, que la "herramienta" y la función crecen en paralelo y se acoplan a la perfección... aunque siempre habrá cosas difíciles de expresar con el lenguaje».

Por eso recurrimos al arte, a la música, ya que el lenguaje no siempre basta, pero ha sido el arco que ha tensado nuestro cerebro, y lo seguirá haciendo, para avanzar, para «obtener información científica, del tipo de la que tenía por ejemplo el *Homo sapiens sapiens* sobre los valores medicinales de las plantas en su entorno, por ejemplo. Compilar esa información, contrastarla, transmitirla de generación en generación, es posible gracias a la sintaxis. Gracias al gran salto delante de hace 40.000 años».

Cuando un chimpancé pone un palo en el suelo esperando que suba un insecto en vez de doblarse a cogerlo, ¿está utilizando información científica? «Claramente», afirma García Carpintero, «la está utilizando a su nivel; la diferencia que yo defiendo es que la sintaxis del humano tiene un valor de adaptación evolutiva que, bajo mi punto de vista, le llevaría a buscar una explicación de la acción realizada, no sólo su función».

Y por tanto, el primate que llegó a tener ese *pool* de genes relacionados con la sintaxis, dispuso y dispone de una gran ventaja.

Parece destruirse un tópico sobre el tamaño de los cerebros: que un cerebro grande tendría ventajas sobre otro de menor tamaño. La neurociencia parece haber abandonado esa relación causa-efecto y así lo explica Núria Sebastián: «Si fuera cierto, la ballena sería el animal más inteligente de la Tierra, ya que por tamaño tiene un cerebro inmenso. Lo importante no es la cantidad, sino, como siempre, la calidad. Más vale tener un cerebro quizá no tan espectacular como el de una ballena, pero tener un cerebro que tenga una estructura adecuada con unos patrones más complejos. También es interesante ver que la parte del cerebro sobre la que se ubican las estructuras del lenguaje en los humanos, la corteza cerebral, es enorme respecto al volumen total de nuestro cerebro. Los humanos tenemos mucha extensión de corteza cerebral para, relativamente, poco cerebro».

Lástima que algunas de las enfermedades neurodegenerativas más terribles, como el Alzheimer y el Parkinson, agredan justamente a esta superficie, el área más evolucionada, más reciente y más nuestra, la que nos otorga el lenguaje y la noción del tiempo. Nuestro pasado y nuestro presente. Los genes de nuevo, que esta vez nos juegan una mala pasada.

CAPÍTULO VI

Así decide el cerebro

El cerebro humano, la máquina que controla en último extremo la vida, es constante objeto de atención, estudio y experimentación por parte de las inteligencias más agudas de nuestro tiempo. De él, de esa máquina asombrosa, dependen cuestiones tan aparentemente distantes entre sí como la digestión de alimentos que comemos o nuestra libertad de elección. ¿Cómo toma el cerebro decisiones que nos permitan sobrevivir?

¿CÓMO DECIDO?

¿En qué medida tomamos decisiones racionales y en qué medida tomamos decisiones absolutamente programadas por nuestro inconsciente? Ésta es una de las grandes preguntas. La respuesta de los especialistas es que, en cualquier caso, el subconsciente, las emociones, están siempre presentes al comienzo de un proyecto, en su transcurso y en su conclusión.

En esta apasionante búsqueda de respuestas nos acompaña el gran neurólogo mexicano Ranulfo Romo. Este cirujano y doctor en Ciencias por la Universidad de París es un investigador de frontera, y sus trabajos en neurociencia en la Universidad Nacional Autónoma de México forman parte de los Proyectos del Milenio que son financiados por el Banco Mundial, la Fundación Howard Hughes y el Consejo Nacional de Ciencia y Tecnología mexicano.

En contra de lo que pensábamos hace relativamente pocos años, ahora sabemos que el cerebro consume cantidades ingentes de energía, concretamente, alrededor del 20 por ciento de la energía disponible en nuestro cuerpo. Y este gasto no lo producen las funciones de reconocimiento del entorno o las funciones físicas, sino aquellas con las que el cerebro recaba datos de la memoria y en virtud de las cuales realiza predicciones, deducciones, avances de futuro. Es decir, que lo que gasta energía del cerebro es el pensamiento, la toma de decisiones.

En 1981 en Friburgo (Suiza), Romo realizó una investigación con un colega alemán, Wolfram Schultz, con la que pretendían dar respuesta a la pregunta: ¿qué es lo que determina las acciones voluntarias? Por ejemplo: estamos sentados en una silla, decidimos levantarnos y acercarnos a un amigo para preguntarle algo: ¿cómo tiene lugar esa decisión en el cerebro?, ¿en qué momento se es consciente del deseo de acudir a hablar con el amigo y, en qué momento el cerebro utiliza esto para mover todo el cuerpo y desplazarlo? «Lo que descubrimos», afirma Romo, «fue que todo acto motor voluntario es inicialmente involuntario. O, dicho de otra manera, que todo acto consciente es inconscientemente elaborado por nuestro cerebro».

Este —en apariencia— contrasentido hace evidente algo en lo que no habíamos pensado: que nuestro cerebro está continuamente procesando información por debajo de nuestro nivel de conciencia. Es más, dice Romo, «si fuéramos conscientes de todo lo que nuestro cerebro procesa continuamente, viviríamos en el caos».

¿Me caso o no me caso?

En todo ese incesante tráfico de señales inconscientes que compiten entre sí, sólo aquella cuestión que se vuelve muy relevante traspasa el umbral y consigue que la conciencia le preste atención. «En ese momento», explica Romo, «el cerebro toma una decisión: la deja pasar, la expresa o la cancela». Esto se relaciona a niveles muy profundos con nuestra educación, con nuestro adiestramiento, pues «éste interviene para vetar todos los actos conscientes que podrían tener consecuencias peligrosas en nuestras acciones diarias».

Tomar una decisión, llevar a cabo un proyecto requiere unos cálculos. El cerebro es una computadora eficiente que en su continua tarea de toma de decisiones no se olvida del ahorro energético. Ahorrar energía mediante el establecimiento de objetivos, la restricción de comunicaciones y la creación de modelos no son propiedades optimizadas en nuestros ordenadores personales, pero sí, curiosamente, en nuestro cerebro. Sorprendente, ¿no?

¿Qué importancia tiene el inconsciente en nuestras decisiones supuestamente conscientes? Siempre me ha intrigado una paradoja evidente: cuando observamos nuestra conducta o la de otra persona podemos comprobar que los llamados procesos automatizados en el inconsciente son perfectos: respira, duerme, digiere a la perfección, pero cuando toma una decisión supuestamente consciente... a menudo se equivoca. Por ejemplo: ¿me caso o no me caso?, ¿estudio Medicina o Historia del arte? ¡Nos equivocamos, al menos, en el 50 por ciento de los casos! Según el profesor Romo, «sabemos que, afortunadamente, tenemos circuitos cerebrales que están operando para mantener nuestro corazón, nuestro aparato respiratorio y nuestro aparato digestivo funcionando apropiadamente según las necesidades de cada uno, pero nuestra conciencia no presta atención a esto porque sería una locura que nuestro cerebro tuviera que estar pensando en dónde tenemos colocada la rodilla, dónde tenemos el pie o si el zapato nos queda grande... En aquellas decisiones que dependen de nuestra evaluación, decimos: me voy a casar. Entonces el cerebro lo que hace es evaluar toda la información asociada con el matrimonio, y en este proceso llegaremos a tres posibilidades. Una: *me caso*, otra: *no me caso*, y otra: *no estoy seguro.* Y en la vida diaria es lo que nos sucede continuamente: *estoy seguro de esto*, *no estoy seguro de esto* o *estoy medio seguro de esto.*

Una gran parte de la investigación en el campo de la neurociencia está expresamente enfocada a entender qué es lo que hace que nuestro cerebro, de pronto, decida de una manera categórica: *me caso*, o que decida terminantemente *no me caso*. O que se quede rumiando: *¿me caso?*, *¿no me caso?*, como el que deshoja la margarita».

Los actos supuestamente muy racionales también se recrean en la experimentación del laboratorio y es fascinante; me cuentan que pueden ver, a través de la actividad de las células nerviosas, que antes de que el sujeto emita una categoría, una pregunta *(¿me caso?, ¿no me caso?)*, estas células ya la están procesando. El cerebro aporta datos, se habla a sí mismo e informa a nuestra conciencia. «Exactamente», dice Romo, «y en el otro lado están nuestra memoria, las experiencias que hemos tenido con aquella chica en particular, y en un momento determinado, en un instante, estos circuitos cerebrales de los recuerdos de aquella chica y la información que aporta el cerebro empiezan a *rumiar*, se ponen a decidir, a deliberar. Es como en un juzgado: el fiscal aporta información negativa; el defensor, positiva, y el juez decide: *¿me caso o no me caso?* Y eso es todo lo que ocurre dentro de nuestro cerebro para prácticamente todas las acciones que dependan de la razón».

El marketing emocional

Por suerte para nosotros, no todos los días tenemos que tomar decisiones tan importantes como casarnos o no, pero sí decidimos otros asuntos más mundanos. Elegimos entre diferentes marcas dependiendo del producto. ¿Qué hace que nos decantemos por una marca y no por otra? ¿Será la publicidad? Nos bombardean con miles de mensajes publicitarios, pero nueve de cada diez productos que salen al mercado fracasan. Ante este panorama ya hay quien se ha dado cuenta de que es más importante la calidad que la cantidad de los mensajes que llegan al consumidor.

Vivimos rodeados de publicidad. Hemos asumido de tal manera su presencia y su protagonismo en nuestra vida que quizá no nos damos cuenta de los profundos cambios que está experimentando. Parece que ya no se trata tanto de vender como de que nos compren, de que nos elijan entre el maremágnum de productos ofertados. Pere Rosales, director de Marketing y Comunicación de Profesionalia, es uno de nuestros gurús de la comunicación y el marketing. Su preparación sólo es equiparable a su dedicación, y por eso le pedimos información, respuestas a nuestra perplejidad. Estamos hablando del cerebro, de las emociones, de los deseos... ¿de las compras? ¿Es verdad que el marketing ha dado un giro de 360 grados en los últimos años? «Sí. Antes, por ejemplo, el paradigma del marketing era: *Tengo un producto, ¿a quién se lo vendo?* De ahí pasamos a: *Tengo un cliente, ¿qué puedo venderle?* Y hoy en día hemos llegado ya a un punto en que incluso es: *El cliente me tiene a mí como marca. ¿Cómo hago para que me siga prefiriendo?* Los países desarrollados consumen y compran repetidamente, y lo que ha hecho el marketing es adaptarse a esa realidad tan potente».

Cada marca busca diferenciarse de la competencia, las fuertes penetran más en el subconsciente que las débiles y generan mucha mayor excitación neuronal en las zonas cerebrales correspondientes a la toma de decisiones. Es decir, enganchan nuestras emociones, y a través de ellas, nuestra cartera. El problema es que actualmente hay una gran equivalencia de productos, y la solución a este problema es vincular al comprador de una manera mucho más profunda. «Pensemos en *Starbucks*», propone Rosales, «si yo puedo venir aquí, tomarme un café con leche o simplemente ponerme a leer y no pedir nada y no tengo un camarero que me esté incordiando o puedo mover este sofá, sacar el portátil y conectarme a Internet, me encuentro como en casa; en el fondo estoy teniendo una experiencia que va más allá de lo que sería entrar en un bar cualquiera. Esto no es un producto, es un servicio. Sus creadores parten de la base de que si conectan con el consumidor, lo que necesitan ahora es poder repetir esa experiencia, porque si sólo pueden hacer que se encuentre bien una vez no han conseguido nada. Hay que desarrollar procesos y sistematizarlos, y de ahí nace el concepto del marketing emocional».

Los sentimientos influyen en el funcionamiento de nuestro cerebro y son básicos a la hora de tomar decisiones. Por eso los diseñadores, además de preocuparse de que los objetos sean útiles y atractivos, tienen en cuenta otros aspectos. Los productos han de transformarse en una experiencia. Hay marcas que no tienen clientes, sino verdaderos partidarios. Otras, sin embargo, tienen sólo una constante oferta de productos. Las primeras nos ofrecen una filosofía de vida, una personalidad con las que se produce una conexión emocional y a partir de ahí es el usuario (no el cliente) el que está deseando que aparezcan nuevos productos. «Los productos bien diseñados están inspirados en un concepto que en japonés se denomina *Kansei*, que viene a ser algo así como "placer de uso". Hay muchos productos en los que no sólo priman la estética y la funcionalidad, sino el hecho de que usarlos genera placer».

El marketing emocional es un concepto relativamente reciente, pero hace mucho tiempo ya que se desarrollan estrategias para incidir en una decisión de compra de los consumidores. Estrategias que tienen que ver con la conducta. Los productos se distribuyen en el supermercado de acuerdo a dos aspectos: el primero de todos es dónde va el consumidor a buscarlos, y el comercio lo que hace es intentar ubicarlos de la forma más cómoda para el consumidor. El segundo aspecto interesante del *merchandising* es que los productos de primera necesidad se encuentran siempre al final del local, porque las personas cuando entran tienden a ir siempre hacia el fondo, de esta forma se generan unos recorridos dentro del centro comercial de forma ordenada y práctica para la venta.

Internet ha generado nuevas fórmulas de marketing. Las ha generado o ha amplificado extraordinariamente algunas existentes, al dotarlas de un medio autónomo de reproducción. Autónomo e infinito. Se trata del llamado marketing viral. «Un ejemplo es la campaña *Amo a Laura*, hecha para una cadena musical con el objeto de que el usuario de la campaña fuera el medio de amplificación. Esto con Internet es muy fácil. Por ejemplo, hay portales como el famoso YouTube, donde cuelgas tu vídeo y a partir de ahí empieza a generarse todo un virus, porque cada espectador lo envía a sus amigos y al final tú mismo lo acabas recibiendo por tres o cuatro canales distintos. Éste, desde el punto de vista del marketing, es el mejor medio de comunicación que existe, no sólo por su gran capacidad de difusión sino por su credibilidad. Siempre nos creemos más lo que nos recomienda un amigo que lo que vemos por televisión».

Las dudas de Darwin

Todo esto me hace recordar una anécdota muy conocida sobre Charles Darwin cuando estaba a punto de casarse. A su regreso de los viajes en el *Beagle* se preguntó: *¿me caso o no me caso?* Entonces cogió un papel (que se conserva) y trazó las dos famosas columnas: *a favor* y *en contra*. En ellas escribió los pros y contras de su decisión. Recuerdo que, en la columna de los contras anotó: Tendré que hablar con los familiares de mi mujer, tendré menos tiempo para viajar... El caso es que después de meditarlo mucho decidió que sería mejor comprarse un perro que casarse. Pero tuvo tan mala o buena suerte que, a las pocas semanas se encontró con Emma (su prima hermana) y comenzó el gran amor de su vida. Fue feliz con ella y tuvieron muchos hijos... Luego escribió un libro intentando explicarlo.

A lo largo de nuestras vidas cada uno de nosotros se enfrenta a mil cuestiones, no sólo referidas al matrimonio, y batallamos por tomar la decisión adecuada. Por eso estamos tan interesados en que la investigación sobre el cerebro avance, por si un día nos explican el método para no equivocarnos. Parece que no es sencillo... «Hay muchísimos tipos de decisiones, es complicadísimo llevarlas a la experimentación, al ambiente minimalista del laboratorio. El experimentador tiene que controlar muchas variables para saber qué es lo que está ocurriendo y en qué parte del cerebro pueden estar ocurriendo las cosas», nos explicó Romo.

Pero esto mismo aplicado a una decisión como la que pretendía tomar Darwin se vuelve un imposible. ¿Qué es lo que hizo que Darwin decidiera tan rápidamente casarse con Emma? «Muchas de las decisiones no funcionan sólo aplicando la razón, esa tablita que hizo Darwin con ventajas e inconvenientes. Hay cierto tipo de decisiones en las que interviene algo más difuso, algo que llamamos sensaciones: unos sonidos subliminales y una especie de hinchazón que experimenta nuestro cuerpo y que nos hacen tomar decisiones que, en otras personas, nos parecerían equivocadas. Siempre están relacionadas con lo afectivo».

Además la práctica de la experimentación está poniendo de manifiesto la importancia no tanto del sabor o el gusto como de la familiaridad del objeto o servicio buscado. La importancia de la marca. Esta predisposición a favor de una marca conocida como garantía de calidad es perfectamente aplicable incluso a la marca de la propia tribu o familia.

El cerebro nos engaña

Ranulfo Romo ha trabajado en experimentos con monos *Rhesus*, una especie que ha hecho grandes contribuciones a la ciencia y de la que también hablaremos en el capítulo 7. Estos monos han ayudado a identificar los mecanismos que intervienen en el proceso de toma de decisiones a nivel neurofisiológico (es decir, a nivel del sistema nervioso). Los monos aprendieron a distinguir vibraciones de frecuencia variable que les aplicaban en los dedos. Durante medio segundo recibían un primer estímulo y, pasados de uno a tres segundos, una nueva vibración. Mientras los animales dilucidaban cuál de ellas era mayor, se analizaba la actividad de sus células cerebrales.

Entre otras cuestiones, estos experimentos han permitido determinar que un instante clave en la toma de una decisión es aquel en el que el cerebro compara la información que tiene guardada con el estímulo que acaba de recibir.

Ésta sería la sucinta y probablemente pobre explicación del experimento, pero me sirve para formular mi primera pregunta: ¿la primera elección en respuesta a un estímulo es siempre emocional o es consciente? Romo opina que se trata de algo más complicado: «Todas estas elecciones son subconscientes, están por debajo de nuestro umbral de conciencia. Nuestro cerebro realiza todas estas operaciones por detrás, mucho antes de que emerjan en nuestra consciencia».

Romo nos sugiere, y lo hace a partir de su concienzudo trabajo científico, que las decisiones se toman desde la subjetividad. Si no decidimos racionalmente, ni a partir de datos puramente sensoriales, ¿existe una conciencia, algo que decide desde lo subjetivo, desde lo más íntimo de cada cual? «Quiero pensar que sí, porque prácticamente toda nuestra vida es la expresión de la subjetividad. No somos autómatas, no somos individuos categóricos. Nuestra personalidad, nuestras vivencias y nuestras decisiones están enmarcadas en una serie de cosas inexplicables para cualquiera de nosotros. Por otra parte, quiero pensar que en nuestro cerebro tenemos áreas, que conocemos bastante bien, donde la razón puede estar representada. Son las evidencias a favor y las evidencias en contra. Hay otra parte de nuestro cerebro, la más primaria, llamada *cerebro reptiliano*, que se fue formando poco a poco y que está debajo de la corteza, el manto que recubre el cerebro. Esta zona está llena de células nerviosas que, parece ser, tienen que ver con factores subconscientes, pero que son capaces de darle valor a la parte racional de nuestra vida».

Hace sólo 15 o 20 años los neurofisiólogos no podían hablar de los circuitos neuronales. Éstos eran territorio de los psicólogos, justamente de los que no entendían muy bien cómo funcionaba el cerebro. Hoy sabemos que los circuitos neuronales existen y son muy importantes para vivir. En ellos se desarrollan impulsos que tienen que ver con el afecto, con la valoración de la información de la que se desprende una recompensa. Sin ellos, sin la existencia de las neuronas que los componen, cualquier individuo permanece ajeno a los estímulos más fuertes (como de hecho sucede en determinadas enfermedades, como el autismo).

Bondades del cerebro maduro

Con el envejecimiento se produce un cierto deterioro cerebral, sobre todo en lo que afecta a la memoria inmediata. Sin embargo, según los neurólogos y psiquiatras, la memoria acumulada despliega tal profusión de interrelaciones metafóricas (a partir de cuestiones dispares entre sí) que compensa las pérdidas del otro hemisferio. Algo que viene a decir a las personas mayores: tranquilos, no pasa nada, o casi nada. Interesa mucho conocer opiniones más recientes sobre esto. «Los jóvenes tienden a sentir lástima de los mayores al ver sus funciones disminuidas, las motoras y en ocasiones también las comunicativas», nos explica Romo, «pero hay algo fantástico: la adaptación, la plasticidad que permite que a lo largo del tiempo se produzca una adaptación a las nuevas posiciones que se deben encontrar en el espacio y a través del tiempo. Eso es lo que, afortunadamente, permite que cuando el cabello encanece, uno se pueda decir: no se ve tan mal. Sucede que el cerebro se va adaptando a ese tipo de cambios. Pero además, si por alguna buena razón, todavía desconocida desgraciadamente para los neurólogos, no se producen enfermedades neurodegenerativas tan dramáticas como el *Parkinson* o el *Alzheimer*, el grado de sintonización que adquieren los circuitos del cerebro maduro es verdaderamente exquisita. Cuando observo una persona mayor en buenas condiciones quiero pensar que su cerebro está intacto. Pero sé que no es así, y que son la memoria y la finura de su mundo conceptual interno las que producen una cadencia de normalidad».

Rentabilizamos multitud de datos y de memorias. Afinamos su sintonía a medida que nos hacemos mayores y nuestro cerebro pierde neuronas. ¿Es posible que a medida que pasan los años crezca la capacidad de atención y que eso haga que personas de edad avanzada se sientan cada vez mejor? Ocurren dos cosas muy importantes en el transcurso de la vida, la primera es que se desarrolla nuestra capacidad de adaptación gracias a la biología, a la evolución biológica que han generado este cerebro tan interesante y otros órganos y que nos permiten enfrentarnos a distintas contingencias. Pero también es cierto que el cerebro se educa a sí mismo y que el peso de la memoria es muy fuerte. De manera que si no nos ha atacado ninguna enfermedad neurodegenerativa, esos sistemas que le dan valor a la información guardada en la memoria permiten que podamos revivir experiencias, asociaciones guardadas en nuestro cerebro y darles coloraciones afectivas que un joven no puede hacer.

Esto es la vida, lo mejor de la vida. Dice Romo: «A mí, francamente, lo que más me gusta no es hablar ante un auditorio ni tampoco escribir mis artículos. Me gusta cuando puedo detenerme un instante y *vivir* en el interior de mi cerebro: es como un paseo en el que puedo visitar a los amigos, como caminar por una ciudad que conozco y no conozco, pero en la que siempre, en cada instante, puedo detectar detalles muy particulares que me permiten detenerme, verme a mí mismo, recuperar la vida, recrearla y hacer una serie de asociaciones que cuando "despierto" puedo plasmar en frases que me deleitan. Es más, "despierto" trabajo para que me deleiten. Igual que cuando voy a un restaurante no voy para alimentarme, voy por el placer, por la recompensa de comer bien. Estas expectativas, desde el punto de vista neurofisiológico, sólo puede cumplirlas un cerebro maduro. De ahí a demostrar —como han hecho distinguidos psiquiatras— que la madurez es compatible con niveles de felicidad más elevados que en la juventud no hay más que un paso que la ciencia está a punto de dar. El largo archivo de la memoria del adulto mantiene la mente ocupada con recuerdos sofisticados que por fuerza son más numerosos.

Entre los experimentos más sencillos que se pueden realizar está el de recrear la percepción visual: de qué manera el cerebro es capaz de representar para nosotros la realidad: lo que vemos ahí fuera. Hagan la prueba conmigo:

Hacemos un cilindro con una hoja de papel y nos lo colocamos delante de uno de los ojos mientras mantenemos los dos abiertos. Sólo uno de ellos mirará a través del cilindro, pero ambos al frente. En esta situación, una de las manos, por ejemplo la izquierda, se acercará lentamente hasta tocar el lado del cilindro. A medida que se acerca observaremos que en la mano aparece un círculo, después una especie de hueco y, más tarde, un agujero. Este agujero en la mano no existe, evidentemente, es una ilusión visual, una ilusión de nuestro cerebro.

Por qué y cómo ocurre esto es algo más difícil de explicar, hasta el punto que varios laboratorios trabajan en estos momentos sobre ello. Y de alguna manera este experimento elemental nos remite de nuevo a la pregunta fundamental: ¿cómo funciona el cerebro? ¿Cómo es capaz de crear la realidad?

Para los neurocientíficos la ciencia no lo es todo, pero todo es ciencia. La respuesta a la pregunta anterior está en la sinapsis, una palabra misteriosa que designa la conexión entre distintas células nerviosas dentro del cerebro. Javier Cudeiro es catedrático de Fisiología Humana en la Universidad de A Coruña, un buscador, un epicúreo y un amante de la buena música. Para él lo más importante de la sinapsis es «lo que refleja la palabra en sí: una conexión entre neuronas. La sinapsis fue un descubrimiento de Santiago Ramón y Cajal, el primero que vio que las células del cerebro no estaban unidas completamente entre sí formando una red, que era lo que en aquel entonces se pensaba, sino que en realidad estaban separadas y había unos espacios por los que se comunicaban. Las neuronas establecían un diálogo continuo a través de este espacio sináptico. Lo importante de nuestro cerebro y cómo se comporta viene determinado por cómo se conducen estas conexiones, estas sinapsis. El diálogo que establecen es suficiente como para crear todo lo que es nuestro cerebro y todo lo que somos nosotros. De este diálogo surgen las ideas, la percepción visual, el amor, las relaciones místicas, todo lo que uno puede imaginarse».

Añade Cudeiro: «Yo lo paso muy bien en los aeropuertos, porque me encanta observar el trasiego de las personas que los habitan y porque me inspiran la idea de que podría darse la circunstancia de que alguna de esas personas tuviera algo importante que comunicarme a mí y eso dar lugar a que yo pudiese interaccionar con ella. Esto realmente nunca ocurre, pero si ocurriese tendría que ser única y exclusivamente en ese momento. Los aeropuertos también son interesantes porque en realidad son un *no lugar*; las personas que están allí están desprovistas de nación, no pertenecen a ningún Estado en especial, sino que son ciudadanos del aeropuerto, lo cual le da una cierta gracia al asunto, la temporalidad en un lugar que "no es lugar" y en el que se cruzan innumerables vidas. Creo que es un tema, incluso desde el punto de vista literario, muy interesante. Pienso que en realidad es como estar en un teatro muy grande donde simultáneamente se representan muchas vidas y tú estás allí participando de esa obra, de ese *happening* tumultuoso y tienes la oportunidad, al menos teórica, de cambiar, de manera que al optar por una puerta de embarque, cambias de vida y vives la de cualquier otro. Es una idea atractiva».

En 2005 se celebró en A Coruña un congreso sobre la comunicación de la ciencia titulado «Sin ciencia no hay cultura». El *logo* era una imagen que, vista desde lejos, parecía una célula del cerebro, una neurona, pero si te acercabas, entonces comprobabas que en realidad era un mapa de A Coruña y que las prolongaciones de la neurona no eran tales, sino calles de la ciudad. Pero lo que más llama la atención de esa imagen no es tanto lo que se ve, sino el lema con el que fue creada: «Sin ciencia no hay cultura». Una frase absolutamente fantástica y que debiéramos tener muy presente. De hecho, también podríamos decir lo contrario: «Sin cultura no hay ciencia», porque la ciencia y la cultura, la cultura y la ciencia son o debieran ser bases estructurales fundamentales de lo que es la sociedad, de lo que es el conocimiento y la relación entre las personas.

TERCERA PARTE

EL NIÑO Y LA CAPACIDAD DE SER FELICES

CAPÍTULO VII

Todo se juega antes de los 5 años

Creemos saber algo sobre los niños, pero no sabemos nada, o casi nada, sobre los bebés, es decir, sobre los niños en el primer y segundo año de vida. Esto se traduce en que la organización de nuestro tipo de vida sólo tiene en cuenta —cuando lo hace— a niños que han sobrepasado el umbral de esa edad.

La sociedad parece estar acostumbrada y, en ocasiones, organizada para los niños, pero no conozco ninguna que tenga en cuenta a los bebés de una manera especial. Esto se debe, entre otras cosas, a que no sabemos nada de lo que ocurre en la mente de un bebé de entre 1 y 2 años. Generación tras generación damos muestra de esta ignorancia, hasta el extremo que, ante el llanto de un bebé en su cuna, una abuela podría opinar que hay que dejarle llorar porque esa actitud le disciplinará, su madre correría a cogerle en brazos y le sacaría de la cuna y su hermana opinaría que lo mejor es ponerle música.

Bebé dependiente, adulto independiente

Sin embargo, en la actualidad se están descubriendo cosas importantes. Una es que la mejor manera de luchar contra las enfermedades mentales, la delincuencia y la violencia es prestar a los bebés la debida atención, porque todo apunta a que durante la primera edad se sientan las bases de la salud mental. La psicoterapeuta británica Sue Gerhardt ha dedicado toda su vida profesional al estudio del bebé, a la influencia del afecto en el desarrollo emocional de los más pequeños y a sus consecuencias en la vida adulta. Está considerada una de las mayores expertas mundiales en su campo: la importancia del amor como modulador de los cambios cerebrales en los bebés.

Gerhardt sostiene que las experiencias de la primera infancia son la base de la salud mental de la persona y, por tanto, razón más que suficiente para que atendamos prioritariamente a lo que sucede en ese periodo de la vida de nuestros hijos. En los dos primeros años de su vida, y también en el periodo de gestación, aunque ella no hable específicamente de esos nueve meses en su libro, *Why Love Matters*, algo así como *¿Por qué es tan importante el amor?*, del que nos habló en *Redes*. «Desde el momento de nacer hasta los 2 o 3 años se desarrollan sistemas importantísimos en el cerebro, especialmente en aquellas áreas que utilizamos para gestionar nuestra vida emocional, las respuestas al estrés, por ejemplo. Se desarrollan diferentes circuitos bioquímicos del cerebro superior, concretamente en su región orbitaria frontal».

Y esto es así, ¿aunque esa parte del cerebro se continúe desarrollando más tarde? ¿Acaso quiere decir Sue Gerhardt que, suceda lo que suceda, ese periodo de la vida dejará en el cerebro del bebé su marca para siempre?

Todos estos aspectos del desarrollo cerebral ocurren después del parto, tras el nacimiento. No nacemos con respuestas para lo que aún no conocemos, sino que éstas dependerán de las experiencias que viva el bebé con sus padres o con las personas que lo cuidan. Pero, en opinión de Gerhardt, esas experiencias posparto marcan para siempre, «aun cuando no lo expliquen todo, pues el cerebro sigue desarrollándose durante toda la vida. Pero, sin duda, los primeros años son un periodo especial en el que el cerebro establece conexiones neuronales a un ritmo que no volverá a alcanzar nunca más. En ese tiempo dobla su tamaño».

Se han hecho experimentos sorprendentes. La Universidad de Harvard ha llevado a cabo un estudio cuyos resultados demuestran que los niños pueden sumar y restar sin tener la menor noción de aritmética. Propusieron a un grupo de niños de 5 años una serie de problemas cuya solución dependía de sumas y restas y los resolvieron sin tener ninguna noción de aritmética. Resultados como éstos ponen de manifiesto que las abstracciones, simbólicas y no simbólicas, forman parte de una especie de conocimiento innato a los niños, lo que, según diversos autores, sugiere que el aprendizaje de las matemáticas podría enriquecerse en la infancia actuando y construyendo sobre esta capacidad innata.

Más sorprendente aún: otro estudio ha concluido que el lenguaje que utilizan los adultos cuando hablan con un bebé es, de alguna manera, universalmente comprensible. Científicos de la Universidad de California grabaron a ocho madres hablando en inglés a un bebé y, después, conversando con un adulto. Más tarde un grupo de madres *shuar*, una etnia indígena de Ecuador, escuchó estas grabaciones. A pesar de no entender el inglés, en un 73 por ciento de los casos, las mujeres *shuar* identificaron en qué momentos las mujeres estadounidenses se dirigían a un bebé y en cuáles a un adulto. Es más, las indígenas ecuatorianas adivinaron en la mayoría de los casos si la madre estaba regañando o haciendo carantoñas al bebé. En las conversaciones entre adultos, este porcentaje de aciertos fue mucho menor.

Los científicos de la Universidad de Chicago han ido más lejos aún que sus colegas californianos. Han observado que este particular lenguaje con los bebés no es exclusivo de los humanos. Los monos *Rhesus* también lo usan, pero con un matiz: las hembras emiten sonidos diferentes para llamar la atención de las crías de otras madres, no de sus propios hijos. Tener a las crías cerca, correteando alrededor, despierta esta actitud en las hembras. Cuando emiten los sonidos, las madres de las crías deducen que el resto de las hembras del grupo sólo desean jugar con sus hijos y que no van a hacerles daño. Los expertos creen que estas vocalizaciones favorecen la tolerancia social entre madres adultas y entre las hembras y las crías.

Parece que la ciencia avala que para ser un adulto independiente uno ha tenido que ser primero un bebé dependiente. Esto es lo que Sue Gerhardt afirma en su magnífico libro.

Y justamente es sobre este tema, el de la dependencia de los bebés, sobre el que se producen respuestas contrapuestas y sobre el que sabemos tan poco. Como decía antes, ante el llanto de un bebé en la cuna se producen distintas reacciones del adulto. ¿Cuál sería la más adecuada? Parece ser que, como ocurre tantas veces, no existen las recetas. A juicio de Gerhardt, «el cuidado de los bebés no es una ciencia exacta, depende de cada bebé y de lo que cada bebé pueda tolerar. Lo importante es que no se estrese demasiado; si no lo hace, sea cual sea la manera en que sus padres le cuiden, le irá bien. Lo importante es que los problemas no persistan y que no se hagan crónicos, pues los bebés no pueden gestionar un estrés excesivo, no pueden deshacerse de su propio cortisol (una hormona que libera la corteza suprarrenal para enfrentarse a situaciones de alarma. Por eso se la conoce también como "hormona del estrés"). Los bebés dependen absolutamente de los adultos para hacerlo y, además, a los bebés les resultan estresantes cosas relativamente pequeñas. Por ejemplo, la soledad para un bebé es muy estresante porque le va en ello la supervivencia, él no sabe si sobrevivirá o no».

Paradójicamente el dolor es necesario. Un dolor agudo desencadena la ansiedad y requiere una atención en ocasiones indispensable para sobrevivir. Un dolor que surge provocado por un estímulo que daña o es capaz de dañar alguna región de nuestro cuerpo no existe, sin embargo, nada más que en el cerebro. A la toma de conciencia del dolor le sigue su expresión externa, que varía enormemente de un individuo a otro y que es mucho más difícil de interpretar en los fetos, los bebés prematuros y los recién nacidos. «Por diversas razones los médicos han subestimado durante muchos años la manifestación del dolor en los niños pequeños. El desconocimiento del desarrollo del cerebro llevaba a pensar que la red neuronal del bebé no estaba suficientemente constituida como para que el estímulo doloroso alcanzara el córtex cerebral y el bebé pudiera ser consciente del dolor. Éste es un error que ha causado dolor innecesario y ha llevado a falsas interpretaciones, desde la enfermedad psicológica a la simple comedia». Ahora sabemos que en el séptimo mes de la formación del feto se cierra la conexión entre el tálamo y el córtex, lo que completa el circuito de transmisión nerviosa del estímulo doloroso.

Conocer esa frontera temporal para poder hablar de dolor en el feto o en el bebé no soluciona los problemas a la hora de evaluarlo, pues un bebé puede parecer sometido a torturas por una pequeña extracción de sangre, mientras otro permanecerá mudo, triste e inmóvil aun soportando un dolor intenso, «aunque en realidad hemos podido saber que los bebés pueden tener una sensibilidad al dolor superior a la de un adulto».

Al nacer ya están maduras todas las estructuras nerviosas implicadas en la transmisión del dolor, «pero podrían faltar elementos clave para la modulación de la señal dolorosa, pues numerosas sustancias que se liberan en los circuitos nerviosos al paso del impulso eléctrico filtran parcialmente la sensación de dolor y actúan como analgésicos». Y ocurre que en los primeros meses de vida no están «a punto» la totalidad de estas sustancias neuromodeladoras, y esto provocaría una situación de hipersensibilidad en los bebés. Nos queda mucho por descubrir acerca de los mecanismos implicados en el dolor fetal y neonatal, pero sí sabemos que una estimulación dolorosa es capaz de dejar una profunda huella en el sistema nervioso central del bebé.

¿Algo que a nadie le preocupa demasiado?

A veces me pregunto: ¿cómo demonios sobrevivieron nuestros antepasados, o incluso nuestros padres? Y la pregunta me hace pensar en el extraordinario papel de la mujer en la sociedad, en la educación de las emociones. Estos descubrimientos recientes aún no son suficientemente conocidos y, por tanto, todavía no se tienen en cuenta a la hora de cambiar los sistemas educativos ni nuestra forma de actuar... No cabe duda de que debemos extremar el cuidado de los niños en la primera infancia, pero con la revolución de la mujer han cambiado mucho las cosas. «A mi clínica acuden madres que van a dejar a su hijo o hija en una guardería (hablamos de un bebé de cinco meses) porque dicen que necesita vida social, estimulación», nos explicó Gerhardt. «Sin embargo, yo creo que los bebés no necesitan ese tipo de estimulación. Lo que necesitan es una atención personal, los cuidados y la receptividad de alguien que los conozca y pueda atenderlos bien. Este tipo de atención es la que, de hecho, pone en marcha el sistema.

»Esto no quiere decir que haya que retroceder socialmente y obligar a la mujer a quedarse en casa, todo lo contrario, pero sí habrá que elaborar nuevas estrategias de ayuda a los padres, difundir la información sobre la realidad de los bebés y construir redes comunitarias realmente activas».

Ante estas necesidades me asalta la duda sobre si este enfoque será popular. ¿Es políticamente correcto poner a los bebés en el centro de nuestras preocupaciones? ¿O es algo que a nadie le preocupa demasiado?

Sue Gerhardt ha pasado por todas estas experiencias y su conclusión no es muy estimulante: «Es muy difícil hacer que la gente hable de los bebés. Los consideran aburridos, insulsos, nada interesantes. Muchos piensan que los humanos no son interesantes hasta que aprenden a hablar y tienen un cerebro que les permite comunicarse verbalmente. Se equivocan, claro. Los bebés son interesantísimos, y más si entendemos lo que ocurre en su cerebro». No nos damos cuenta de que, cuando por fin llegan a la escuela ya han ocurrido demasiadas cosas.

El milagro del lenguaje

Cosas que el sentido común debería habernos hecho observar y valorar. Por ejemplo, que cuando nacen, los bebés carecen de toda experiencia visual y de buenas a primeras se ven sometidos a un aluvión de imágenes y sonidos. ¿Cómo perciben este nuevo mundo que les rodea? ¿Cuándo comienzan a tener algún sentido para ellos estos nuevos estímulos? Una de las conquistas más interesantes y misteriosas que suceden poco después de nacer es la adquisición del lenguaje. Se calcula que cuando un niño llega a la escuela ya ha asimilado más de 14.000 palabras. Para saber hasta qué punto esta capacidad de aprender forma parte del conjunto de habilidades que tiene el bebé al nacer, varios laboratorios del mundo invierten tiempo, dinero y talento en descubrir y describir los mecanismos que hacen posible tan rápido aprendizaje. El Oxford Baby Lab en el Reino Unido es uno de ellos. En él un grupo de científicos ha diseñado una serie de experimentos que combinan estímulos visuales y auditivos con el objetivo de descubrir cuándo los bebés empiezan a discriminar sonidos, a entender el significado de las palabras y a establecer asociaciones entre imágenes y sonidos. Natalia Arias-Trejo, miembro del equipo de investigación del Oxford Baby Lab, nos lo explica: «Lo que hacemos es medir la actividad cerebral en dos experiencias distintas, en una de ellas presentamos a bebés de 20 meses una imagen y una palabra que concuerda con esa imagen. Por ejemplo, les presentamos la imagen de un perro y después escuchan la palabra *perro*. En la otra ven una imagen y después escuchan una palabra que no se corresponde con la imagen. Ven la imagen de un perro pero escuchan la palabra *mesa*, por ejemplo. Lo que queremos saber es si se da una respuesta diferente ante una circunstancia semántica congruente y otra incongruente».

Naturalmente, los bebés no nos ofrecen explicaciones, por lo que las posibles respuestas se buscan por otros medios. «Durante el experimento se graban los gestos del bebé y después se analiza el movimiento de sus ojos en fragmentos de 40 milisegundos; así sabemos si el bebé presta atención a las imágenes o las ignora, si mira a una imagen o a otra». Lo sorprendente es que con ensayos como éste los científicos han observado que los bebés de 10 meses de vida han desarrollado ya patrones de comprensión notables, que pueden asociar una palabra con el objeto correspondiente representado en una imagen, incluso con otras representaciones del objeto que no han visto nunca.

Lo cierto es que al año de nacer el ser humano tiene el cerebro en óptimas condiciones para aprender un lenguaje. Desde muy pronto el bebé está asimilando información y moldeando su cerebro para comprender la lengua que en un futuro hablará y utilizará como propia. Prueba de este desarrollo es que al poco de nacer, los bebés ya saben diferenciar auditivamente entre lenguas de distintas familias como el español y el japonés. A los 6 meses pueden distinguirlas también a nivel visual, les basta con observar los gestos de la boca de una persona para determinar si ésta habla o no su mismo idioma.

¿QUÉ HACER?

Para comprender el nuevo mundo en el que les ha tocado vivir, los bebés utilizan todos los recursos cognitivos de que disponen. Al cumplir 1 año ya tienen una imagen básica, pero bastante completa de lo que les rodea. Parece evidente, por tanto, que los bebés saben mucho más de lo que creemos los adultos.

¿Qué podemos hacer respecto a ellos? La verdad es que no lo sabemos muy bien. Gracias a experimentos realizados con ratas y cabras, parece que lamer a las crías o acariciarlas está bien, pero resulta insuficiente. Según Sue Gerhardt, no es aconsejable lamer a los bebés, «aunque probablemente no les haría ningún daño». Es mejor «sostenerlos en los brazos, llevarles con nosotros a sitios, tocarles, en definitiva, hacer todo lo que genere placer, porque los estudios parecen demostrar que las sustancias bioquímicas relacionadas con el placer ayudan a desarrollar las funciones superiores del cerebro». Por tanto, mantener el contacto visual, sonreír, jugar y divertirse con el bebé ayuda mucho, «no solamente porque quizá formen parte de la gestión del estrés, sino porque ayudan a conformar la región orbitaria frontal del cerebro».

No en su faceta de investigadora, sino de psicoterapeuta, Sue Gerhardt constata a diario que en sus pacientes, adultos que padecen algún trastorno de la personalidad o se sienten infelices, los problemas están a menudo relacionados con su primera infancia.

Existe en concreto una enfermedad conocida como *trastorno límite de la personalidad* que produce problemas bastante graves a quienes la sufren, y en la que al investigar los cerebros enfermos «hemos descubierto que las partes que se desarrollan en la primera infancia y son responsables de la respuesta al estrés y de los niveles de cortisol producen grados muy altos de respuesta y existe una hiperactividad de la amígdala. Sin embargo, las regiones orbitarias frontales, las que podrían ayudarles a gestionar el estrés y calmar la actividad de la amígdala, se reducen o, lo que es peor, son inactivas». Esto mismo sucede con otras partes prefrontales del cerebro que participan en la gestión de las emociones, por lo que parece que cuanto más sabemos de neurociencia más claro resulta que muchos problemas sociales que se relacionan con trastornos de la conducta de las personas están, a su vez, directamente relacionados con el desarrollo del cerebro en la primera infancia. Por tanto, es evidente que debemos prestar más atención al correcto desarrollo de los bebés, y de sus cerebros.

Vámonos al zoo

Nadie se pone de acuerdo. Ante el llanto de un bebé, ¿debemos dejarle llorar o correr en su auxilio? Después de leer decenas de libros y revistas que, supuestamente, enseñan a ser padres, seguimos sin saber qué hacer. Es posible que la naturaleza tenga algo que contarnos sobre la sabiduría intemporal de los instintos. ¡Vámonos al zoo! Observemos cómo cuidan a sus crías el resto de los animales.

En muchas especies de aves son ambos progenitores los que cuidan a sus crías, los que las protegen y alimentan; también muchas de ellas se emparejan de por vida. Pero existen excepciones: la hembra del buitre quebrantahuesos consigue que sean dos machos los que participen en la crianza de su único polluelo. Sólo uno de ellos es el padre, pero el bebé quebrantahuesos estará mejor alimentado.

Otro ejemplo de equitativo reparto de deberes: el pingüino emperador. El macho incubará el huevo durante el gélido invierno antártico y la madre alimentará durante la primavera y el verano al polluelo.

Pero no todo son plumas en la naturaleza. Los peces abandonan sus huevos a la buena de Dios, aunque hay excepciones, y por regla general el macho es el cuidador de las crías en esos casos. El pez espinoso, por ejemplo, se ocupa de sus alevines hasta que aprenden a alimentarse solos.

El mínimo en cuanto a devoción por sus hijos lo ostentan los reptiles. Nada más salir del huevo los bebés de cocodrilo tienen que esconderse de sus progenitores y, si no se dan prisa, acabarán siendo devorados por ellos.

Parece, por tanto, que la naturaleza tampoco nos ofrece soluciones, pero prestemos atención a los animales algo más cercanos a nosotros. ¿Qué hacen los mamíferos? En la mayoría de ellos es la hembra la encargada de las crías, aunque no todas se esmeran por igual, quizá porque las características de cada especie obligan a distintos cuidados. Las hembras marsupiales (canguros) tienen una placenta muy poco desarrollada y, por tanto, un corto periodo de gestación, por lo que el minúsculo feto pasa al nacer a la bolsa marsupial que su madre posee en el abdomen y allí se desarrollará durante 6 u 8 meses.

A los primates les ocurre algo parecido; sus crías nacen con el cerebro muy inmaduro, prácticamente indefensas ante el mundo y por ello necesitan un estrecho contacto con los progenitores, en especial con la madre. En los grandes primates, como los chimpancés, ésta se encarga además de la alimentación y de la higiene del pequeño y de inculcarle las normas de socialización propias de la especie. Las crías son totalmente dependientes de la madre hasta el destete, entre los 3 y los 4 años, después seguirán contando con su apoyo social y emocional hasta la madurez, entre los 10 y los 15 años. ¡Hasta los 10 y los 15 años! Mucho me temo que a los padres actuales sus hijos les exigirán apoyo social y emocional (en forma de piso y coste de los estudios) hasta los 30.

El cero emocional

La pregunta ahora sería: ¿por qué nacemos tan indefensos y tardamos tanto tiempo en madurar? ¿Por qué ser dependientes tanto tiempo?

Nacer tan inmaduros desde el punto de vista del desarrollo como nos ocurre a los humanos no es una casualidad, sino una estrategia evolutiva que recibe el nombre de *heterocronía*. Después de haber disfrutado de nueve plácidos meses en el útero materno, donde todas las necesidades del organismo son saciadas por el atento metabolismo de la progenitora, de una existencia en la que todo se reducía a tener la temperatura y el alimento adecuados para seguir creciendo, nacer es una experiencia muy dura. Enfrentarse al frío, a la desorientación, a la presión del aire en los pulmones, a la primera punzada de hambre... es algo muy serio. Y más para un ser humano, porque el camino que ha de recorrer un bebé humano al nacer es mucho más complejo y sinuoso que el de otras especies cercanas. Y todo debido a dos cualidades de las que estamos orgullosos: el tamaño de nuestro cerebro y el hecho de caminar erguidos. El dejar de caminar a cuatro patas forzó a cambios en nuestro esqueleto: la pelvis se desplazó y con ella el aparato reproductor de las hembras, causando el parto doloroso. Por otro lado, nuestro cerebro, capaz de elaborar un lenguaje y fabricar herramientas, tiene un problema de «sobrepeso» y, por tanto, de tamaño. La «caja» del cráneo de un chimpancé, nuestro pariente más cercano, tiene una capacidad de 400 centímetros cúbicos, y la nuestra, de promedio, 1.350. Para proteger ese volumen necesitamos un cráneo mucho mayor, de manera que si esperáramos en el útero materno al completo desarrollo de nuestro cerebro no podríamos salir. Por eso nacemos a los nueve meses, para poder hacer lo que nos convierte en humanos: caminar erguidos y elaborar bellos razonamientos en una cabeza grande.

En los primeros años del bebé no sólo se desarrollan plenamente sentidos como la vista o capacidades como la de hablar. Un órgano y una función crítica también maduran en esos dos primeros años. A ambos lados del cerebro del bebé, algo más arriba de las orejas, la amígdala está despertándose. Este pequeño grupo de neuronas con forma de nuez será el encargado de regular emociones importantísimas, como el miedo o la ira. Pero la influencia de la amígdala no se acaba con la primera pelea en el recreo, en realidad la regulación emocional es la clave de todas las decisiones que tomaremos en la vida, o eso es al menos lo que defiende Antonio Damasio, el conocido neurólogo portugués que propuso la hipótesis del marcador somático. La clave de esta teoría es que cuando el cerebro toma decisiones, lo hace en busca de un equilibrio emocional que afecta a todo el organismo. En los dos primeros años de vida del bebé el sistema que se ocupa de regular el equilibrio emocional de su cerebro sufrirá un ajuste, una calibración que marcará, podríamos llamarlo así, el cero emocional. Del mismo modo que antes de empezar un concierto la orquesta afina sus instrumentos para crear bellos sonidos, en el inicio de nuestra vida nuestros cerebros se afinan emocionalmente para que más tarde la convivencia social sea armónica.

Es, por tanto, muy importante que en ese periodo nos sintamos protegidos y queridos. Es en ese momento crucial de nuestra vida cuando nuestro cerebro escogerá la vara de medir las emociones, y pueden depender muchas alegrías, y no pocas penas, de que esta decisión se tome de forma correcta.

Estrategias de protección

¿Cómo puede conseguir un bebé que le presten atención sin pronunciar palabra?

Seguramente la evolución se ha encargado también de esto. La evolución le dotó de numerosas tácticas para llamar la atención de sus padres y para recordarles la necesidad no sólo de recursos energéticos, sino también de vínculos afectivos.

Basta mirarle atentamente para descubrir los rasgos característicos que atraen a todos: cara redondita y de suaves rasgos, nariz pequeña, ojos grandes y curiosos, cuerpo redondeado y cubierto de grasa, vello escaso y suave, también el olor que desprende y los sonidos que produce centran la atención de sus padres.

El efecto del bebé en su mamá no es sólo psicológico. Durante el embarazo y la lactancia sus hormonas danzan al compás de las necesidades del bebé. El cortisol, por ejemplo, la famosa hormona del estrés, inunda su sangre cuando le oye llorar o percibe su aroma. Y eso no es todo; su cerebro también experimenta grandes cambios que modifican su comportamiento y le hacen más llevaderos los primeros meses tras el embarazo. En humanos aún no conocemos todos los detalles, pero en los roedores sí. En éstos, diferentes hormonas características del embarazo y la lactancia son responsables de una mayor capacidad de aprendizaje y memoria espacial, de un incremento del control de la ansiedad y del miedo, así como de la intensa sensación de placer de la madre al estar en estrecho contacto con la cría al darle de mamar.

¿Qué es ser un niño?

Después de este cúmulo de información, de saber que la naturaleza ofrece múltiples estrategias para la supervivencia de sus criaturas, que los aparentes problemas de los humanos al nacer inmaduros obedecen a imperativos de la evolución y que en los dos primeros años de vida de un bebé maduran estructuras cerebrales importantísimas para el aprendizaje y el control de las emociones y, por tanto, para la vida en sociedad, la pregunta —otra vez «inocente», otra vez radical— sería: ¿qué es ser un niño?

Marta Beltrán, profesora en el Departamento de Pedagogía Sistemática y Social de la Universidad Autónoma de Barcelona y licenciada en Antropología, es especialista en temas de educación y socialización infantil, así como en maternidad en contextos de diversidad cultural y cambio social. «Cada sociedad, cada cultura tiene un concepto diferente sobre qué es ser un niño, y este concepto está relacionado, por un lado, con la organización del ciclo vital que existe en cada sociedad y, por otro, con las condiciones económicas y de vida que en esa cultura existe en esos momentos. Esto quiere decir que en cada cultura existen unas pautas de crianza diferentes que están relacionadas con las necesidades que los adultos creen que necesitan esos niños». En otras palabras, que en cada lugar los niños reciben diferentes formas de *enculturación*, un término antropológico que en opinión de Beltrán define adecuadamente el proceso «en que los niños van aprendiendo y les son transmitidas todas aquellas pautas sociales y habilidades que les permiten ser reconocidos como miembros de pleno derecho en el grupo». Así las cosas, la educación, la formación que se da a los niños, es un reflejo de las habilidades que se esperan de ellos en la sociedad en la que serán adultos. ¿Contesta esto a mi pregunta? Sí, con un matiz importante. Cualquiera que sea la cultura recibida, la integración equilibrada en la sociedad adulta requiere un nivel de autoestima razonable —sin seguridad en sí mismo difícilmente se podrá lidiar con el vecino— y la curiosidad necesaria para seguir profundizando en el conocimiento de las personas y las cosas. Las dos cualidades, autoestima y curiosidad, se adquieren en el periodo marcado por la negociación maternal.

CAPÍTULO VIII

Se puede aprender a ser feliz

¿Sabían que casi un tercio de las neuronas de un niño de menos de dos años se mueren, se extinguen, desaparecen? Esto es así porque no se utilizan y en neurociencia existe una regla que dice que lo que no se utiliza muere y, en cambio, lo que se aprende, se aprende muy despacio.

El estudio del cerebro infantil ha avanzado tanto en estos tiempos que muchos científicos hablan de una revolución y se lamentan de que haya llegado tan tarde. Si hubiéramos sabido hace diez años lo que sabemos ahora —dicen— habríamos hecho muchas cosas de manera distinta, sobre todo en lo que respecta a la educación.

Empezar de cero

Parece ser que los humanos nacemos antes de tiempo, es decir, que cuando nacemos no sabemos ni de dónde venimos, ni qué hacemos aquí; no nos acordamos nunca del hecho más importante de nuestra vida, que es el nacer. Por lo visto esto tiene que ver con la evolución del cuerpo humano a lo largo de millones de años. Nuestras caderas se han ido estrechando para permitirnos adoptar una postura bípeda, andamos de pie y erguidos, corremos de forma más eficaz, más cómoda. Además, el tamaño de la cabeza del bebé humano en relación con el resto de su cuerpo y con su peso es mayor que el de cualquier otro mamífero. El resultado es una cabeza excepcionalmente grande y un canal del parto excepcionalmente estrecho. Esto comporta un parto difícil, según Nolasc Acarín, el precio a pagar por el salto adelante del que hablamos en el capítulo V. Acarín, especialista en neurología y cerebro del hospital Vall d'Hebron de Barcelona y profesor de la Universidad Pompeu Fabra, añade: «El feto, que es el estado intermedio entre el embrión y el bebé, debe dar una vuelta dentro del canal del parto, dentro de la pelvis de la madre, para salir, y además lo hace con la cara hacia abajo, mirando al suelo. A diferencia de otras especies, como los chimpancés por ejemplo —que salen directos y con la cara hacia arriba, lo que permite a la madre agarrarles por la cabeza y limpiarles los mocos y las legañas, e ir tirando de ellos hasta sacarlos del todo—, el bebé humano, si no hubiera alguien allí para ayudar a la madre, caería al suelo». De algún modo, nacemos con un cerebro que no ha completado su desarrollo porque si no, no podría pasar por el canal del parto. Eso es lo que se llama el *parto precoz*.

Por eso, cuando nacemos, no sabemos absolutamente nada, y nuestro cerebro tiene por delante un largo camino por recorrer, un sinnúmero de cosas que aprender. ¿Es cierto? ¿Al nacer empezamos de cero?

Acarín lo describe de una manera sencilla: «Nacemos con la posibilidad de adquirir memoria, recuerdos, experiencias, conocimientos; pero nacemos sin saber las cosas y debemos aprenderlas luego». Vamos, que al nacer nuestro cerebro está prácticamente vacío y, por tanto, tenemos que aprenderlo todo. El bebé es una especie de inválido, no sabe moverse de forma consciente, no distingue apenas luz ni sonidos... Pero ese estado de ignorancia casi absoluta dura poco tiempo, porque pronto empieza a aprender cosas. El cerebro se desarrolla mediante conexiones y esas conexiones o sinapsis son el almacén de los recuerdos. Los recuerdos se computerizan (diríamos en términos informáticos) en esas sinapsis a lo largo de la vida.

Pero el cerebro del bebé también tiene un instinto, el de la supervivencia: «Si se coge a un recién nacido en un parto asistido y se le deposita durante dos minutos sobre el vientre materno, reptará hasta encontrar el pezón de la madre y empezará a succionarlo. Eso es un acto reflejo, ya que si a un bebé cualquiera le acercamos un dedo a la boca también nos lo chupará». Y aquí viene lo curioso: muchas personas que sufren demencia senil recuperan este reflejo. Si acercamos el dedo a una persona anciana y con demencia, también nos los chupará, en un reflejo absolutamente automático. ¿Una regresión tal vez?

¿Y cómo se desarrolla este ordenador complejo que nos entregan al nacer con todo su *hardware* preparado, potentísimo y sofisticado, pero cuyos ficheros de datos y *software* sólo comenzarán a contener datos y a funcionar después de haber nacido? La contestación a esta pregunta aún es parcial y, en cierto sentido, provisional. Ignoramos mucho más de lo que sabemos sobre el cerebro, pero algunas cosas parecen seguras:

El cerebro de un bebé duplica su peso durante los seis primeros meses después del nacimiento y adquiere un 95 por ciento de su tamaño final a los 7 años. El cableado entre los 100.000 millones de neuronas del cerebro humano se establece en los tres primeros años de vida (alcanza su máximo cuando se tiene alrededor de 1 año) y sólo las conexiones activadas repetidamente permanecen, como los caminos creados en la hierba fresca, por el paso frecuente. El resto, en desuso, se debilita y desaparece. De ahí que la estimulación precoz forme parte de la mayoría de métodos de educación preescolar. Sin embargo, algunos investigadores advierten que el desarrollo del cerebro sigue un orden como lo hace el desarrollo de la visión: primero se percibe la luz; luego, las líneas, las superficies, los volúmenes y finalmente los colores. Además, con independencia de que los niños puedan aprender rápidamente a edades muy tempranas, habría que evitar una excesiva estimulación de determinadas áreas del cerebro.

Como hemos dicho, alrededor del año de edad el número de conexiones neuronales alcanza un máximo. Algunos autores insisten en que ése sería el momento para estimular el desarrollo de los sentidos, de las propiedades físicas de ojos, boca, manos y pies. En realidad, poco se sabe sobre cómo aprende el cerebro y, no obstante, se practican sofisticados métodos de enseñanza. Los niños tienen una extraordinaria habilidad para asimilar los elementos de su entorno sin ningún esfuerzo consciente porque el mecanismo de aprendizaje es en gran parte intuitivo. El aprendizaje consciente, racional y deliberado, propio del adulto, requiere un gran esfuerzo y es una vía menos frecuentada de lo que parece para adquirir conocimiento. Al contrario del adulto, el niño no se percata de que está aprendiendo continuamente, procesa la información externa de forma inconsciente, sin atención o esfuerzo. Procesos automáticos actualizan constantemente el inventario de conocimiento a través de la observación y la experiencia.

El cerebro plástico

Una de las discusiones más populares de la actualidad, no en el plano científico, sino entre el público, es la llamada plasticidad del cerebro. Más exactamente, sobre si el cerebro es influenciable o no y si, a través de órdenes conscientes, podemos transformar nuestras vidas, mejorarlas, corregir errores. El tema surgió por otros motivos hace tiempo, en la década de 1950 y principios de la de 1960. Entonces lo que preocupaba era la influencia sobre el subconsciente de la publicidad masiva que empezaba a aparecer en el cine y la televisión.

La ciencia lo tiene claro: el cerebro es «absolutamente plástico, computa las experiencias, recoge la memoria e interrelaciona conceptos a partir del desarrollo de unas terminaciones, unas arborizaciones, unas ramitas por parte de las neuronas. El profesor Acarín explica: «Yo siempre pongo el ejemplo de la simiente, según el cual la neurona sería como una semilla pequeña que los niños plantan en las escuelas y de la cual nacen raíces y ramas. La neurona sería algo parecido, es una simiente con una pequeña raicilla y una pequeña ramita. Eso se observa muy bien cuando se practican cortes en el tejido cerebral. Vemos cuándo la neurona ha "computado", cuándo se ha desarrollado para almacenar y comunicar, y cuándo no».

A partir de las experiencias a las que se ve sometido un individuo, sus neuronas desarrollarán más o menos conexiones. Ése fue el gran descubrimiento que hicieron los neurobiólogos David Hubel y Torsten Wiesel a finales de la década de 1960 y que les valió el premio Nobel en 1981. Ellos lo demostraron impidiendo la visión en un ojo a un gatito de manera que no recibiera estímulo visual alguno, que sólo pudiera ver por el otro. Después, al examinar sus mapas cerebrales, comprobaron que en el área correspondiente a la información visual, las neuronas asociadas al ojo activo se habían desarrollado, formando ramificaciones y sinapsis entre ellas, y en ellas se almacenaba el archivo de imágenes visuales. En cambio, las neuronas asociadas al ojo inactivo no habían desarrollado conexiones. La estimulación, la experiencia, es crucial para el desarrollo del cerebro.

Ma, me, mi, mo, mu

Hubo un emperador chino que quiso saber cuál era el lenguaje natural, cómo se expresaría un individuo que no hubiera tenido ocasión de escuchar lenguaje alguno, cuál sería su lengua natural, espontánea. Para ello encerró a diez recién nacidos de manera que vivieran aislados del mundo en un convento hasta que cumplieron los 10 años. Cuando les dejó salir comprobó con sorpresa que los niños se comunicaban por medio de gruñidos y signos, no hablaban ninguna lengua. La razón es que la lengua se aprende a partir del momento en que una madre amamanta a su hijo. El niño recibe algunas pequeñas aferencias, o sea, experiencias sensitivas. Al principio siente contacto en su mejilla, no distingue los ojos de la madre, luego, al cabo de unos días empieza a verlos, ve si sonríe, si no sonríe, y la madre le dice cosas, luego pasa el padre, le acaricia, le dice algo, y a partir de aquí el niño va computando. Acarín lo explica así: «Es la revolución del lenguaje, el niño va computando unos sonidos, unos sonidos raros con unos símbolos o con unos significados que pueden ser símbolos, pero también sensaciones placenteras (un murmullo agradable, una canción, un susurro cariñoso) o desagradables (una puerta que se cierra, un plato que ha caído al suelo, un chillido, una pelea entre los padres...). Todo eso va influyendo en el niño. Al cabo de un tiempo, de unos meses, de un año o año y medio, el niño aprende el proceso inverso: expele el aire de los pulmones a través de la laringe, lo modula con la lengua y los dientes, y entonces empieza: *ma*, *ma*, *pa*, *pa*, *la*, *la*. Es el momento en que los padres afirman: "Mi niño ya dice papá", pero no es así. El niño no dice "papá" ni cuentos de la China, sino que está viviendo la experiencia lingüística, está haciendo *pa-pa*, y mientras hace *pa-pa* o *ma-ma* o *la-la* está "computando" en el cerebro un sonido que percibe por el oído, un movimiento especial que hace con la boca, la lengua, el velo del paladar y los labios y que es distinto para decir *pa-pa* que para decir *la-la*». Y es que detrás de ese aparentemente simple «papá» o «mamá» hay una profunda interacción cerebral, una construcción neurológica y cognitiva tremendamente compleja. «Pronunciar esas palabras evoca en el cerebro infantil una memoria del pasado, y eso supone una revolución increíble, aunque no siempre la apreciamos porque nos cuesta tomar distancia para ver qué ocurre en el cerebro a escala microscópica con ese gran evento o esta revolución simbólica que suponen las primeras palabras».

Entonces, el niño ¿qué computa en el cerebro? Las raicillas y las ramitas de las neuronas van registrando en su memoria que para emitir un determinado sonido hay que hacer un movimiento con los pulmones y con los labios, y que aquello se corresponde a un concepto, a un símbolo, a algo externo a nosotros. Que puede ser el padre, la madre, una silla o una mesa. Es fascinante, ¿no?

La constatación científica de que el cerebro es plástico es un hecho relativamente reciente y que ha sido posible gracias a avances tecnológicos como el escáner, la resonancia magnética o la tomografía por emisión de positrones. Y sin embargo la educación de los niños es algo innato a la historia de la humanidad. Según Acarín, «aunque la gente no era consciente de esta importancia hace mil años o cincuenta mil, atendía ya a los bebés como si lo fuera».

Además de las neuronas y su misteriosa capacidad para comunicarse, almacenar y procesar información, el milagro del lenguaje depende de otro *hardware* del que el ser humano viene provisto de fábrica. Parece efectivamente un milagro que un niño de 15 meses comience a dominar la parte más complicada del lenguaje y todavía lleve pañales. Pero no es sólo su cerebro el que le da esta capacidad, también el llamado aparato fonador y el descenso de la laringe, que se produce cuando tiene alrededor de 1 año y que ya describimos en el capítulo IV.

¿Suicidios en el Paleolítico?

Conocidos estos sutiles mecanismos de la adquisición del lenguaje, del desarrollo tempranísimo de nuestro ordenador más personal, nuestro cerebro, la responsabilidad de los adultos en la modulación de estos procesos en los primeros años de vida de los hijos es sin duda muy grande. ¿Sabemos hacerle frente? ¿Adoptamos las decisiones más acertadas? Sobre estas cuestiones habría que hacer una reflexión sobre el conjunto de la historia y de la humanidad. Una cosa es lo que hacemos nosotros ahora, hoy en el mundo desarrollado, tecnológicamente avanzado y otra lo que se hacía históricamente.

Si el cuidado de los bebés es algo innato a la especie humana y, por tanto, los bebés del Paleolítico también recibían sus atenciones, cabe, desde el presente, desde las sociedades opulentas en las que algunos vivimos, hacerse preguntas y reflexiones que pueden parecer tremendas. Dicen las estadísticas que el número de suicidios entre adolescentes en las sociedades ricas se ha triplicado en la última década. Si suponemos que nuestros niños están mejor atendidos, entonces la práctica del suicidio en el Paleolítico debía de ser algo corriente. Acarín piensa que no fue así: «La vida era más dura desde el punto de vista afectivo. En el Paleolítico se pasaba hambre, la supervivencia era difícil, hacía frío, no siempre había fuego... pero no había suicidios. Desde la época de los primeros grandes antropólogos culturales como Bronislaw Malinovsky o Margaret Mead, a finales del siglo XIX, primeros del siglo XX, se han estudiado tribus que vivían como en el Paleolítico y se ha constatado que en ellas el suicidio era una práctica inexistente». En cambio, cuanto más «desarrollada» es una sociedad desde el punto de vista tecnológico, mayor es la tasa de suicidios de adultos o de adolescentes y mayores son también los problemas pseudosuicidas, como la adicción a las drogas o al alcohol, y las conductas autodestructivas.

La psicología y la neurociencia, o algunos psicólogos y neurocientíficos más exactamente, vinculan estos problemas de las sociedades desarrolladas a las deficiencias afectivas sufridas por el bebé y el niño en las primeras etapas de su vida. Es decir, en el fondo, a problemas de aprendizaje, a errores en los registros que componen nuestras bases de datos. Algunos de ellos son realmente trascendentales. El niño tiene una serie de necesidades básicas que necesita satisfacer: estar caliente, alimentado, cuidado, reconfortado. Si esto ocurre y el bebé se siente satisfecho, lógicamente no será feliz de una manera consciente, no dirá: «¡Caramba, qué bien le tratan a uno aquí!», pero sí aprenderá inconscientemente que el placer existe, y que la felicidad puede existir. Sólo así podrá reconocerla y buscarla el día de mañana en el mundo de los adultos en lugar de rechazarla o, como ocurre con los psicópatas, intentar destruir ese mundo.

Mi hijo no atiende en clase

En ocasiones los problemas derivados de un aprendizaje deficiente en los primeros meses y años de vida se presentan pronto y, afortunadamente, sin la gravedad de cuestiones como la depresión o el suicidio. Una preocupación de muchos padres es el trastorno por déficit de atención e hiperactividad de sus hijos, un problema que afecta a cinco de cada cien niños en edad escolar. Niños inquietos, impulsivos, que no se centran en objetivos concretos, su atención pasa de una cosa a otra y parece que no oyen ni hacen caso de lo que se les dice. Aunque las causas de este trastorno no son suficientemente conocidas, se sabe que está precedido de sutiles alteraciones neurológicas que afectan a los neurotransmisores y que tienen un importante componente genético. Afecta tres veces más a los niños que a las niñas, aunque quizá éstas no son diagnosticadas porque suelen padecer déficit de atención pero sin hiperactividad.

El fracaso escolar es una de las primeras consecuencias de esta disfunción cerebral. El problema muchas veces no radica en su capacidad intelectual, sino en su rendimiento; obtener los mismos resultados que los demás les cuesta el doble de esfuerzo porque no pueden centrar la atención y retener en su memoria los conceptos. Todo ello a veces se complica con un escaso control de los impulsos. Estos niños pueden mostrar también comportamientos antisociales y problemas de adaptación. Sin embargo, ellos no pueden darse cuenta de que su conducta molesta a los demás. Un diagnóstico adecuado y precoz es muy importante para que los padres puedan entender a sus hijos, comprendan lo que ocurre en su cerebro y aprendan a manejarlos. El colegio y concretamente el apoyo de los profesores es básico para la recuperación de estos niños que necesitan tiempo extra y ayudas adicionales. Algunas veces incluso deberán escolarizarse en colegios especializados, si no quieren ser regañados o castigados constantemente.

En *Redes* tuvimos ocasión de pedir a la especialista Glòria Gibert —profesora de la escuela Lexia, un centro dedicado a estos niños— algunos consejos sobre cómo enfrentarnos al problema. Para ella las claves son la paciencia, un clima de trabajo tranquilo y relajado en grupos reducidos, y un fomento continuo de la autoestima, reforzando los aspectos positivos. «Muchos de los niños que llegan aquí han vivido experiencias muy negativas: se les ha reñido, se les ha castigado, no se les ha comprendido y ellos lo acusan de maneras muy diferentes. Muchos niños llegan frustrados, otros son muy agresivos. Ves que en realidad no es su manera de ser, sino que cuando están aquí ellos ven que están aprendiendo, que pueden seguir una clase de lo que sea, que son capaces de hacer algo. Entonces toda esta frustración les va desapareciendo y al salir de la escuela pueden integrarse al mundo porque saben que son capaces de hacer algo».

La terapia psicológica ayuda a los niños hiperactivos a controlar la impulsividad y los despistes, mientras que la terapia farmacológica puede corregir las disfunciones de los neurotransmisores. A menudo pienso en el error infinito cometido por la clase culta cuando los neurólogos no compartían sus conocimientos sobre procesos neuronales con los de conducta de los psicólogos o los farmacológicos de los químicos. Afortunadamente, los tiempos están cambiando y hace poco tiempo el neurólogo y premio Nobel de Fisiología o Medicina Eric Kandel me decía, en la Universidad de Columbia, que este siglo sería el del cerebro gracias a la multidisciplinariedad ahora aceptada como imprescindible. Por fin los psiquiatras se hablaban con los médicos, éstos con los neurólogos y estos mismos con los biólogos moleculares y psicoanalistas.

¿SE PUEDE APRENDER A SER FELIZ?

Así pues, nacemos prematuramente, sin que nuestro cerebro se haya desarrollado por completo y sin saber nada. Tenemos que aprenderlo todo, y la neurociencia y la psicología nos están revelando que es tan importante lo que aprendemos como lo que no aprendemos y que, en demasiadas ocasiones, lo que no enseñamos nunca a los menores de 5 años es a ser felices. Las estadísticas de los países desarrollados siguen alimentando nuestro pesimismo al dar cuenta de mayores índices de suicidios, depresiones y trastornos de todo tipo. ¿Es atajable esta situación? ¿Existe algún motivo para el optimismo?

Con la dificultad que entraña ser profeta de su propia cultura —al estar implicada en la situación— la psiquiatra Roser Pérez explica que está comprobado el incremento de tentativas de suicidio a edades cada vez más tempranas —en el Servicio de Urgencias del Hospital Sant Joan de Déu, en el que trabaja, se asisten numerosos casos de niños de 12 o 13 años— y que la cuestión quizá esté relacionada con la frustración que produce el vivir «con demasiadas expectativas», en una sociedad en la que la «experiencia de la espera para cumplir un deseo» no está suficientemente arraigada, valorada. «Quizá nos hemos hecho una idea excesivamente lúdica del ser niño y del ser feliz, y en ocasiones nos olvidamos de que los niños para crecer, para hacerse mayores han de aprender a esperar: a que la madre les pueda coger en brazos, a que el biberón tenga la temperatura adecuada... Hay todo un trabajo educativo que no sólo consiste en aprender cosas positivas, sino en aprender también lo que es esperar. Yo cuento a veces que esperar por un viaje no es sufrir. Para esperar el momento de la partida puedes leer sobre el destino, consultar mapas, reunirte con los amigos y comentarlo»...

Es decir, que la espera también tiene sus mecanismos para poder disfrutarla. He dicho en otras ocasiones que la felicidad está en la sala de espera de la felicidad. La psiquiatra Roser Pérez añade: «Yo creo que en la cultura actual, desde hace tiempo, todos los adultos queremos ser buenos, todos los adultos, papás y mamás, queremos que los niños sean felices y nos cuesta muchísimo asumir el papel de malo o el papel de *frustrador*, o el papel de limitador que el niño necesita para crecer, para aprender y para ser».

Esta pedagogía de la frustración que nos negamos a realizar inhibe en el niño y el adolescente la capacidad de responder, de generar respuestas para esa situación de «espera», pero que, en realidad, corresponde a cualquier situación de displacer. No obstante, son varios y desde hace muchos años los experimentos efectuados con niños sobre los efectos nefastos de no saber esperar; algunos de estos experimentos han efectuado un seguimiento, durante más de diez años, de la conducta de niños que no supieron respetar la espera sugerida por su maestra al abandonar la clase por un motivo inventado, con el ruego de que no se comieran el chocolate que se les dejó intencionadamente en su pupitre. Al cabo de diez años ¡descollaban en sus estudios los alumnos que de pequeños habían sabido esperar!

Miquel Serra Raventós, catedrático de Psicología y Patología del Lenguaje de la Universidad de Barcelona, especializado en trastornos del lenguaje, tiene la misma visión sobre este hecho, pero quizá desde un punto de vista más proactivo: «El niño tiene que aprender también a ser agente de su propia felicidad, es decir, no sólo debe saber aguantar una situación de frustración, sino aprender a modificarla. Y para eso hay que tener recursos, hay que tener conocimientos, y hay que tener otra manera de ver las actividades porque, por lo general, el problema no es sólo aprender a tolerar lo que te llega, sino sentirte actor dentro de lo que está ocurriendo y responder al padre, o responder a la madre o responder en la escuela, y no simplemente tomar una actitud pasiva».

Con toda esta información ¿qué hacemos?

Y digo yo que todo esto de la neurociencia está muy bien y que es fantástico que sepamos ahora mucho más de cómo funciona el cerebro infantil. Pero a los padres y madres lo que les interesa es saber si todos estos conocimientos nuevos tienen una aplicación práctica o, lo que es lo mismo, si les ayudarán a educar mejor a sus hijos. ¿Hay algo urgente que los padres puedan hacer a la luz de descubrimientos como este que son recientísimos y novísimos? O, dicho de otra manera, ¿qué hay de nuevo que se pueda hacer y que a nuestros padres no se les habría ocurrido? Acabamos de saber, por ejemplo, que gran parte de las neuronas del bebé se mueren antes de que cumpla los 2 años, y eso ya no tendrá remedio.

Sorprendentemente, la respuesta de los especialistas es: nada. Miquel Serra defiende «la naturalidad, el buen trato, la buena sintonía con el bebé es lo mejor que podemos hacer». Sí que puede haber cambiado alguna cosa en necesidades especiales, es decir, en niños que nacen sordos o ciegos, pero no tanto en el niño normal, que lo que necesita es una buena actividad y una buena sintonía. La excepción a este vaticinio demasiado optimista es, por supuesto, superar la brecha en materia de gestión emocional en la que viven tanto la generación de los padres como de los jóvenes y niños. A veces pienso que su ignorancia de las emociones y su mala gestión es lo único que realmente comparten las dos generaciones de jóvenes y mayores. En este sentido sí que creo que estamos un poco retrasados y podríamos hacer algo más, bastante más.

Daniel Goleman, eminente psicólogo y divulgador, nos habla de la inteligencia emocional en su libro, que lleva el mismo título, *Inteligencia emocional*. Neurólogos y psicólogos se están ocupando de ella, creando nuevos procesos de educación y nuevas terapias. Además, existen datos y conocimientos que a nuestros padres ni se les hubiera ocurrido soñar. Sin embargo, esos mismos neurólogos, psiquiatras y psicólogos que los descubren se obstinan en la defensa del papel tradicional de los papás y la aplicación de las nuevas terapias sólo en campos muy específicos: «Yo creo», apunta Roser Pérez, «que la neurociencia va a ser mucho más útil en los aspectos pedagógicos como la estimulación precoz, es decir, aspectos terapéuticos en mayor o menor grado. La relación padres-hijo, por el apego afectivo que conlleva, siempre se va a regir por otros cánones, aunque la información realmente es válida, y cuanto más se sabe mejor, pero no va a dar lugar a técnicas concretas aplicables para las relaciones padres-hijos, donde no hay que utilizarlas. Hay que enseñar, hay que amar, hay que hablar, hay que cuidar, hay que relacionarse, y a mí me parecería nefasta una relación paterno-filial o materno-filial basada en el enseñar. Los papás no enseñan a hablar, los papás hablan con los hijos y los hijos aprenden».

«Cuando un hijo mira a la madre, mira a una madre que le mira»

Pero cuanto más sabemos mejor hablamos, mejor miramos, mejor acariciamos. De acuerdo, pues, no generemos técnicas para relacionarnos con nuestros hijos, pero sepamos cada vez más para no aparecer hieráticos y mudos delante de ellos, para entenderlos mejor, para amarlos mejor. Roser Pérez es autora del libro *El desarrollo emocional de tu hijo*, en el que habla de un concepto que me parece importantísimo: la intersubjetividad.

«La ley de intersubjetividad es el diálogo, la sintonía que se establece entre la figura materna y el niño, lo que da lugar al crecimiento y a todas las conexiones neuronales que se producen después de nacer y que es como la interrelación que hay entre lo que la madre piensa, quiere y desea del niño, y lo que el niño piensa, quiere y desea de la madre. Hay una frase muy bonita que lo explica muy bien: "cuando un hijo mira a la madre, mira a una madre que le mira", es decir, que en la relación madre-hijo nada es banal, todo es intersubjetivo, el niño mira a la madre que le mira y en este mirar él aprende si está contenta, si está enfadada, si está satisfecha o insatisfecha, y la madre igualmente aprende del bebé en este mirar si realmente está satisfecho, gratificado...».

Algo así como el colchón emocional imprescindible del conocimiento, de la emoción y la empatía.

Otros expertos amplían la explicación de lo que significa la intersubjetividad para relacionarla con la revolución simbólica, con el nacimiento del lenguaje. Es el caso de Miquel Serra. «Desde el punto de vista de la psicología cognitiva hay algo más: en este intercambio, en esta sintonía afectiva, se crea un instrumento fundamental. Existen estímulos físicos, ruidos, sonidos que, gracias a esta interactividad y a esta atención conjunta sobre algo que estamos haciendo, creamos algo que el niño, después, puede imitar, puede reproducir. Pero no solamente se trata de un aprendizaje asociativo, sino que aquí se crea algo que es una revolución y que es un símbolo. Es decir, detrás de que el niño sepa decir papá o mamá, que todos vemos una cosa muy simple, hay una experiencia tremenda, interactiva, pero también una construcción neurológica, una construcción cognitiva tremendamente compleja. No es un problema de mamá y papá, es una organización neurológica que te evoca unas emociones, una sintonía emocional y, sobre todo, una memoria del pasado».

Pon música en su vida

Hay muchas familias que creen que si su hijo escucha mucha música de pequeño será un buen músico de mayor y eso no es del todo cierto, pues, aunque desde luego pueda acabar siendo un buen músico, también se beneficiarán de esta exposición temprana otras facetas de su desarrollo.

Hay quien afirma que los niños que crecen rodeados de música realizarán mejor determinadas tareas cognitivas, es decir, que serán «más inteligentes» en determinados aspectos. Y es que la música estimula la coordinación del sistema sensorial de recogida de la información y el sistema motor de organización de la conducta de una forma muy fina, y eso lógicamente influye en la organización del cerebro. Si esto sucede en un periodo crítico del desarrollo del cerebro, lógicamente tiene influencia a lo largo de toda la vida.

Esto de estimular el desarrollo de las funciones cerebrales mediante la música es algo relativamente novedoso. Antiguamente se circunscribía más a familias musicales, como los Bach, los Mozart, los Strauss..., en que el padre músico iniciaba a su hijo tempranamente en la música. Ahora se ha demostrado que exponer al bebé desde sus primeros meses de vida y hasta los 2 años a música hará que sus neuronas se vayan acostumbrando a una serie de sonidos, de notas musicales y podrá afinar mejor en el futuro. Los especialistas admiten sus bondades, pero sin extralimitar ni sus efectos ni sus beneficios: «A partir de los experimentos de Hubel y Wiesel del gato con el ojo tapado podemos entender que practicar con sonidos, también es muy importante», afirma Miquel Serra. «Yo diría incluso que desde los primeros meses y, por lo que sabemos, hasta los 2 años. Eso puede ser útil probablemente, pero no insistiendo de forma machacona. Que exista música en el ambiente es eficiente, porque si seguimos los estudios que hemos hecho en nuestro departamento, incluso de oído y lenguaje, vemos que la categorización perceptiva, es decir, la capacidad que tiene el oído humano para identificar un sonido, una nota musical en este caso, y poder así afinar mejor es beneficiosa. Pero, claro, de afinar mejor a ser músico hay un trecho, y por tanto creo que es más útil la afición a la música de los padres que no la base perceptiva para que el niño afine».

Y aquí nos surgen preguntas casi filosóficas. A fin de cuentas: ¿qué es desarrollar el cerebro? Y ¿tener un cerebro más desarrollado es garantía de ser mejor persona, mejor científico? Y ¿desarrollar el cerebro es un fin o un medio? Porque me cuentan mis amigos neurólogos que el cerebro sirve básicamente para dos cosas: la primera es para saber dónde están las cosas, y la segunda es programar un poquito, anticipar lo que viene. Hombre, si lo haces mejor, si no te equivocas tanto de dirección y además eres capaz de prever un poquito lo que va a ocurrir mañana, pues bienvenida sea la música y bienvenido sea todo.

Buena sintonía

En la educación interactúan varias cosas. Las llamadas ventanas de la percepción, es decir, el momento oportuno para que el niño esté expuesto a determinadas cosas, es algo que cada día conocemos mejor. Por ejemplo, antes, a las otitis (inflamación del oído) en fetos de 4, 5 o 6 meses se les otorgaba una importancia relativa y hoy, en cambio, muy alta, porque sabemos que ésa es la edad en la que se produce la categorización fonológica, pues el niño embrión de 4 meses ya oye a su madre y además la oye en estereofonía, dentro del líquido amniótico, y por tanto es imprescindible conocer la audición prenatal. Es decir, esa otitis que antes considerábamos algo leve hoy sabemos que puede perjudicar el futuro lenguaje. En este caso concreto, lo que perjudicaría es a la futura pronunciación, pues ésta depende de la imagen acústica que tengas de las palabras, no del aparato fonador. Se da la paradoja de que las madres bilingües se lo ponen más difícil a sus hijos, al tener que distinguir entre vocales cortas o largas, consonantes con y sin pronunciación.

La lucha contra o a favor de la dificultad es de hecho otro de los temas centrales de la pedagogía contemporánea. ¿Hay que poner las cosas fáciles o difíciles al alumno? Los científicos que buscan respuestas fundadas para aplicarlas a la educación no lo tienen fácil. «Si la habilidad del niño funciona y la práctica es sostenida (otro tema importante), la dificultad importa menos. Lo importante es la dedicación, la constancia»... Por otro lado, que la dificultad implica sufrimiento o ausencia de placer no deja, según Roser Pérez, de ser un mito, «una de las cosas que se ha olvidado es la necesidad de memorizar, de repetir, con lo que esto tiene de placer. Cuántos niños de 2 o 3 años te hacen repetir cada noche el mismo cuento, y cuando te saltas una palabra se dan cuenta y te corrigen. Y disfrutan en ese momento absolutamente, aún más cuando te dicen: "no me lo leas, cuéntamelo". Eso ya es el colmo de la empatía y la sintonía con sus sentimientos y recuerdos de lecturas anteriores».

Regresan por tanto aquellos prejuicios que no hace tanto tiempo tiramos por la ventana: repetición, memorización, clasificación... Entran por la puerta y les damos nuestra sincera bienvenida. «Creo que la repetición es importante. Los papás a veces se angustian mucho porque lo primero que aprenden sus hijos son los anuncios de televisión. No es que se vuelvan consumistas, sino que son cortitos y los pueden aprender y repetir... Crean sin dificultad sus sinapsis y no salen corriendo a comprarse nada, sólo aprenden y disfrutan».

Tres prejuicios que vuelven porque resulta que son fundamentales para la adquisición del lenguaje. La repetición permite conocer cosas nuevas, porque el problema del aprendizaje es que tienes que basar lo nuevo en lo que ya sabes, y entonces la repetición, lo que se llaman técnicamente *scripts*, resulta crucial. El niño lo tiene muy difícil para poder aprender las referencias de las cosas y las repeticiones le ayudarán a consolidar algo ya conocido, y a partir de ahí aprender cosas nuevas.

Saber detectar a tiempo

Miquel Serra es autor de un libro maravilloso titulado *La adquisición del lenguaje*, que habla de ese asombroso proceso del habla, de lo que —según algunos científicos— nos hace humanos al fin y al cabo. Lo que ocurre es que a veces el proceso se tuerce y surgen problemas, trastornos que pueden afectar profundamente el desarrollo del niño y su vida adulta. ¿Existe alguna manera de que el padre o la madre tengan algunos criterios para saber si se está retrasando o si presenta síntomas de alguna patología?

«En esto estamos y estamos bastante confiados y tranquilos. Primero, si el niño no tiene buena sintonía con lo que le rodea hay que considerar la situación; lo primero no es el lenguaje, lo primero es una buena comunicación, buena sintonía comunicativa, esto es fundamental. Si no existe, no se puede construir nada encima y, si se hace, será de forma precipitada, en plan periquito, de niño que te repite y no entiende ni produce contextualmente lo que le interesa. Existe buena comunicación, buena comprensión, cuando un niño de 1 año entiende perfectamente instrucciones sencillas como: "ven", "ve", "toma", "coge". Ésta sería una comprensión correcta para 1 año o 1 año y 6 meses. Pero en general hay grandes diferencias: niños que no hablan hasta los 2 años y medio y otros que empiezan a los 9 meses. Con 1 año, normalmente, tienen que empezar a decir alguna palabra, si no la dicen no pasa nada, pero hay que estar atentos a su nivel de comprensión, porque un niño que no dice nada a los 2 años puede tener algún problema. Aunque insisto: puede que no pase nada; hay niños que no han empezado a hablar hasta los 3 años y se han desarrollado perfectamente».

Así que ya lo ven: presten mucha atención a sus hijos en los dos primeros años de vida, pero permítanme que les dé un consejo: permanezcan muy atentos hasta por lo menos los cinco. Los padres saben que en realidad su hijo es un invitado que llega a casa, supuestamente para una noche, y se queda toda la vida, es decir, mucho más allá de los cinco años. Tiempo más que suficiente —como dice mi hija Elsa en su libro *Brújula para navegantes emocionales* (Aguilar, 2008)— para aprender a amarlos incondicionalmente.

CUARTA PARTE

EL SEXO Y EL AMOR

CAPÍTULO IX

La felicidad es la ausencia del miedo

Desde el siglo XVII sabemos que el alma y la felicidad residen en el cerebro. Lo que estamos descubriendo ahora es que también el amor está en el cerebro. Experimentos realizados con ratas para estudiar el fenómeno amoroso en los humanos están revelando datos sorprendentes. Por ejemplo, que el amor, lejos de ser un acto de entrega y generosidad hacia otra persona, es el símbolo de la voluntad de supervivencia, del instinto por sobrevivir.

Se está haciendo evidente también que la forma de amar de una persona adulta tiene mucho que ver con sus vivencias infantiles, en brazos de la madre o en la escuela, y estamos confirmando —casi lo sabíamos ya—, que la libido de la hembra es mucho más mental que la del varón. Se trata de cerebros distintos.

Para entrar en situación sobre estos apasionantes temas permítanme que les cuente un cuento: El doctor Neurón lleva 30 años estudiando cómo reacciona nuestro cuerpo en situaciones de pánico. Cinco experimentos con animales de laboratorio le han servido para conocer mejor los mecanismos que producen o evitan el estrés.

Para ello necesitó una prueba/control que le asegurara que, mediante unas pequeñas descargas eléctricas, el sujeto de estudio acabara desarrollando una úlcera de estómago. En otras palabras: que se estresara. Lo que hizo después fue cambiar las condiciones para comprobar en qué situaciones se vuelve a estresar y cuánto:

Prueba 1. Le procuramos un compañero que le servirá para desahogar las penas. Tras recibir la descarga nuestro individuo/control puede morderlo, achucharlo, aprisionarlo, cualquier cosa que necesite para descargar la rabia que siente.

Resultado: No hay úlcera, por lo menos en el sujeto de estudio.

Prueba 2. Liberamos al compañero y lo cambiamos por un trozo de madera. Seguimos teniendo una vía de escape, pero esta vez es un objeto inerte.

Resultado: No hay úlcera.

Prueba 3. Colocamos una luz que se encenderá cada vez que vaya a recibir una descarga. También indica la intensidad del estímulo. Con estas señales nuestro individuo/control puede prevenir lo que le va a ocurrir.

Resultado: No hay úlcera.

Prueba 4. Ahora colocamos en la jaula una palanca que permitirá que nuestro individuo/control pueda desactivar la descarga con un simple clic. Lo que él ignora es que llegará un momento en que el clic no frenará la descarga. Aunque engañado, el individuo está seguro de tener el control de la situación y además está convencido de que puede controlarla.

Resultado: No hay úlcera.

Prueba 5. (Definitiva) El individuo objeto de estudio vuelve a estar acompañado. Esta vez durante las descargas recibe el consuelo y el apoyo de sus compañeros. Tiene soporte social, alguien que le acompaña durante el sufrimiento.

Resultado: No hay úlcera.

Conclusión. Existen factores externos que nos ayudan a escapar del estrés, ya sean una sensación de control, de un objeto, de un aviso o de un acompañante.

Una condición para ser feliz: la seguridad

Los humanos y los animales reaccionamos igual ante el dolor, pero los humanos tenemos una cosa que los animales no tienen: la imaginación; nos basta con imaginar la amenaza para estresarnos; no nos hace falta ver a la leona que se nos puede comer; nos sobra con pensar que no podremos pagar la hipoteca. Y quizá por este motivo somos más capaces de enfermar por estrés, por estrés psicológico.

Eric Kandel, premio Nobel de Fisiología o Medicina y uno de los neurocientíficos más reputados del planeta, afirma que el cerebro es uno de los grandes misterios de la naturaleza. De hecho el misterio más intrigante de todos. ¿Podremos responder algún día todas las grandes preguntas que suscita? Entre ellas nos interesan en especial, y por razones obviamente egoístas, aquellas que afectan a nuestras emociones, más en concreto a nuestra felicidad. Sobre este tema Kandel me comentó que en su laboratorio se estaba trabajando sobre un modelo de felicidad para los ratones, porque curiosamente los sentimientos contrarios a ella son muy fáciles de suscitar. Asustar está al alcance de cualquiera, pero hacer feliz a alguien ya es otra cuestión. «El experimento lo desarrolló mi colega Michael Rogan en mi laboratorio. Michael hizo algo muy inteligente. Asustar a los ratones es algo que se puede hacer con mucha facilidad, de una manera parecida a la que utilizaba Pavlov con los perros. Le enseñamos a un animal a tenerle miedo a un estímulo. Se empieza con un sonido: *¡bum, bum, bum!* Si es neutro, no pasa nada; pero si se aplica una descarga eléctrica, se provoca un sobresalto. Y si luego se unen los sonidos y las descargas, alternándolos, el animal aprende que el sonido predice la descarga. Y al cabo de un tiempo basta el sonido para que el animal tenga una crisis de pánico. Entonces Michael Rogan se preguntó, teniendo en cuenta que eso ocurre porque el sonido predice la descarga cada vez, ¿qué pasaría si aplicáramos los sonidos y descargas de tal manera que la descarga jamás viniera después del sonido? De esta manera, lo que predecía el sonido sería: "Ahora no recibirás ninguna descarga, estás totalmente a salvo". Resultó que cuando lo hicimos así, observamos que el animal se relajaba por completo al escuchar el sonido. A partir de ahí lo estudiamos a fondo, preguntándonos si era simplemente una reducción de la ansiedad o verdadera felicidad: si los circuitos que se activan para el hambre, para el sexo, se activaban también para esta señal de seguridad. Y descubrimos que así era».

Naturalmente el objetivo final del estudio no eran los ratones, sino las personas. Una vez comprobado que la relajación era auténtica, que activaba las zonas cerebrales que se corresponden con las expectativas de gratificación, el paso siguiente era probarlo en los seres humanos. Kandel y su equipo recurrieron a las imágenes cerebrales utilizando un grito como símbolo amenazador y un color neutro, el verde, como estímulo condicionante. Repitiendo el ciclo, alternando el color verde con el grito, se generó miedo adquirido. Posteriormente procedieron a presentarlos de tal modo que el color verde y el grito nunca fueran juntos y que el verde generara seguridad. Constataron que al contemplar el color verde las personas no sólo se relajaban, sino que sus sistemas neuronales que intervienen en el refuerzo positivo y en el placer se activaban. Por eso sabemos que existe un modelo de una de las formas de la felicidad: la seguridad.

Si algo nos enseñan las investigaciones alrededor del estrés y el cerebro, es que no todo es negativo cuando hablamos del estrés. En dosis pequeñas puede hacer maravillas en nuestro cerebro. Una breve situación de alerta provoca cambios fisiológicos que nos ayudan a superar cualquier situación comprometida. Niveles moderados de estrés aumentan el reparto de la glucosa y del oxígeno en el cuerpo. Además incrementan la memoria y la liberación de dopamina, una hormona relacionada con el placer. Parece ser que disfrutamos mientras pensamos cómo esquivar el ataque.

Como siempre, parece que estamos, también con el estrés, ante una cuestión de dosis. Se comprueba que cuando el estrés se mantiene durante un periodo largo o cuando el estímulo es muy fuerte, disminuye el reparto de glucosa, se reduce la liberación de dopamina y los procesos neuronales se atrofian. El sujeto se acerca a un estado de depresión en el que, al contrario que en una situación convencional, en el hipocampo no se crean nuevas neuronas. Y en el caso de estrés muy intenso se puede causar la muerte de alguna de ellas. Si observamos lo que ocurre en la amígdala, que controla el miedo y la ansiedad, vemos que sometida a estrés funciona mejor, crea conexiones más fuertes y deja al sujeto atrapado en una red de sensaciones negativas. Si nos fijamos en lo que ocurre en el córtex frontal (la zona de toma de decisiones), los estímulos estresantes generan angustia y miedo incapacitando al sujeto para tomar cualquier decisión. Por eso nos cuesta más decidir en una situación estresante.

Quizá la mejor solución sería que no nos estresáramos, aunque sólo pocas personas consiguen controlar este proceso. El secreto está en el punto justo, y es que como dicen en todas las culturas: los excesos son dañinos. Todos. Lo sorprendente —a la luz de hechos comprobados como los señalados—, lo increíble, lo inadmisible, debiéramos poder decir, es que, a estas alturas, nadie haya enseñado todavía a mis nietas de 6 y 11 años a distinguir entre la ansiedad —necesaria para entrar en estado de alerta desde el que afrontar mejor un desafío— y el miedo que corroe, destruye y paraliza la mente.

Papá Freud

El gran neurocientífico portugués Antonio Damasio habla en sus libros de la diferencia entre la emoción, provocada por un estímulo externo, y el sentimiento, que parece elaborado desde nuestro almacén de recuerdos y relaciones. Para él la emoción sería la percepción inconsciente y el sentimiento, la percepción consciente. Eric Kandel lo explica desde un ejemplo: «Si sucede algo aterrador, pongamos por ejemplo que entrara un león en la habitación donde estamos, saldríamos corriendo sin pensarlo: sería una acción refleja. Disponemos de un sistema que nos permite escapar sin una percepción consciente de lo que sucede. Al cabo de un rato experimentaríamos una sensación de miedo, porque notaríamos las sensaciones de nuestro cuerpo, notaríamos que se acelera el pulso, y también obtendríamos una información que sería procesada. Los sentimientos y las emociones implican canales distintos. La amígdala, que es fundamental para la percepción de las emociones, tiene circuitos que no pasan por la corteza cerebral (sede de lo consciente). Por eso podemos responder con mucha rapidez tanto a los estímulos positivos como a los estímulos negativos sin necesidad de percibirlos conscientemente. Eso es lo que decía Freud: existen muchos procesos mentales que se producen sin que seamos conscientes de ellos. Pero, evidentemente, una vez somos conscientes, a partir de ellos se produce una elaboración mucho más rica».

La formulación de la existencia de los procesos inconscientes y su valoración quizá sea la deuda más grande que la humanidad tenga con Sigmund Freud, personaje denostado por algún sector intelectual de la posmodernidad cuyas ideas, sin embargo, cualquiera que sea el ámbito de la neurociencia que se toque, siempre afloran. Y a menudo como guías imprescindibles. El simple fenómeno de hablar hace explícita, de la manera más sencilla, la idea de lo que es nuestro sistema de navegación inconsciente: «Tú y yo», me dice Kandel, «estamos manteniendo una conversación muy amena, ¿verdad? Estamos hablando en inglés, que no es tu lengua materna ni la mía, aunque lo hablamos bastante bien, ¿no? Nos entendemos muy bien y, sin embargo, cuando formulo mis frases, que creo que son correctas, no tengo ni idea de dónde están el sustantivo o el verbo, o incluso ¡de si hay un sujeto o un predicado! Tú y yo hablamos inglés sin prestar ninguna atención a la gramática, ¡es todo inconsciente! Nuestra función cognitiva más avanzada, nuestra capacidad de comunicarnos es en gran parte inconsciente. ¡Es bastante sorprendente!».

Cuando no sabemos algo prestamos atención a cada detalle, al principio de aprender un idioma conocemos el sujeto y el predicado de todo lo que decimos o hacemos. Pero al dominarlo, ¡se acabó! Ya no existe más atención. Es como montar en bicicleta o tocar el piano: el inconsciente acaba haciéndose cargo de todo.

Existe en la discusión científica contemporánea un tema recurrente: las cualidades, quizá sobrevaloradas, del llamado neocórtex cerebral, lo más nuevo y último del cerebro de los humanos. El cerebro más joven y de mayor evolución, que permitió la aparición del *Homo sapiens*. En él residen las estructuras neuronales que nos permiten pensar, hablar, percibir... Pero si el neocórtex ha experimentado un cambio continuado, siempre para mejor, ¿qué sucede con la amígdala, con los niveles inferiores del cerebro? ¿También mejora con los siglos? La respuesta de Eric Kandel es que sí. «Ambas estructuras evolucionaron juntas y, evidentemente la función de la amígdala se ha vuelto más sofisticada en los seres humanos que en los animales inferiores. Y es extremadamente importante en el proceso de los estímulos emocionales». La respuesta de Kandel casi me emocionó porque coincidía punto por punto con lo que me había contestado otro neurólogo, también en Nueva York, muchos años antes: Joseph Ledoux, el mejor especialista en el comportamiento de la amígdala en los humanos y el resto de los animales. Tendemos a creer que el desarrollo impetuoso del neocórtex cerebral deja atrás, con un retraso de años luz, a la gestora de nuestras emociones. «Falso», ya me dijo entonces Ledoux. «También la amígdala se perfecciona con el tiempo». Ésa es probablemente la única esperanza de que el corazón y la razón acaben, con el paso del tiempo, entendiéndose mejor de lo que se entienden ahora cuando cada uno va a su bola.

Una fotografía del cerebro

Desde hace unos años, gracias a la neuroimagen, podemos ver cómo se comporta el cerebro de una persona cuando realiza una determinada actividad o es sometida a ciertos estímulos. María lleva muchos años como violinista profesional; el largo entrenamiento de sus manos y dedos ha hecho que en su corteza cerebral, en las áreas motora y auditiva concretamente, exista un considerable incremento del número de conexiones neuronales. En el grupo Instituto de Alta Tecnología (IAT) de Barcelona le han propuesto participar en un estudio neurocientífico para poder ver cómo se comporta su cerebro cuando escucha música. Nos lo explica Jesús Pujol: «Se trata de ver cómo se activa el cerebro de una persona, músico profesional, cuando está escuchando una sinfonía, concretamente la *Sinfonía desde el Nuevo Mundo*, de Antonin Dvorak, y comparar esta activación con la de otra persona no músico».

La resonancia magnética funcional es una técnica de neuroimagen basada en el análisis de las variaciones del consumo de oxígeno en diferentes áreas del cerebro mientras realiza alguna actividad. Permite observar mediante imágenes en tiempo real y tres dimensiones qué partes del cerebro se activan. Carlos Soriano, del grupo de investigación del IAT, nos lo explica: «Esta resonancia es una variante de la resonancia magnética estructural, que permite hacer un estudio anatómico (con relación a la forma y tamaño de estas áreas). De este modo se pueden estudiar las alteraciones del cerebro y sus patologías neurológicas y psiquiátricas, sean causadas por una base anatómica o funcional».

Durante la prueba de resonancia ¿qué zonas del cerebro de María se activaron mientras escuchaba la sinfonía de Dvorak? Tanto en ella como en la persona que no era músico profesional se activó el área de la percepción auditiva. Pero en el cerebro de María, además, se activaron las zonas relacionadas con la melodía, en el lóbulo frontal, así como áreas responsables de la coordinación de los movimientos de la mano. Lo que nos hace suponer que mentalmente estaba reproduciendo la pieza musical, o partes de ella, con los dedos de ambas manos.

Es decir, la neuroimagen nos confirma algo que ya sabíamos: que una persona con formación musical, con su cerebro moldeado por los estímulos auditivos, escucha música de una manera mucho más implicada que otra persona sin su formación. Lo trascendental es que, además, nos dice dónde, cuándo y con qué intensidad está ocurriendo eso en nuestro cerebro.

Felicidad y malos recuerdos

En mi libro *El viaje a la felicidad: las nuevas claves científicas*, escrito antes de conocer los experimentos llevados a cabo por Eric Kandel, sostengo que ese sentimiento, ese estado de felicidad, consiste en la ausencia de miedo. En que el sujeto no tenga nada que temer. Por otra parte, un famoso genetista británico opina que la belleza, la apreciación de la belleza, es la ausencia de dolor. Según él, cuando contemplamos un rostro hermoso y decimos: «¡Dios mío!», es porque el nivel de mutaciones nocivas, de fluctuaciones asimétricas, está por debajo de la media. Cuando no hay rastro de enfermedad en un rostro, por ejemplo, nos parece hermoso. Parece que felicidad y belleza van unidas.

Kandel colabora a menudo con su amiga filántropa, coleccionista de arte y editora neoyorquina Louise MacBain (una especie de Peggy Guggenheim del siglo XXI), quien le pidió un ensayo sobre la memoria para publicarlo en la colección de la fundación que ha creado en Londres. Le interesaban especialmente los métodos que empleamos los humanos para olvidar los recuerdos dolorosos. Y Kandel se inspiró para hacerlo durante una visita al Museo Getty de Los Ángeles: «Monet pintó almiares bajo diferentes efectos de la luz solar..., y me di cuenta de lo hermoso que era el cuadro; el impresionismo siempre suscita un sentimiento de euforia, te hace sentir bien. Así que pensé que una manera de olvidarse de los recuerdos dolorosos es a través del arte, porque uno se centra en la belleza, y esto genera una sensación, un sentimiento físico de bienestar, y es una manera de superar los recuerdos pasados que resultan dolorosos. De modo que es un poco lo mismo. Creo que todas estas cosas son mucho más complicadas que lo que indican estas simples analogías, pero este argumento encierra una verdad profunda».

Nuestro cerebro, a lo largo de la evolución, ha sido capaz de desarrollar habilidades para poder crear objetos y cosas maravillosas que nos sirvan para el día a día.

¿Qué es lo que ha ocurrido en nuestros circuitos cerebrales para que seamos capaces de llegar hasta la Luna? Se piensa que a lo largo de la evolución el desarrollo de regiones especiales del cerebro, sobre todo en la corteza frontal, junto con cambios en su estructura interna, ha hecho posible el desarrollo de esas capacidades.

Javier de Felipe, neurobiólogo, profesor e investigador del Instituto de Neurobiología Ramón y Cajal, nos recuerda que lo que más define a un cerebro humano «es su enorme capacidad de aprender, de ser capaz, como si fuera una esponja, de asimilar la información de sus antecesores y de su entorno. Lo que hemos hecho a lo largo de miles de años de forma colectiva lo podemos aprender en cuestión de minutos. Hemos desarrollado métodos fáciles para transmitir la información de una forma efectiva y rápida. Aunque si tuviéramos que aprender todo lo investigado a lo largo de los últimos mil años sería imposible. Por ejemplo, ahora mismo, cuando se estudia química, se conoce la fórmula química del agua, H_2O. Es algo muy sencillo, o lo parece, pero para descubrirla fueron necesarios muchísimos años y el esfuerzo de numerosos científicos. Ahora, en cambio, la aprendemos en cuestión de un segundo. Estamos en otro nivel».

¿Dónde reside la belleza?

En cuanto a la belleza, existe una pregunta fundamental: ¿reside en los objetos, en los seres vivos, en las personas? O ¿somos nosotros los que la otorgamos? ¿Existe una belleza intrínseca o es nuestro cerebro el que la crea? A estas preguntas habría que añadir, además, la influencia que sobre ella tiene la cultura. Durante mucho tiempo se ha creído que lo bello para una determinada cultura podía ser un adefesio para otra. Este debate se prolongó durante años antes de comprobarse que existen unos cánones universales de la belleza y el buen ver.

Para Javier de Felipe, «el cerebro en sí mismo entraña belleza. Cuando lo estudiamos se utilizan marcadores que emiten luz fluorescente de diferentes colores con la idea de poder, simplemente, identificar los distintos circuitos neuronales. El resultado final es como un cuadro, un cerebro de colores que, en ocasiones, tiene una extraordinaria belleza. Estas imágenes no se crean, claro, porque sean bellas, sino para ilustrar conceptos científicos, pero desde otro punto de vista. Especialmente para los no expertos, constituye una expresión artística al margen de su significado científico».

La memoria también desempeña un papel importantísimo. No me extraña que la inteligente Louise MacBain se interesara en cómo los humanos procedemos (cómo procede nuestro cerebro) con el fin de eliminar los recuerdos dolorosos y le encargara a Kandel una reflexión sobre el asunto. Según él, la memoria nos ofrece «una representación más amplia de todas estas cosas, porque la memoria implica almacenar información sobre el mundo exterior durante periodos largos de tiempo, lo que conlleva cambios anatómicos, muchos de los cuales pueden detectarse con técnicas de imágenes cerebrales».

Es decir, ¿la memoria a largo plazo se estructura neuronalmente de manera distinta de aquella otra, sólo funcional, que sólo dura segundos? Según Kandel, son «completamente distintas. Puede que participen las mismas células, pero la memoria a largo plazo difiere de la memoria a corto plazo en varios aspectos importantes. En primer lugar, implica alteraciones en la expresión de los genes. De hecho, al almacenar cosas en la memoria a largo plazo se activan y desactivan genes. Además, el motivo por el que se activan y desactivan es, en último término, porque se generan cambios anatómicos, cambios estructurales en el cerebro». Esto es algo extraordinario que, posiblemente, explica por qué es tan difícil desarraigar creencias largo tiempo elaboradas.

SOLIDARIO O INDIVIDUALISTA, PERO GUSANO AL FIN Y AL CABO

Recientemente, Cori Bargmann, investigadora de la Rockefeller University, ha publicado los resultados de un trabajo que me ha fascinado. Como está directamente relacionado con los genes, no quiero dejar de comentarlo con Eric Kandel. Bargmann investigaba con unos gusanos *(Caenorhabditis elegans)* de los que existían dos tipos: muy sociales o tremendamente individualistas... «Sí, Cori demostró que los gusanos pueden buscar comida de dos maneras: en grupo o en solitario. Entre los que trabajan en grupo se observa un alto grado de interacción social. Y la única diferencia que existe entre ambos grupos es un aminoácido en un neuropéptido codificado por el gen *npy*, que resulta importante en la conducta de alimentación». Fue un resultado asombroso, pues sólo con cambiar el gen cambiaba la conducta. «Basta cambiar un aminoácido en una proteína y se modifica la conducta del sujeto, de social a solitaria o viceversa. ¡Es asombroso! Y nos abre horizontes en todos estos fenómenos que llamamos de cognición social. La manera en la que tú y yo interactuamos, o los factores que subyacen al autismo, por ejemplo».

Un, en apariencia, pequeño descubrimiento puede ser fundamental en la solución de gravísimos problemas de salud, de auténticos dramas personales y familiares, como el autismo. Y esto es así porque todas esas disfunciones tienen un importante componente genético que Kandel espera sea definido en los próximos diez o quince años. Un paso comparable al descubrimiento de las neuronas espejo por Giacomo Rizzolatti y sus colaboradores, una de las primeras contribuciones de la neurociencia al tema de la interacción social. Rizzolatti, actualmente investigador en la Universitá degli Studi di Parma, demostró que en la corteza premotora hay neuronas que responden cuando el mono sostiene una taza. Y estas mismas neuronas responden cuando el mono ve a otro sostener una taza. Y cada vez hay más pruebas que demuestran que en los monos y en los humanos estas neuronas participan en la cognición social, la empatía y la comprensión de lo que hace otra persona, o lo que piensa. Vilanayur Ramachandran, un psicólogo cognitivo de la Universidad de California en San Diego, ha sugerido que estas zonas son importantes en el autismo, que es un trastorno en el que una persona no comprende lo que le pasa por la cabeza a los demás.

Me pregunto cómo pueden convivir las ideas que se desprenden de los descubrimientos de Cori Bargmann con las que sostiene el psicólogo evolutivo inglés Nicholas Humphrey cuando dice que no existe mayor reto para una persona que otra persona, con lo que quiere indicar que el comienzo del desarrollo de la inteligencia se corresponde con el de la socialización, con el hecho de tener que convivir con otros, imitarlos, intuirlos, comprenderlos... Para Kandel, «sin duda es comprensible que, en la evolución humana, e incluso en la evolución de los primates avanzados, un factor importante es la aparición de la conducta de grupo: cooperar para conseguir un objetivo. De hecho, el propósito de la familia nuclear se basa en este principio biológico: uno se ocupa de los niños y el otro obtiene la comida necesaria para sobrevivir. Cooperamos para construir un refugio que nos proteja, esto implica interacción y distribución de tareas. Si tú y yo fuéramos responsables de esta habitación, tú harías una cosa y yo otra; no haríamos lo mismo, porque eso sería despilfarrar esfuerzos. Y esta interacción social requiere una teoría de la mente».

Tú eres tu cerebro

¿Puede existir una filosofía de vida basada en el cerebro? Michael Gazzaniga, catedrático de Psicología de la Universidad de California en Santa Bárbara, y director del centro SAGE para el estudio de la mente, nos ayudará a pensar esta cuestión que, en su opinión, es relativamente simple: «Nuestro cerebro funciona tomando decisiones. En realidad la sencilla pregunta que debemos hacernos sería: ¿para qué sirve nuestro cerebro? Y la respuesta: está ahí para tomar decisiones que mejoren tu éxito reproductivo. Es más, es tu cerebro el que genera tu mente, los millones de sentimientos y pensamientos que procesamos son procesos cerebrales interaccionando con el ambiente, procesos que pasan a formar parte física de tus neuronas. La relación entre el cerebro y el comportamiento se resume en la siguiente premisa: tu comportamiento es la evidencia de que tienes cognición».

Podríamos intentar entender la naturaleza humana comprendiendo mejor el sustrato físico de nuestros pensamientos, lo que esconden nuestras neuronas. Cuando la gente se dé cuenta de que muchas de las decisiones que toman no están realmente relacionadas con ninguna entidad cultural de la que creen que han aprendido a obrar así, va a suponer un gran impacto en nuestra forma de vivir, y sólo ahora estamos empezando a hablar de ello. Una filosofía de vida basada en el cerebro. Aunque «todo esto tardará un buen tiempo en llegar. Pensar que se pueden cambiar de una manera rápida los sistemas culturales del mundo es una locura. Hoy sabemos que es más fácil cambiar los genes humanos que la cultura humana».

Hemos alcanzado la capacidad de activar y desactivar genes, lo que puede equivaler a activar o inhibir ciertas conductas. Este hecho ha permitido diseccionar la recuperación de recuerdos y almacenarlos en la memoria. ¿Los recuerdos están en lugares distintos de nuestro cerebro? Según Kandel, no están en regiones distintas pero sí solapadas, puesto que corresponden a distintos procesos. De lo que no hay duda es de que para recuperar cualquiera de ellos hay que acudir exactamente al lugar donde está. «Pero cada evocación se produce en un contexto distinto. Por eso a la recuperación de un recuerdo se le añaden componentes adicionales al procesarlo de la memoria. Cuando evocas un recuerdo, lo haces junto con otros estímulos, por lo que modificas ligeramente el recuerdo cada vez que lo recuperas». Respecto a eso, en una explicación que se ha hecho famosa, decía el filósofo Marcel Proust que cada vez que comía una magdalena evocaba las sensaciones de una magdalena que comió siendo niño, y el recuerdo de unas y otras se mezclaba. Quizá filosofía, mente y química están más cerca de lo que parece.

Aun así, sir John Eccles, un neurólogo ganador de un Nobel en 1963 por sus trabajos en neurofisiología, afirmaba que la mente está mucho más allá de la biología y de la química.

Eccles, que aportó descubrimientos clave en el funcionamiento de las sinapsis cerebrales, creía que la mente no se podía considerar una simple suma de efectos químicos. Creo que en la actualidad no podríamos estar muy de acuerdo con él. Kandel tampoco lo está, pero curiosamente sus argumentos no son científicos, sino filosóficos: «Eccles fue un gran científico, pero también era un hombre muy religioso, y creía que había que dejar espacio para el dualismo cartesiano, para la separación entre el cuerpo y la mente. Yo no lo creo, y los biólogos modernos, tampoco... Bueno, hay excepciones. De modo que, aunque me encanta Eccles y admiro mucho su obra científica, su trabajo filosófico tiene una orientación distinta de la mía. Pero ¡para gustos, colores! Y las personas diferentes tienen perspectivas filosóficas diferentes». Misterios del cerebro.

CAPÍTULO X

La química del amor en los humanos

Karl Grammer, etólogo del Instituto de Biología Humana de la Universidad de Viena y experto en comunicación no verbal, dice que no es cierto que los seres humanos estemos hechos para estar pensando siempre en la reproducción, sino que estamos hechos para buscar siempre el sexo, que trae consigo la reproducción. Eso quiere decir que lo que buscamos en las relaciones es sexo y que el resto, todo el análisis de la información, lo realiza nuestro cerebro de forma inconsciente. Veámoslo.

LAS DROGAS DEL AMOR

«El amor», afirma Grammer, «es una construcción cognitiva de lo que sentimos físicamente y de lo que sucede en nuestro cerebro. Y sucede que en nuestro cerebro existen una serie de neurotransmisores que comunican las células nerviosas entre sí y que entran en juego cuando encontramos a alguien que encaja en nuestro patrón y nos enamoramos. Entonces liberamos neurotransmisores que son como anfetaminas naturales, lo que nos hace sentirnos muy excitados, y el cuerpo tiene que calmar este efecto activando otro neurotransmisor. Por este motivo las personas atravesamos ciclos altos y bajos. Cuando se está enamorado se está eufórico y, al mismo tiempo, muy deprimido». Un cóctel de neurotransmisores explota en nuestro cerebro y en un principio nos produce gran excitación, la llamada euforia del enamoramiento, en la que experimentamos constante necesidad de estar en contacto físico con la persona amada. En ese momento el cerebro produce una hormona llamada oxitocina, conocida como la hormona del amor. Después, esta euforia inicial se va extinguiendo y cede el paso a una nueva etapa de lazos afectivos, de amor. «Entonces es cuando el cerebro produce las endorfinas, que son una especie de opio cerebral. Pero para producirlas se tiene que estar viendo a la persona amada, y si esa persona desaparece, el cerebro deja de producirlas. Por eso buscamos constantemente a esa persona, para verla todo el tiempo y poder obtener este *opio del amor*».

En esta especie de farmacología del amor que estamos enumerando, tenemos ya la oxitocina y las endorfinas. Pero después está la feniletilamina, curiosamente un compuesto orgánico que se encuentra en el chocolate (por eso se dice que la gente que tiene mal de amores necesita comer chocolate, una creencia que a juicio de los expertos tiene escasa base científica). En todo caso, durante el enamoramiento nuestro sistema nervioso libera también feniletilamina, una sustancia que sirve para cimentar los lazos afectivos. Ahora bien, parece que la libera únicamente durante tres años. Transcurrido ese tiempo, tenemos que enamorarnos de nuevo, ya sea de la misma persona o de otra distinta.

Comprando genes

Asumamos, en contra de lo que manifiesta Karl Grammer, que la conducta humana está orientada fundamentalmente a la búsqueda de la pareja correcta con fines reproductivos. Ahora bien, ¿cómo se produce esta búsqueda? Y, sobre todo, ¿en qué proporción la búsqueda de un compañero está relacionada con los antecedentes genéticos y en qué proporción responde a los hábitos o al entorno? Los últimos estudios en el campo de la biología evolutiva parecen confirmar, en contra de la visión popular, el papel predominante de la mujer en la reproducción humana, y que son las mujeres las que inician el lance amoroso. José Ortega y Gasset ya lo dijo: «Nunca el amante busca sin haber sido previamente buscado por su amada». A primera vista puede parecer que las hembras humanas buscan machos dominantes, que puedan traer recursos y les aporten seguridad física y material. Afirma Grammer: «Esto podría llevarnos a pensar que sólo los machos muy dominantes van a reproducirse, pero en realidad los otros también lo hacen y, lo que es más sorprendente, parece que los machos que no resultan tan atractivos para el sexo opuesto en realidad invierten más en su descendencia. Esto lo hemos visto en varios estudios». La explicación a esto desde el punto de vista evolutivo, es que se trata de un macho seguro que ofrece garantías a la hembra de que va a invertir tiempo en la reproducción y, por tanto, no necesita ser tan atractivo.

Un biólogo de la evolución, el escocés Robin Baker, fue el primero en detectar un tipo de comportamiento muy peculiar en los rituales amorosos del ser humano: en determinadas fases del enamoramiento las mujeres se lanzan a la búsqueda de genes. Es lo que él denomina *gene shopping* o compra de genes. Se realizó un estudio en una empresa en la que trabajaban 8.000 mujeres y se descubrió que el índice de relaciones sexuales fuera de la pareja, sobre todo en el periodo de mayor fertilidad de la mujer, era muy elevado. «Las mujeres salen a buscar genes para reproducirse y después ocurre que, en muchos casos, su pareja no es el padre de su hijo», nos explicó el profesor Grammer. «Sabemos que en Europa la seguridad en cuanto a la paternidad es de un 90 por ciento de media, pero esto varía según países y niveles sociales. Por ejemplo, si eres profesor universitario tienes un 99 por ciento de posibilidades de ser el padre de tus hijos y si eres suizo la probabilidad es incluso mayor».

No sé a ustedes, pero a mí estos datos me dejan perplejo. ¿Hay que deducir de ellos que la infidelidad dentro de la pareja desempeña un papel crucial en el ciclo reproductivo? ¿Para perpetuarnos como especie hemos de ser infieles?

La selección sexual

Darwin explicó que la selección natural también se produce dentro de una misma especie y que determinados individuos poseen rasgos que incrementan sus posibilidades de reproducirse. Por lo general cada sexo ejerce un papel determinado, los machos compiten entre sí para fecundar a las hembras, y éstas eligen aquellos que consideran que darán lugar a una descendencia mejor dotada.

La elección de las hembras resulta clave para explicar cómo funciona la selección sexual. A lo largo de su vida las hembras dan lugar a un número limitado de ovocitos mientras que el macho es capaz de originar una cantidad millones de veces mayor de espermatozoides. El número limitado de ovocitos hace que las hembras deban elegir cuidadosamente de entre los machos aquel que les asegure la mejor progenie posible.

En muchas especies animales los machos luchan para demostrar su salud y su fuerza, en otras la elección femenina se basa en características más sutiles. En el mundo de las aves, por ejemplo, las hembras eligen como compañeros aquellos que resultan más atractivos, bien por sus dotes cantoras o por lo vistoso de sus plumajes. Se ha comprobado que los pájaros más llamativos también son los más sanos y los que transmiten menos parásitos; sólo los individuos saludables pueden desarrollar características de reclamo que atraen al sexo contrario.

La evolución ha favorecido a la belleza como señal indicadora de los individuos con mejores genes y, así como los individuos más atractivos y fuertes tienen más y mejor descendencia, las que los eligen también transmiten sus preferencias a las siguientes generaciones. De esta manera se produce una coevolución de ciertos rasgos físicos y de las preferencias por ellos que, en última instancia, desemboca en una disminución de la variedad en la especie.

La obsesión humana por atraer al sexo opuesto es un fenómeno ancestral que se ha producido en todas las culturas con igual intensidad, por tanto, es improbable que podamos cambiar nuestro comportamiento sexual, ya que nuestros ritos de apareamiento apenas han variado y siguen las mismas pautas que muchos animales. La búsqueda de la belleza en el ser humano es tan arrolladora que incluso características culturales como la curiosidad por el conocimiento intelectual son, en su sentido final, un instrumento de seducción.

Un fenómeno interesante es el que tiene lugar cuando se produce un flechazo, el impacto emocional de un amor a primera vista. Esta clase de estímulos desencadena reacciones bioquímicas muy específicas; y lo que es más curioso: la relación entre el estímulo y la percepción que tenemos de él está determinada por una ley bastante peculiar. Esta ley, llamada de Weber-Fechner (por los dos científicos que la elaboraron), estipula que la sensación de respuesta a un estímulo no es directamente proporcional al valor del estímulo, sino al crecimiento geométrico de dicho estímulo, es decir que al incrementar mucho el estímulo, la sensación se incrementa sólo un poco. En definitiva, que el flechazo, la intensidad de la sensación, no es directamente proporcional al nivel de belleza. Es la particular aritmética de la atracción.

Señales fiables

El profesor Karl Grammer dice que hay un principio básico en biología: si se puede engañar, se acaba engañando. Y por eso hombres y mujeres buscan, desesperadamente a veces, las señales que podríamos llamar honestas, fiables. Al parecer, esto es algo que se da en todo el reino animal. «Tan pronto como el engaño es posible sucederá, y los animales, incluso los humanos, desarrollarán señales falsas. Y nuestros cerebros han sido entrenados, en el transcurso de la evolución, para buscar eso que llamamos señales honestas, señales que no pueden falsificarse». En el caso de la mujer se trata de una proporción concreta entre las medidas de la cadera y la cintura que es del 0,7 (que se obtendría midiendo el contorno de la cintura de un lado y el de la cadera de otro, y después dividiendo una cifra por la otra). Esta proporción, por ejemplo, puede apreciarse en las esculturas clásicas de diosas griegas y romanas. Eso se debe a que una determinada proporción cadera-cintura era considerada una señal fiable de fertilidad, una garantía de la capacidad de reproducción antes de que la fisiología moderna sugiriera que lo importante no eran las caderas, sino la anchura de la pelvis y la intensidad de las contracciones en el parto. ¿Sabían ya los antiguos artistas autores de esas esculturas de la existencia de esta proporción? Seguramente, no hay que olvidar que conocían también la llamada *proporción áurea,* descrita por Euclides cerca de 300 a.C., que se basa en una proporción entre las longitudes de dos segmentos desiguales entre sí: la longitud del segmento mayor mantiene con el segmento menor la misma proporción que los dos segmentos juntos respecto al segmento mayor. Se ha descubierto que muchas obras de arte, arquitectónicas, pictóricas u objetos de la naturaleza mantienen esta proporción entre sus elementos, y que esta proporción resulta agradable a la vista. En definitiva: más de dos mil años y las proporciones bellas continúan siendo proporciones bellas.

¿Equivale esto a una búsqueda universal de la belleza? ¿Siempre y en todo lugar comparten las mismas señales los animales, los hombres...?

«Sí, aunque culturas diferentes pueden dar contenidos diferentes a una misma señal. Pero las hembras y los machos de una cultura pueden también valorar con mucha exactitud la belleza de otra cultura. Esto sucede por la percepción, por el modo en que el cerebro es capaz de procesar la belleza a gran velocidad», opina Grammer. La obsesión por el aspecto físico no parece ser un rasgo específicamente humano. Es cierto que se manifiesta casi desde el momento de nacer, ya que un bebé permanecerá más tiempo mirando un rostro hermoso que otro feo. Esto también sucede durante el periodo escolar, los profesores tienden a dar mejores notas a los más guapos e, incluso, los delincuentes físicamente atractivos obtienen sentencias más leves. El atractivo domina la valoración en la mayoría de los casos. Lo sabemos, y hemos desarrollado y fomentado esta obsesión a través de los medios de comunicación. Pero igual ocurre con muchos insectos y mamíferos, siendo bien conocida la actitud de una especie determinada de escorpiones que sacrifican al recién nacido cuando su nivel de fluctuaciones asimétricas es muy superior al promedio. Con ello se presagia una naturaleza débil y enfermiza.

En contra de una opinión muy extendida, no es cierto que el ideal de belleza haya variado enormemente a lo largo del tiempo. Hoy día, afortunadamente, la grasa corporal cuando delata obesidad es sinónimo de mala salud y hasta de fealdad. Sin embargo, apunta Grammer, «para poder desarrollar un ciclo femenino constante y mantener unos niveles hormonales estables, la mujer debe tener aproximadamente un 25 por ciento de grasa corporal». Por esta razón muchas jóvenes aquejadas de trastornos de la alimentación pierden la menstruación. Esto no es óbice para que en determinadas culturas que viven en un entorno menos estable que el de las sociedades avanzadas, la grasa puede ser particularmente apreciada, porque es garantía de poder soportar una hambruna, por ejemplo. Lo fascinante, sin embargo, es el concepto universal, o casi, de los patrones de belleza: en los insectos, en los pájaros y en muchos mamíferos, incluida la especie humana, un nivel de fluctuaciones asimétricas inferior al promedio indica a las claras que no hubo enfermedades distorsionadoras del aspecto y que aquel metabolismo está a prueba de contingencias. Es bello. Todo apunta ahora a que los casos excepcionales de artistas seducidos por cuerpos particularmente rechonchos y grasos son el fruto de sus quimeras u obsesiones personales.

La comunicación no verbal y el juego de la seducción

En el proceso de seducción que precede indefectiblemente al apareamiento hay un elemento muy importante y que Karl Grammer conoce muy bien. Me refiero a la comunicación no verbal entre el macho y la hembra, a lo que expresamos con nuestro cuerpo. «En la investigación sobre la belleza tradicionalmente nos hemos guiado por el estudio de objetos estáticos, como una pieza escultórica o un retrato. Pero ahora empezamos a fijarnos en material dinámico y nos damos cuenta de que la belleza tiene que ver con el movimiento. Hemos hallado que existe una clase de comunicación entre las personas que se produce a un nivel hasta cierto punto inconsciente. En nuestro cerebro hay unas neuronas llamadas «neuronas espejo» que se disparan al detectar un movimiento y que nos permiten descodificar cada gesto de otra persona e interpretar sus sentimientos e intenciones cada vez que los realiza».

Por ejemplo, la forma en que una mujer que se toca constantemente el cabello de determinada manera, con nerviosismo o lentamente, puede ser analizada por ordenador para determinar si se trata de una señal simulada u honesta. «Nuestros movimientos y nuestros gestos son generados por el cerebro. El sistema interno del cerebro determina el modo en que nos movemos. Pero, por otra parte, hemos desarrollado lo que llamamos autoengaño y hemos comprobado que no nos damos cuenta de que engañamos, que lo hacemos honestamente. Esto lo saben los buenos actores, hay que meterse en el papel, intentar ser aquella persona. Y si crees que eres la persona entonces lo haces bien».

¿Y cómo se comportan las mujeres en este ámbito? ¿Reaccionan cuando encuentran a un macho que busca su amor? ¿Reaccionarán engañando o de manera caótica? ¿Cómo se comportan? «Sabemos que las hembras han de escoger activamente a sus parejas. Por tanto, ellas intentarán descubrir cuáles son las tendencias del macho. Porque la probabilidad de engaño es muy alta: cuando él sabe que ellas quieren algo de él es capaz de engañarlas. Por tanto, ella tiene que conducirse con extremada cautela y manipular al macho sin que éste se percate. Por otro lado, la hembra tratará, por medio de un comportamiento imprevisible, de desconcertar al macho, llevarlo a un estado en que no sepa realmente lo que ocurre. Un cambio constante al que llamamos "proteísmo", en referencia a Proteo, el dios que podía escapar de los demás cambiando su cuerpo. Lo que la hembra hace es comportarse de manera imprevisible de forma que el macho no tenga tiempo de juzgar si ella está interesada en él o no. Pero de una u otra forma, ella empezará a obtener información del macho».

Y mientras tanto, el macho sin enterarse de la misa la mitad. «Los machos son muy primitivos en este sentido. Las hembras son mucho más listas a la hora de juzgar el comportamiento no verbal y descifrar las claves de los comportamientos de los machos para detectar si hay engaño, si las señales son "deshonestas"».

Ideal de belleza: patrones universales

Hasta ahora todos creíamos que el amor —como la moral— era una de las manifestaciones más elevadas, más sublimes, y que sólo estaba relacionado con la educación y con el entorno y en absoluto con los genes. Sin embargo, y si atendemos a lo que hemos aprendido hasta ahora en este capítulo, comprendemos que la búsqueda inconsciente de pareja consiste básicamente en una secuencia de reacciones químicas. No parece entonces que quede mucho espacio para el amor romántico. En *Redes* quisimos conocer la opinión de los psicólogos a este respecto y mantuvimos una sugerente charla con Alejandra Vallejo-Nájera y Antoni Bolinches, ambos expertos psicólogos y divulgadores.

Dice la primera que «cada uno de nosotros lleva un equipaje psicológico suficientemente importante como para que cuente también. Quizá le hemos dado demasiada importancia a ese equipaje psicológico, olvidándonos del biológico, y es bueno saber que eso existe también. Pero no hay que ser muy contundente en este tema, porque yo creo que ambos fenómenos desempeñan un papel esencial a la hora de elegir pareja. Si todo fuese biología, entonces ¿por qué elegimos una persona en lugar de otra?, ¿qué aspectos de una persona nos atraen y por qué?».

La respuesta nos la da Bolinches: «Muchas veces las elecciones no son elecciones, sino limitaciones. De hecho tenemos un determinado ámbito de relaciones y dentro de ese ámbito y de acuerdo con una especie de autorregulación, de pacto tácito entre nuestras posibilidades y nuestras aspiraciones, se produce la elección».

Pero, y al margen de las posibilidades de cada uno, todo indica que ahora mismo existe un ideal de belleza femenino más o menos estándar y que, digámoslo claramente, se parece bastante a la famosa muñeca *Barbie*. Y ahora viene lo realmente curioso: su proporción cintura-caderas es precisamente de 0,7, la misma que la de las esculturas de las diosas griegas y romanas, proporción que, se considera, permite a la mujer tener hijos con mayor facilidad. Volvemos por tanto al tema de la fertilidad y al instinto de reproducción que, como dijimos al principio, es el motor de las relaciones amorosas humanas. Vallejo-Nájera nos habló de un estudio realizado en la década de 1990 por unos investigadores de la Universidad de Michigan que fue muy conocido en su época por el enorme despliegue de medios humanos y económicos. Cerca de 10.000 investigadores se repartieron por todo el globo terrestre en un intento por averiguar qué tipo de hombre y de mujer es el más buscado por el sexo opuesto. Pues bien, el resultado fue enormemente decepcionante, porque no se llegó a ninguna conclusión que no se supiera de antemano, pero lo más curioso es que la respuesta fue idéntica en todos los países y todas las razas: que el hombre busca en la mujer juventud y belleza, es decir, todo lo que se asocia a la idea de fertilidad, mientras que las mujeres, al parecer, están más inclinadas a renunciar al aspecto físico de su elegido siempre y cuando éste sea un buen proveedor. Esto, que puede indignar a las feministas, está por lo visto ratificado estadísticamente. En una encuesta que realizó Bolinches para su libro *El arte de enamorar* se preguntó a mil mujeres sobre lo que consideraban más atractivo del sexo masculino y resultó que el valor más apreciado fue la inteligencia. Es decir, que las mujeres buscan un hombre que, en palabras de Vallejo-Nájera, «de alguna manera garantice su sustento en el futuro. Y no sólo el suyo, también el de los hijos que están preparadas para traer al mundo. Sin embargo, cultural y socialmente, a la mujer en los países desarrollados se la prepara para que no necesite al hombre como proveedor, para que sea autosuficiente, independiente. De ahí que en las sociedades desarrolladas y en determinados grupos de mujeres sean cada vez más comunes las inseminaciones artificiales, que permiten a las mujeres tener hijos renunciando expresamente a la colaboración de un hombre en su crianza, manutención y desarrollo».

Ha cambiado, por tanto, el patrón de la selección sexual. El hombre ha dejado de ser el cazador activo y ahora son las mujeres las que eligen, además de manera activa y visible. Eso genera miedo en los miembros del género masculino, inseguridad en cuanto a su potencial y a su futuro. No se trata únicamente de peculiaridades del mundo muy desarrollado. Resulta que estudios antropológicos están poniendo de manifiesto que en las nuevas ciudades, como Los Ángeles o São Paulo, la demanda femenina de pareja es mucho menor al ser ellas las que sacan mejores notas en las escuelas que los supuestos proveedores de futuros trabajos e ingresos.

En todo caso, lo que nos dicen estos estudios es que, al margen de la raza, cultura y nivel de desarrollo, existe un modelo de belleza planetario y que responde a un patrón universal. Nacer feo es, pues, realmente un castigo muy injusto y de grandes consecuencias porque la belleza, como nos decía Grammer, es también un indicativo de salud y por tanto de fertilidad.

La escuela del amor

El doctor Grammer ha dicho que son las mujeres quienes inician el lance amoroso, pero lo hacen con una inteligencia y una manipulación de la situación tal que al final parece que fueran los hombres quienes eligen. Las mujeres siembran el camino de pistas y los hombres las siguen. Una técnica que existe desde tiempos inmemoriales y que está profundamente enraizada en el comportamiento humano. Pero ¿se puede aprender a amar? ¿Se puede inducir en la personas el sentimiento amoroso? ¿Nos influye nuestro entorno, nuestra historia familiar a la hora de buscar pareja?

«Me da la sensación», nos contó Vallejo-Nájera, «de que el comportamiento de nuestros padres, cómo se quieren entre sí, cómo aman a sus hijos, constituye nuestra más importante escuela de amor, de ahí que a la hora de seleccionar pareja casi todos nosotros tendemos a buscar en la persona elegida aquello que nos resulta cercano, aquello que hemos conocido en nuestra casa. De alguna manera, a no ser que la relación con nuestros padres haya sido muy traumática y muy conflictiva, generalmente los rasgos que definen a la persona elegida coinciden en bastantes aspectos con nuestros progenitores».

Apareamiento y muerte

Imaginen esto: ocho tentáculos, dos mil ventosas, un pulpo de sesenta centímetros con una fuerza descomunal con relación a su tamaño. Cada primavera se produce el ritual de acoplamiento, que tendrá una duración, una intensidad y una violencia distintas en función del tamaño, la madurez y el estado de la pareja.

El macho, con sus gruesas ventosas, posee con violencia a la hembra, no siempre entusiasta, pues quizá ya ha sido fecundada. Ella debe transportarlo en su espalda durante el tiempo que dure el apareamiento. El macho debe introducir la extremidad del tercer tentáculo a la derecha de la cabeza (llamado brazo copulador o *hectocótilo)* en el respiradero de la hembra. El brazo especializado transporta paquetes con esperma hasta el orificio de la puesta de la hembra.

El acoplamiento se renueva durante horas, días y por fin, al retirar su brazo, el macho hace estallar los paquetes de esperma dentro de la hembra y de ellos salen millones de espermatozoides. Se almacenan ahí y fecundan los huevos que a continuación pondrá la hembra y fijará al techo de su nido. Una sola puesta puede ser de hasta 500.000 huevos. Durante el mes de la incubación la hembra no sale, no come, no para de mover los huevos con sus tentáculos y de hacer circular el agua para asegurar la respiración y la limpieza de los cascarones.

El nacimiento es explosivo. En pocos minutos miles de bebés pulpo de dos milímetros salen de su cascarón propulsados en todas direcciones. Los que no logren salir entonces ya no nacerán nunca. La madre, por su parte, morirá casi inmediatamente.

Conclusiones

El amor en los pulpos también está conectado con el origen de la vida. Me pregunto si el ritual del embelesamiento entre macho y hembra es genético. En realidad fue el biólogo Seymour Benzer, de quien hablamos en el capítulo V, quien a comienzos del siglo XX empezó a identificar mutaciones genéticas en las moscas del vinagre *(Drosophila melanogaster)* responsables de distintas reacciones a la luz y de determinados rituales de la reproducción.

Todo este lío genético empezó con las moscas. Hace sólo veinte años nos reíamos y decíamos: «No, no hay nada genético», y después del estudio de las moscas empezamos a ver si pasaba lo mismo en los pulpos y en los homínidos. ¿Qué conclusiones sacamos de todo esto? «Todo tiene que ver con todo», dice Bolinches. «Una cosa es enfocar el estudio o la explicación de una causa o de un fenómeno desde la genética, que para eso están los genetistas, los etólogos, los biólogos, y otra la misión de los psicólogos, que intentamos entender la conducta en función de sus motivaciones sociales. Claro que eso produce fenómenos bioquímicos que tienen que ver con la genética, con la bioquímica, con la neurología, pero desde el ámbito de la psicología yo puedo afirmar que el amor es una necesidad universal. Todos necesitamos querer y ser queridos y cada cultura lo expresa a su manera». Así que el instinto es genético, pero la forma de expresarlo es social y cultural, y en ella hay diferencias significativas. Todos recordamos la forma de besar en la Polinesia que se hizo famosa por las películas norteamericanas, frotándose la nariz. Por tanto, hay peculiaridades en la forma de expresar el amor, aunque la necesidad afectiva sea universal. «Yo creo», afirma Bolinches, «que, en resumen, el instinto es el que determina que la sexualidad se oriente hacia lo más conveniente para cada especie y que cada especie lucha por su preservación y su automejora. Por eso los hombres seguimos buscando mujeres con formas, porque eso garantiza seguramente la lactancia del bebé, garantiza el deseo sexual, el acogimiento y eso despierta el instinto masculino».

Vallejo-Nájera lo corrobora: «La genética desempeña su papel, pero una vez que se ha elegido pareja y aunque hay un factor de suerte muy importante, también hay una disposición de ánimo, hay que tener ganas de que salga bien, porque la ilusión permite que los pronósticos de futuro sean mucho mejores y además creo que todos nosotros cuando nos enamoramos buscamos en realidad relaciones largas. En la ruptura del cariño siempre hay una enorme decepción, y estamos hablando de emociones, no de biología. Y aun quien consigue rehacer su vida con una segunda pareja estable, casi siempre hubiera preferido que ésta, la segunda, fuese la primera, de manera que el equipaje emocional es tremendamente importante al hablar de amor».

De modo que ya ven. Genética sí, pero también disposición de ánimo, ilusión, esfuerzo personal y suerte. No todo es química en esto del amor. Curiosamente, los últimos planteamientos científicos han incorporado uno de los grandes descubrimiento en la relación genética-entorno. La experiencia individual deja una huella en la estructura del cerebro, de manera que resulta imposible deslindar, como antes, neurología y psicoanálisis.

CAPÍTULO XI

Sexo con y sin reproducción

Detrás de la concepción popular del sexo que desde nuestra perspectiva como humanos consideramos un impulso animal de atracción, se esconde un mecanismo complejo y curioso que nace precisamente en los individuos más asexuados que podemos imaginar: las bacterias.

Si consideramos el ADN como un mensaje cifrado con las instrucciones de cómo ha de ser cada especie bacteriana, vegetal o animal, entonces el sexo sería un descuido biológico que permitiría que cierta cantidad de información se traspapelase de un individuo a otro.

Las bacterias serían los primeros comerciantes del planeta, capaces de traficar con los mensajes cifrados de sus códigos genéticos. Se transfieren entre sí instrucciones que favorecen su supervivencia y esta cooperación es lo que nosotros denominamos sexo. Sexo no relacionado con la reproducción, ya que las bacterias se reproducen de forma individual, por división celular.

Cada una de ellas copia su genoma y a partir de él crea una nueva célula exactamente igual a la progenitora. Es lo que se denomina reproducción asexual o clonación natural. Limpia, altamente eficiente y sin sexo. Y no sólo las bacterias la practican, también los protozoos y algunos animales y plantas son capaces de clonarse, pero en el caso de animales y vegetales se ha desarrollado además una estrategia reproductiva diferente en la que se ha integrado el fenómeno sexual. Los mecanismos que posibilitan el tráfico de información son en su caso mucho más complejos.

Para la reproducción sexual se necesitan unas células especializadas en el sexo: los gametos y, además, la diferenciación en los géneros: masculino y femenino, que se desarrolló hace unos 800 millones de años. La mezcla de ADN de los progenitores dará lugar a una combinación aleatoria de caracteres, a un individuo único en el mundo. La variabilidad genética es la causa, por ejemplo, de que cada individuo sea diferente, pero también de que las especies hayan evolucionado desde sus formas ancestrales como resultado de la supervivencia de los individuos más eficientes.

La vida es la misma en todas partes y todos los tiempos. Arrancó con una bacteria que tenía, como nosotros, la información vital codificada en una molécula de ADN. Su vida sexual no era para procrear, sino para intercambiar información genética que incorporaba a su propio ADN. Es fantástico pensar que las bacterias del inicio de la vida y muchas de las que conviven hoy con nosotros se acarician para enriquecer su conocimiento; para procrear, simplemente, se subdividen. Volveremos a ello. A ninguna bacteria se le pasa por la cabeza —más bien todo lo contrario— que esta búsqueda de contactos e información en otros universos pueda incomodar a nadie. Enriquecen sus proyectos. Por razones evolutivas, a algunas de las cuales ya hemos aludido anteriormente, los homínidos, en cambio, regulan el ejercicio del sexo en un perímetro bien delimitado y regido por leyes o costumbres difíciles de deslindar de los dominios y las propiedades.

Nada que ver con la reproducción

Richard E. Michod es doctor en Zoología y Genética, y director del Departamento de Ecología y Biología Evolutiva en la Universidad de Arizona. En su compañía vamos a enfrentarnos a una de las situaciones más estimulantes y al mismo tiempo más controvertidas de las que nos propone la ciencia contemporánea: ahora resulta que lo que hemos estado haciendo todos los días (bueno, casi todos los días), reproducirnos sexualmente, es una barbaridad. Un sistema ineficaz y peligroso. Tanto es así que dentro de poco, tal vez antes de 10 años, habremos separado totalmente —no sólo según Michod, sino para muchos otros científicos—, la reproducción del sexo. Michod asegura que «el sexo es de alto riesgo para los organismos, acelera el camino a la tumba. Está claro que acelera la muerte del organismo pero, al mismo tiempo, produce la inmortalidad y el rejuvenecimiento de los genes».

Algunos de sus colegas dicen que en cuestión de 10 o 20 años el sexo y la reproducción estarán completamente separados; cada uno irá por su lado. Afirman que, desde un punto de vista científico, el sexo no tiene nada que ver con la reproducción. El sexo sería, en su opinión, un método para mezclar genes. Creo que la evidencia científica dice que eso es correcto. Si retrocedemos a las formas biológicas más primitivas con sexo, los virus o las bacterias, ya hemos visto que mantienen relaciones sexuales cuando no se están reproduciendo. «Por ejemplo, en mi laboratorio» —nos recuerda Michod— «hemos estudiado las bacterias llamadas *Bacillus subtilis*, y hemos comprobado que devienen sexualmente competentes, es decir, que atraen genes externos y los mezclan, cuando no se están duplicando. Por tanto, en la historia de la vida se partió del sexo separado de la reproducción, y luego en un cierto momento ambas cosas se unieron. Pero el problema del sexo sigue siendo diferente del problema de la reproducción».

Para las bacterias *Bacillus subtilis* la manera de reproducirse es la clonación, no el sexo. En un momento determinado de la historia de la evolución aparece el sexo como aliado de la reproducción, pero probablemente sea una forma escasamente eficaz de reproducirse. Las bacterias que investiga Michod tienen sexo, practican sexo, pero lo realizan en un ciclo de su vida diferente al de la reproducción. Cuando no se están duplicando, cuando no se están reproduciendo, parecen estar hambrientas de genes, captan ADN a través de sus membranas y después los combinan. Sin sexo. «Bueno, no copulan. Van directas al ADN y no se molestan en copular. Parece ser que no tienen complejos al respecto y van directamente a por el ADN que está en el entorno. Si el ADN es de su misma especie, lo recombinan; esto es, lo insertan en su genoma y se quedan tan contentas. Y más tarde se reproducirán recombinando segmentos».

ALTO RIESGO, BAJA RENTABILIDAD

Lo irónico del sexo es que al mismo tiempo que asegura la inmortalidad de los genes acelera la muerte del individuo que lo practica. Cada especie establece un equilibrio entre los gastos de inversión reproductiva y de mantenimiento biológico. El sexo grava mucho a los organismos que lo llevan a cabo. Se acelera la muerte en todos los que tienen relaciones sexuales debido al desgaste que conlleva. Incluso en organismos como los gusanos simples *C. elegans*, los machos que tienen relaciones sexuales mueren antes. Una planta que crece en el desierto de Gobi y que produce una especie de vara larga como una flor para poder tener sexo muere inmediatamente después. La mantis religiosa es un alimento para su pareja después de copular. Por tanto, el sexo es de alto riesgo para los organismos. Acelera el camino a la tumba, particularmente cuando existe un desequilibrio claro entre los gastos de reproducción —lo dedicado a la perpetuación de la especie— y los de mantenimiento —lo dedicado a la pura supervivencia—. Con una esperanza de vida de sólo 30 años nadie debiera esperar que el sistema inmunológico nos protegiera de enfermedades características de edades muy avanzadas. Ahora bien, como señala el propio Michod, «está claro que el sexo acelera la muerte del organismo, pero produce la inmortalidad o el rejuvenecimiento de los genes».

Antes de la biología moderna, antes de la biología molecular, una de las consecuencias más obvias de las relaciones sexuales es que producían bebés, y los bebés son jóvenes: así que dos seres viejos, por medio de sus relaciones sexuales, pueden nuevamente producir algo joven... Un misterio.

Un misterio que existió hasta que la biología molecular fue capaz de explicarlo. Explicar el milagro de que, cuando el esperma y el óvulo se unen, el ADN se limpia y rejuvenece, se hace completo. Los errores acumulados por los adultos durante toda una vida en el ADN se reparan durante el ciclo sexual.

A pesar de todo, parece claro que la reproducción sexual es menos rentable: hacen falta dos para obtener sólo uno, mientras que con la clonación de uno se pueden sacar dos. Por tanto, si hubiera una especie sin reproducción sexual probablemente eliminaría a la especie con reproducción sexual. Si partimos de dos casos iguales, la hembra de reproducción asexual, una hembra que no comparta con el macho la representación genética de la descendencia, aproximadamente doblará en cada generación a las hembras que tienen relaciones sexuales, que lo hacen de forma sexual. Por tanto, se considera que el coste del sexo es de casi el doble. Y, sin embargo, se ha impuesto en gran medida el sistema de reproducción sexual. ¿Por qué? Éste ha sido un debate casi eterno que apenas se ha zanjado.

El verdadero problema es: ¿cuáles son los beneficios obtenidos a cambio? Ha sido un debate interminable en biología y sigue habiendo muchos investigadores que niegan la supuestamente irrebatible ventaja extraordinaria de la mezcla de cromosomas: garantizar la diversidad a la que puede atribuirse la supervivencia de los organismos en entornos cambiantes. Un organismo clónico difícilmente puede cambiar o adecuar su estructura molecular a los cambios drásticos en el entorno. Gracias a la mezcla de dos cromosomas se crea una diversidad genética a la que puede no chocar un entorno desacostumbrado.

Siempre partimos del punto de vista de la hembra, porque las hembras son las que tienen el huevo. Y el huevo es una célula grande con muchos nutrientes, contiene todo lo que se necesita para llegar a desarrollarse en un organismo, excepto los genes del macho. Así, si nos ponemos en el punto de vista de la hembra, en principio ella puede encontrar estos genes en cualquier sitio, incluso en su propio cuerpo. De hecho, algunas plantas se autofecundan: mantienen relaciones sexuales con ellas mismas cerrando la flor y tomando el polen de su propio cuerpo. En principio es fácil imaginarse cómo este tipo de asexualidad puede evolucionar, es una cuestión de que la hembra tome los genes de su cuerpo en lugar de tomarlos del cuerpo del macho. El motivo por el cual la asexualidad no evoluciona es en realidad una paradoja denominada *la paradoja del sexo:* los costes son grandes y parece ser difícil encontrar los beneficios.

Todos fuimos caníbales

Otras plantas, como los robles por ejemplo, se reproducen sexualmente. Se limitan a liberar sus gametos en el aire. Pero nosotros, los humanos, necesitamos buscar una pareja para copular, y esto conlleva mucha violencia y problemas. «Cosas que el ser humano aborrece, como la violación u otras formas de violencia, los biólogos modernos las consideran más bien estrategias reproductivas. Se cree que los antecedentes de la violación existen en otras especies, como por ejemplo en los patos Mallard, donde es habitual que varios machos acorralen a una hembra hasta debilitarla y después se turnen para copular con ella (curiosamente, en esta especie también son muy corrientes las relaciones sexuales entre machos). Los científicos argumentan a favor de que la llamada "violación" se denomine "copulación forzada", ya que es una estrategia ampliamente utilizada en el reino animal».

Repugna pensar que pulsiones moralmente detestables están instaladas en nosotros desde el principio de los tiempos. Sin embargo, la razón científica, al tiempo que informa, busca el equilibrio. Es probable que el hombre contemporáneo haya heredado una pequeña dosis de esas pulsiones. Pero siempre que se hace este comentario deberíamos añadir que el hecho de que algo exista no es motivo para justificarlo. Nosotros los humanos distinguimos —sobre todo a partir de una determinada edad— entre lo que es y lo que debería ser. Y parte de la motivación que nos lleva a entender nuestra biología no es decir que algo está bien o mal, sino comprender quiénes somos en tanto que animales humanos, para que podamos crear un mundo mejor. No siempre se trata de justificar lo que está bien: sí es natural que tengamos agresividad, es natural que seamos agresivos; somos descendientes de antepasados comunes con primates sociales particularmente agresivos, pero esto no quiere decir que, como seres humanos, queramos ser agresivos. También es natural el altruismo y la cooperación.

Conocer los hechos que caracterizaron las profundidades de nuestro origen y sus reminiscencias es positivo. Por ejemplo, machos de diferentes especies corren el riesgo de ser devorados durante la cópula por las hembras, que obtienen de esta manera gran cantidad de proteínas con las que asegurarán la supervivencia de las crías. Un fenómeno biológico que curiosamente está reflejado en la cultura ancestral humana, en el mito de la vagina dentada, presente en civilizaciones de todos los continentes, según el cual existe un miedo ancestral masculino frente al órgano sexual femenino al que ve como una boca devoradora.

La preponderancia del papel del sexo femenino en la reproducción ha llevado incluso a ciertas especies de insectos, gasterópodos y reptiles a prescindir de los machos. Pero las madres también se sacrifican, muchas larvas de mosquitos devoran a la madre, obteniendo con ello las proteínas necesarias para su desarrollo.

El canibalismo resulta ser precisamente el origen de nuestra existencia, en particular de las células que nos constituyen: una célula ancestral devoró a una bacteria transformándola en un orgánulo llamado mitocondria, capaz de proporcionarle energía. Fueron los orígenes remotos de la depredación y la violencia. Era el nacimiento de las células animales y vegetales. Ahora bien, una de estas células devoró a otra bacteria capaz de realizar la fotosíntesis, extraer la energía del Sol dando lugar al orgánulo denominado cloroplasto, que hizo posible el nacimiento y especialización de las células vegetales. Nosotros y el resto de animales y plantas necesitamos canibalizar a esas células inocentes que saben extraer el oxígeno del aire y la energía del Sol. Nosotros no tenemos ni idea y estamos abocados a depredar a quien posee el secreto.

¿Hijos del azar o de la manipulación?

Si desde aquellos confines del origen de la vida aún llegan hasta nosotros polémicas causadas por su interpretación, los últimos descubrimientos y aplicaciones de la genética son objeto de apasionadas discusiones en las que se mezclan la ética, la moral y la política en dosis variables. Esto ocurre particularmente con el tema de la clonación. Sus detractores invocan incluso el derecho a la ignorancia, el derecho a ser modelados por el azar, a que les gobierne la suerte, frente a la intervención sobre los genes. Michod no se encuentra entre ellos y una mayoría de científicos tampoco. «No puedo creer que el azar sea algo bueno. Prefiero tener toda la información y todos los datos antes que abandonar mi herencia genética al azar. Pero esto no quiere decir que no existan aspectos éticos en este debate tan espinoso. Lo primero que quiero decir es que la clonación es natural. Sucede constantemente. Yo tengo dos sobrinos que son gemelos idénticos, univitelinos. Esto sucede de forma natural: Mike y Rick son clones. No es algo que hayamos inventado: existe en la naturaleza. Esto es lo primero que quería señalar. Lo segundo es que si nos clonamos, si yo me clonara, sería un niño pequeño y crecería en un entorno completamente diferente a aquel en que yo crecí, ni siquiera compartiríamos el mismo útero, como lo hacen los gemelos idénticos. Por tanto, crecería siendo una persona muy distinta a mí: mucho más de lo que lo son los gemelos idénticos. Los gemelos crecen juntos, son de la misma edad, comparten la misma generación».

Estas distinciones entre clones y gemelos univitelinos a favor de una mayor diversidad de los primeros —puesto que sus citoplasmas son distintos, los úteros en los que se desarrollarán también y las vivencias (época, colegio, amigos) totalmente diferentes— no aplaca la discusión ética. «El problema es el que señaló Kant al referirse a aquello que es particular de los seres humanos, es decir, a que los humanos son fines en sí mismos, y no medios para alcanzar un fin. Lo que es erróneo es considerar que los humanos puedan ser medios para alcanzar un fin, como, por ejemplo, en la esclavitud: los esclavos son el medio para alcanzar la producción de otros fines. Así, si yo me clono para poder obtener recambios, para que cuando necesite un recambio nuevo pueda usar el de mi clon, esto estaría mal, según Kant. Pero esto no se da sólo con la clonación, también con toda la tecnología médica que tenemos hoy día a nuestra disposición y que no está basada en la clonación».

Estoy seguro de que en este momento hay muchos científicos manipulando células madre muy versátiles con el objeto de producir una célula que pueda segregar insulina con la que poder curar la diabetes. O la equivalente que pueda regenerar un sistema nervioso dañado. Estos trabajos que se apoyan en tecnología médica ya disponible son, creo, inevitables. Absolutamente inevitables, según Michod, porque «forman parte del deseo que experimentamos, como humanos, de controlar nuestro entorno. Los tipos nuevos de plantas producidos por nuevas formas de tecnología clónica pueden verse como una continuación de la "domesticación" de la vida que hemos estado llevando a cabo durante mucho tiempo: el cultivo de cereales, la cría de ganado, incluso la creación de nuevas especies. Esto ya lo hemos hecho, a partir de los genes que nos proporcionaba la naturaleza. Y si Darwin es famoso por haber descubierto la selección natural, es porque pudo hacer una analogía con la selección artificial: la que los humanos practican cuando mejoran las gallinas ponedoras, o la cosecha de una planta. Cuando se hace esto, se obtienen especies por ingeniería: no directamente, manipulando los genes, pero sí seleccionando entre la variedad genética existente».

Resultados decepcionantes

Desde el punto de vista conceptual el método para la clonación es sencillo: se separa una célula de la persona que se desea clonar y un óvulo no fecundado de una mujer, y se sustituye el núcleo del óvulo (donde reside la información genética) por el núcleo de la célula original del individuo. Posteriormente se activa la división del óvulo hasta convertirlo en un embrión, que días más tarde será implantado en el útero de una mujer, dando lugar a un embarazo por lo demás normal. El resultado será un bebé que no ha necesitado el sexo para ser engendrado. Si fue primero el sexo el que se separó de la reproducción, ahora es esta última la que puede prescindir del sexo y pagarle así su desinterés con la misma moneda.

¿Qué nos depara el futuro? ¿Cibersexo, clonación...? ¿Conseguirán sexo y reproducción convertirse en conceptos completamente desligados? ¿O por mucho que lo intenten su destino es no librarse nunca el uno del otro?

Josep Egozcue (catedrático de Bilología Celular y pionero de la reproducción asistida en nuestro país, fallecido en febrero de 2006) nos acompañó en la búsqueda de respuestas durante su visita a *Redes*. En su opinión, la clonación reproductiva de humanos probablemente nunca llegue a ser un hecho generalizado porque sus resultados «serán muy decepcionantes», aunque no dudaba de que se llevará a cabo. El futuro será, afirmó, «de la investigación de nuevas técnicas para la producción de células madre que permitirán regenerar tejidos y que serán eficaces en enfermedades como el Alzheimer, el infarto de miocardio o la diabetes». Por otro lado, resulta difícil rechazar la tentación de que tarde o temprano volveremos donde estábamos antes de que se iniciara el paréntesis darwiniano; es decir, un mundo en el que intercambio de genes y reproducción serán dos funciones distintas que no tienen por qué coincidir en el tiempo. Como se sugería antes con el ejemplo de Elizabeth Taylor, saliendo de la piscina con un color diferente de ojos, no resulta nada estrambótico imaginar a mis bisnietas jugando en el cuarto de estar intercambiando genes de hongos, plantas y animales para enriquecer su propio conocimiento o la selección de especies.

Ventajas de la tradición

Richard Michod nos ha recordado que una de las estrategias de reproducción puede ser la violación y otra, por supuesto, simplemente mover la cola como hace el pavo real. De todo hay. Realmente en este capítulo hemos hablado de las desventajas de la reproducción sexual y no de las ventajas —si es que las hay— de ese sistema tan nuestro de reproducirnos por medio del sexo.

Desde la historia de la evolución cabría preguntarse: ¿qué fue lo que hizo necesaria su existencia?, ¿por qué un sistema tan complicado que implica la búsqueda y seducción de la hembra o del macho?

Montserrat Gomendio es investigadora del CSIC y gran experta en evolución de las estrategias reproductivas. Ella nos ayuda a entendernos un poco mejor desde este punto de vista. «La verdad es que todavía no lo sabemos con seguridad, pero existen dos ideas. Una es el beneficio que la sexualidad implica para la diversidad, el hecho de que los nuevos individuos sean diferentes de sus progenitores y de cualquier otro individuo de la población. Desconocemos los beneficios de esa mayor diversidad, aunque parece que con la clonación, al producir individuos idénticos acumulando mutaciones, llega un momento en el que los descendientes tienen tal carga mutacional que resultan inviables. Otra idea a favor de la reproducción sexual sería la siguiente: una de las cosas que varían con mayor rapidez son los parásitos, lo que provoca entre ellos y sus portadores (por ejemplo, los humanos) una especie de carrera de armamento: una de las formas de luchar contra ellos es que el nuevo portador sea totalmente distinto».

Esta ventaja de que cada ser creado mediante la sexualidad sea totalmente diverso de sus progenitores se entiende rápidamente si pensamos en los virus. Si un virus que infectó a mis padres encontrara que mi organismo es exactamente igual al de ellos ya sabría cómo atacarme. Sería una presa demasiado fácil para él. Desde el punto de vista de la salud, las ventajas de la diversidad producida por la reproducción sexual parecen evidentes... «Existe una base genética clara, es decir, una razón genética», afirma Gomendio. «Todos conocemos los problemas de la consanguinidad, de las relaciones sexuales entre parientes. En las sociedades cerradas no hay variabilidad y las enfermedades monogénicas, por ejemplo, perduran y son más frecuentes. Enfermedades como la fibrosis quística o la talasemia son mucho más frecuentes en unas determinadas latitudes que en otras, porque la reproducción también es más cerrada y no hay posibilidad de diversificación».

Los humanos no somos capaces de atrapar genes en el ambiente como las bacterias de las que hablaba Michod, es verdad... Pero, si lo que importa en términos evolutivos es la diversidad, ¿no sería fantástico poder elegir entre la multiplicidad de genes que pasan por nuestro lado? Elegirlos sin compromisos, digamos, como en un banco de genes... «Los animales, y también los humanos, respondemos a los mensajes que nos emite un fenotipo. Es la manera en la que un individuo puede saber algo sobre su calidad genética y elegir el momento del sexo. Por eso los machos luchan por aparearse con las hembras y las hembras son tremendamente selectivas con ellos».

Su larga experiencia en el campo de las estrategias reproductivas no le hace percibir a Montserrat Gomendio tremendos cambios en nuestros métodos de reproducción, ni tampoco una separación en el futuro más evidente entre sexo y reproducción, aunque «es obvio que las nuevas tecnologías darán lugar a nuevas situaciones. Pero eso no quiere decir que se conviertan en la forma de reproducción elegida. Serán posibilidades técnicas que en determinados casos se podrán aplicar, ante un fallo, ante una incapacidad. Otra cosa muy distinta es la manera de reproducirse por elección de la población en general». La existencia de sexo sin fines de reproducción no es, por otra parte, ninguna novedad en el reino animal. «Muchos primates practican sexo entre machos y hembras o entre machos y machos y hembras y hembras, sin ese fin». Es el caso del bonobo, también llamado chimpancé pigmeo, natural del centro de África, que recurre al sexo como vía de resolución de conflictos o en pago de comida, y cuyo repertorio de caricias y hábitos sexuales resulta asombrosamente parecido al de los humanos.

Espermatozoides: de cien mil a uno

Ante un fallo biológico, es decir, para suplir carencias de la capacidad de reproducción de nuestros órganos sexuales, hace años que una disciplina se ha puesto a nuestro servicio. Me refiero a la fecundación *in vitro.* En la década de 1970 los científicos británicos Patrick Sticktow y Robert Edwards fueron los pioneros de esta técnica, en la que un óvulo se fertiliza fuera del cuerpo con esperma sano. Recientemente se ha desarrollado la denominada ICSI o microinyección espermática, en la que se introduce directamente un espermatozoide individualizado en el ovocito. Según Edwards, «el hecho de poder inyectar un solo espermatozoide en el óvulo ha cambiado radicalmente la técnica de fertilización, y constituye el avance más importante que se ha realizado desde el descubrimiento de la misma fecundación *in vitro».* En sus primeros cinco años de aplicación nacieron en el Reino Unido, mediante esta técnica, 3.500 bebés.

Montserrat Boada es coordinadora del Programa de Fecundación in Vitro y Donación del Servicio de Medicina de la Reproducción del Instituto Universitario Dexeus, y por tanto una de las personas con más información y experiencia sobre este tema en nuestro país. ¿Hasta qué punto la microinyección espermática ha significado una revolución de esta técnica? Antes, tengo entendido, había que utilizar unos cien mil espermatozoides. «No es que se inyectaran cien mil, sino que la fecundación *in vitro* convencional consistía en poner juntos los óvulos y los espermatozoides, unos cien mil espermatozoides por cada óvulo, y dejar que fecundaran por sí solos. Nosotros los ayudábamos porque los poníamos juntos, habíamos mejorado la muestra de esperma, habíamos concentrado este eyaculado para que fuera más efectivo, pero se dejaba que la fecundación ocurriera por sí misma. En algunos casos en los que la muestra de semen no es muy buena, en los que existe una oligozooespermia importante (es decir, pocos espermatozoides y de escasa movilidad), hay que ayudar más, y la microinyección espermática ha nacido para solucionar estos casos. Se inyecta un solo espermatozoide dentro del ovocito y de ese modo se favorece la fecundación».

La sofisticación sexual en los pájaros

El dominio del sexo femenino en el proceso de reproducción es aplastante. Este hecho ha generado teorías que llegan a afirmar que la hembra, en determinadas especies, puede elegir el esperma, es decir, que no sólo existe, digamos, una competencia frente al sexo opuesto, sino por un esperma determinado, y que la hembra podía elegir. Lo que sabemos realmente, afirma Montserrat Gomendio, «es que la estrategia de los machos es competir entre ellos para copular con el mayor número de hembras posible, y la de las hembras aparearse con los machos de mayor calidad posible. Por lo común existen diferencias muy sensibles entre los machos, y las hembras eligen al mejor. Esto se hace evidente en el comportamiento».

Es decir, que dentro de lo que se conoce como la selección sexual el macho actúa por acumulación y la hembra por selección. Eso ocurre así porque la hembra es la que invertirá más, desde el punto de vista biológico, en las crías. El macho, con inseminar a muchas hembras —en aquellas especies donde no ayuda en el cuidado de las crías— ya se está asegurando un número muy grande de descendientes. En cambio las hembras hacen una inversión muy fuerte en las crías y, por consiguiente, procuran asegurar que la calidad de esas crías que producen sea elevada. Vamos, que priman la calidad sobre la cantidad, al contrario que el macho.

En nuestra especie las hembras gestan, luego dan de mamar, y durante la lactancia normalmente no vuelven a ser fértiles por un tiempo. Por el contrario, en ese tiempo un hombre puede haber producido muchísimas crías. Por eso la selección en los machos actúa para aumentar el número de hembras con las que copulan, mientras que en las hembras es para mejorar la calidad.

Quizá como contrapartida a su dedicación a las crías y en contra de lo que se pensaba hasta hace poco, en la mayor parte de las especies las hembras son promiscuas, es decir, copulan con más de un macho en cada ciclo sexual. Incluso los pájaros que eran considerados muy fieles... «Realmente la sorpresa vino por ahí. Se consideraban y se consideran fieles porque socialmente son monógamos, hace falta un macho y una hembra para sacar un conjunto de crías adelante, una nidada. Entonces ellos se organizan en parejas y ayudan en la alimentación de los pollos hasta que se independizan. Algo parecido ocurrió con nuestros antepasados que, a juzgar por algunos restos fósiles, ya eran monógamos en tiempo de los *Neanderthal*. La constitución de la pareja fue, como vimos antes, el subproducto de un cerebro creciente y de una pelvis que se estrechaba. La solución del bebé prematuro requirió el cuidado de dos personas en una circunstancia en la que el grado de indefensión era tal en el bebé que una sola persona no podía asumir su cuidado.

»Al estudiar la monogamia de los pájaros se pensaba que también eran monógamos sexualmente, pero las técnicas moleculares han hecho posible determinar la paternidad de las crías y se ha encontrado que en la mayor parte de las especies, en el 80 por ciento de las estudiadas, las crías que hay en un nido proceden de varios machos, aunque sea un solo macho el que se asocia con la hembra para sacar las crías adelante». Y, además, es posible que ella, la pájara, haya podido elegir el esperma. «Lo que hacen cuando su pareja no es uno de los machos de mejor calidad de la población es buscar activamente cópulas, que se llaman extramaritales o extrapareja, con otros machos de la población. Y como por el mecanismo de competición espermática que tienen, el último macho con el que copulan es el que tiene más posibilidades de fecundar el óvulo, entonces con copular una vez con otro macho de mejor calidad aseguran que la siguiente cría es de ese macho».

Lo que parece una simple selección estadística no lo es tanto: las hembras tienen unos órganos para el almacenamiento del esperma en los que el esperma del último macho que copula estará siempre situado en la mejor posición para ser el que fecunde el óvulo. Curioso ¿no es cierto?

CADA VEZ MÁS TARDE

En la época de la que datan los restos arqueológicos de Atapuerca la gente se moría a los 30 años, se los comía un león o se caían a un barranco y habían cumplido así su función reproductiva. En la actualidad vivimos 50 años más, que son redundantes en términos evolutivos y, además de nuestro cerebro, poseemos numerosas prolongaciones del mismo en forma de ordenadores, televisores... o libros. Disponemos de una impresionante capacidad de cálculo y de comunicación durante 50 años. ¿Esto va a alterar en algo las estrategias reproductivas o sólo lo vamos a utilizar para hacer más ordenadores y va a quedar intacta nuestra manera de reproducirnos? ¿Van a cambiar las parejas? ¿Van a cambiar las estrategias de reproducción con estos 50 años redundantes? Según Gomendio, «cuando la mujer se acerca a un periodo en que ya tiene muchas posibilidades de no vivir el tiempo suficiente para sacar una cría adelante —en nuestra especie son muchos años— lo más adaptado es terminar con la etapa reproductiva e invertir en los nietos, en crías de otros, y en las crías que han nacido antes. Ésta es la tesis de algunos antropólogos evolutivos. Yo sí veo cambios; de hecho, son cambios sociales evidentes. La maternidad se está retrasando y la mujer cada vez decide tener hijos más tarde. La tecnología va a ayudar a que sea posible, estamos viendo que la media de edad de las mujeres que acuden a la consulta de esterilidad es más elevada que la que teníamos hace 10 o 15 años».

Al releer este capítulo me doy cuenta de que los machos cuentan poco. Apenas aparecen, pero en algo afectará a su capacidad reproductiva el hecho de vivir cincuenta años más que sus ancestros. Se considera que el riesgo genético aumenta con la edad. En las mujeres aumenta a partir de los 35 y en los hombres a partir de los 50, o sea, que tienen más margen, «no les afecta tanto la edad en cuanto a su capacidad de reproducirse correctamente», afirma Gomendio.

Quizá con esto se produce una cierta equiparación entre los sexos. Hemos visto que, pese a las tesis del profesor Michod, no será fácil, ni quizá deseable, desembarazarnos de los inconvenientes de la reproducción sexual. Vamos, que no es nada fácil atrapar los genes con la mano. Aunque no faltan razones ni científicos para pensar que se ha terminado el llamado paréntesis darwiniano y que estamos destinados a recuperar, con la revolución genética, la situación que imperaba antes de la aparición de especies cuando todas las mezclas eran posibles con o sin reproducción.

a que sea posible, estamos de acuerdo que la media de edad de las [illegible] que [illegible] la conducta de [illegible] es más elevada que la que [illegible] hace 10 ó 15 años.

[illegible] que este capítulo [illegible] de cuenta de que [illegible] muchos [illegible] poco [illegible] parece, [illegible] a [illegible] parte [illegible] de [illegible] que
[illegible] que [illegible] que [illegible]
[illegible] la edad [illegible] a partir de los [illegible] y [illegible] a partir de [illegible] que [illegible]
[illegible] la edad en cuanto a su capacidad de [illegible]
[illegible] (Fromm, [illegible]).

[illegible] que [illegible] que [illegible] de [illegible]
[illegible] de [illegible] posible de [illegible]
[illegible] que [illegible] la [illegible]
[illegible] que se ha [illegible] de [illegible] de [illegible] que [illegible] todas las [illegible]
[illegible]

[illegible]

CAPÍTULO XII

La belleza es la ausencia de dolor

La pasión por la belleza —que está directamente ligada al sentimiento amoroso— no es un asunto trivial, originado por la cultura machista o el capricho femenino, sino un hecho biológico científicamente demostrado, originado por hormonas responsables de agrandar los ojos, reducir el tamaño de una mandíbula o perfilar una nariz. Los rasgos físicos considerados «bellos» son en realidad señales biológicas que se buscan desde tiempo inmemorial en todas las culturas.

INDICADORES DE BELLEZA

Victor Johnston es profesor de Psicobiología en la Universidad de Nuevo México y conoce muy bien todo lo relacionado con la percepción que de la belleza tiene el ser humano. De él aprendimos algunos hechos sorprendentes, como, por ejemplo, que los criterios estéticos de una persona empiezan a gestarse dentro del útero materno. Según Johnston, «el cerebro sufre una influencia hormonal en el útero alrededor de la decimotercera semana de vida embrionaria que lo condiciona a un sexo determinado, y eso influye en lo que más tarde considerará atractivo durante la vida».

Visto así, la búsqueda de lo bello vendría a ser como un instinto básico que está dentro del cerebro (una vez más, el cerebro resulta ser la clave de todo) desde el comienzo mismo de la vida. Pero parece ser que el cerebro masculino y el femenino no funcionan de la misma manera y que cada uno se siente atraído por marcadores, por indicadores de belleza determinados. «Por ejemplo», dice Johnston», «a los hombres les gustan las caras que muestran niveles bajos de testosterona, que es la hormona sexual masculina. La cara de la mujer que por lo general les resulta atractiva tiene la mandíbula inferior corta y labios carnosos, lo que indica un nivel bajo de testosterona y en cambio elevados niveles de estrógenos, que son la hormona sexual femenina». Pero hay más indicadores: unas determinadas proporciones de cintura, una melena larga y seductora, una piel bonita... La clave parece estar en que todas estas características están asociadas a la fertilidad y, por consiguiente, a la buena salud.

Investigaciones recientes en el campo de la psicobiología apuntan a que estas señales empiezan a funcionar prontísimo, a los dos meses de vida incluso. «Los bebés se sienten atraídos desde muy pequeños por caras normales y corrientes. Luego, al entrar en la adolescencia, cambian sus gustos y empiezan a sentirse atraídos por caras de facciones más acentuadas, que destaquen entre las demás». Por ejemplo, una mujer se sentirá atraída (lo que es verdad de un grupo o colectivo puede no serlo de un individuo) por una cara de rasgos marcadamente masculinos, y lo contrario les sucede a los hombres.

Y si los hombres buscan indicadores de fertilidad, ¿qué es lo que atrae a las mujeres? Por aséptica y poco romántica que suene, la respuesta de los expertos en psicoevolución es tajante: «Creemos que un buen sistema inmunológico. Es muy importante que las mujeres perciban en el hombre un buen sistema inmunológico, ya que van a mezclar sus genes con ellos y, si el hombre tiene unos buenos genes, los hijos sobrevivirán y con ellos también sus genes». Más o menos esto viene a decir: estoy sano, soy fértil y, por tanto, estoy capacitado para darte genes saludables para tus hijos. Pragmatismo puro.

Ya sabíamos de alguna manera que la actividad sexual de la mujer está determinada por la fase del ciclo menstrual, pero además Johnston sostiene que una mujer se sentirá atraída por un determinado tipo de hombre dependiendo de lo que él llama su «cociente digital»: parece ser que durante los primeros meses de gestación de todo ser humano, concretamente alrededor de la decimotercera semana de vida embrionaria, se producen movimientos hormonales, es decir, una liberación de testosterona que influye en la medida del cuarto dedo de la mano, el anular. Una mayor exposición a la testosterona se refleja en un dedo anular más largo que el índice, una menor exposición a la testosterona se refleja en unos dedos anular e índice más igualados. Así, en el caso de las mujeres, cuanta más testosterona reciba un feto del sexo femenino intraútero, más largo tendrá el dedo anular. Y esto es un indicador de que es una mujer menos «femenina». Se ha observado que este tipo de mujeres se sienten más atraídas por hombres más masculinos, mientras que las que tienen el anular más corto muestran mayor atracción por los hombres más cariñosos, más amables. Y el cociente digital en los hombres también podría ser un indicativo de su tendencia sexual.

Yo no sé si se dan cuenta de lo que estamos sugiriendo. Estamos recordando, simplemente, que en los primeros meses de la vida se producen unos movimientos hormonales que son los responsables de que mi dedo anular sea más largo que el índice. O sea, no es que esté fijado genéticamente, sino que viene determinado por la cantidad de testosterona que se haya liberado en el útero de mi madre.

Me pregunto si esto de la testosterona puede encerrar alguna de las claves hasta ahora no descifradas. Concretamente estoy pensando en homosexuales frente a heterosexuales. Se trata de una cuestión muy controvertida pero, según nos contó Johnston, «hoy existen muchos estudios que muestran diferencias entre el cerebro del hombre y el de la mujer como consecuencia de esta exposición a la testosterona en el útero, y los cerebros de los homosexuales, en ciertos aspectos, están a medio camino entre el cerebro de la mujer y el del hombre, de manera que estamos empezando a comprender cómo influye este entorno hormonal en nuestra estructura cerebral, y probablemente también en las preferencias sexuales que mostramos a lo largo de nuestra vida».

La belleza: ¿producto del cerebro u opción personal?

Millones de años de evolución han esculpido el cerebro humano y con ello nuestras distintas maneras de percibir el mundo que nos rodea; por ejemplo, han esculpido nuestro sentido del gusto.

Los azúcares, simples moléculas de hidratos de carbono, proporcionan un gran aporte calórico al organismo, pero además inundan al paladar de un dulzor irresistible que potencia su consumo.

Sin embargo, nuestra predilección por los dulces no es compartida por todos los seres vivos. Por ejemplo, el escarabajo pelotero se alimenta de excrementos, así que es evidente que el sabor asociado a una molécula no es una propiedad intrínseca de ésta, sino más bien una característica que le confiere el cerebro.

¿Qué ocurre con la belleza? Es obvio que todos seguimos unos criterios cuando evaluamos la belleza y en concreto la belleza facial. Lo que no está tan claro es si estos criterios son fruto de cambios culturales o, por el contrario, existen unos patrones universales impresos en nuestro código genético.

Victor Johnston ha estudiado la respuesta que provoca un abanico de caras en miles de personas de diferente procedencia. Se proyectó un vídeo con rostros de distinto aspecto: raza, color de ojos y pelo, rasgos distintos..., y los sujetos sometidos al test debían detener este vídeo cuando identificasen el que para ellos era el rostro perfecto, el más bello.

Pues bien, los hombres se decantaron por la cara más femenina, mandíbula inferior estrecha, ojos grandes, nariz pequeña, labios gruesos y pómulos marcados. Muchas de estas características se desarrollan durante la pubertad, como resultado de la producción de estrógenos y, por tanto, son fuertes indicadores de fertilidad.

El sexo femenino no fue tan unánime, en cambio. El rostro ideal variaba en función de varios parámetros. Para establecer relaciones a largo plazo, las mujeres escogieron caras afeminadas, ya que les inspiraban ternura y confianza. Sin embargo, los rasgos faciales más marcados por la secreción de andrógenos, como una barbilla pronunciada o una mandíbula ancha, eran los preferidos para una aventura amorosa de una noche.

El experimento de Johnston parece indicar que la percepción de la belleza —como el sabor dulce del azúcar— es más un producto del cerebro que una opción personal. La belleza puede tratarse de un patrón innato que se ha ido construyendo durante millones de años y que responde a una necesidad biológica, la de perpetuarnos.

La belleza es un número

Tanto en arquitectura como en arte las personas se han preguntado desde siempre cuáles son las proporciones que hacen que una obra sea más armónica a la vista.

Los egipcios conocían algo especial y misterioso que daba a sus obras gran belleza. No está comprobado, sin embargo, que esas identidades misteriosas pudieran aplicarlas a la construcción de sus monumentales pirámides. Los griegos, en cambio, utilizaron la llamada proporción áurea con profusión.

En realidad la clave no era ni más ni menos que una proporción concreta, el cociente entre la diagonal y el lado del pentágono regular, que da como resultado el número denominado «fi» y representado por la letra griega Φ o, lo que es lo mismo, la relación entre ambos lados del «rectángulo áureo», que a pesar de su extraño nombre lo podemos encontrar a nuestro alrededor en multitud de objetos de nuestra vida cotidiana, como libros, puertas o ventanas.

Y es que la divina proporción ha resultado ser durante siglos una regla geométrica para alcanzar los ideales de belleza y geometría. De hecho está en muchos y variados lugares, y no todos ideados por el hombre. Un ejemplo somos nosotros mismos.

La relación entre la longitud total de nuestro cuerpo y la de la parte inferior de éste (hasta el ombligo) nos da el número «fi»; lo mismo ocurre con la proporción entre la longitud total de nuestras extremidades y la de la mitad (hasta el codo o la rodilla) de éstas. La proporción áurea fue descubierta por el gran arquitecto romano Marco Vitrubio, y el famoso dibujo de Leonardo Da Vinci el hombre de Vitrubio es su homenaje.

Las más bellas obras de arte de todos los tiempos han sido realizadas a partir de la proporción áurea. Desde construcciones arquitectónicas a esculturas clásicas o a los cuadros de los grandes maestros desde el Renacimiento.

También se ha utilizado en las partituras musicales, como en las sonatas de Mozart o en la Quinta Sinfonía de Beethoven, pero lo más sorprendente es que el número «fi» está presente también en la naturaleza. Por ejemplo, en la proporción entre los segmentos de muchos insectos, en las divisiones celulares o incluso en la disposición de las pipas de las flores de los girasoles.

Los diseños más llamativos de animales y plantas aparecen en la madurez sexual. Las orugas se convierten en mariposas y las flores, los órganos sexuales de las plantas, son una fascinante pista de aterrizaje para los insectos polinizadores. Y es que en el mundo natural la belleza equivale a anunciar la reproducción sexual. Los cuerpos se esculpen para gustar al sexo opuesto, el objetivo final es reproducirse, aunque suponga un riesgo para la supervivencia.

¿Y por qué gustan tanto los ornamentos vistosos? Porque su mantenimiento compromete el sistema inmunológico, es decir, las defensas del cuerpo y, por tanto, constituyen un anuncio honrado de calidad genética: estoy tan fuerte y sano que me lo puedo permitir.

La simetría también es un buen indicador de salud general y en muchas especies, entre ellas la humana, también va unida a la belleza y al éxito en el apareamiento. Los hombres más simétricos tienen más éxito entre las mujeres y el cuerpo femenino se transforma a lo largo del ciclo menstrual alcanzando su máximo de simetría el día de la ovulación.

¿Cómo medimos la ausencia de simetría? Muy sencillo, constatando el nivel de fluctuaciones asimétricas. Si este nivel es inferior al promedio, el organismo en cuestión está delatando que su metabolismo funciona adecuadamente; que, por ejemplo, la malaria no ha dejado en aquel organismo una desviación distorsionada en el rostro.

Pero éste no es el único indicio que relaciona el patrón de belleza humano con la reproducción. En las mujeres los estrógenos, las hormonas femeninas relacionadas con la fertilidad, hacen que la grasa se acumule en las caderas y no en la cintura. Por consiguiente, las curvas que tanto gustan a los hombres indican en realidad una función hormonal adecuada y una elevada fertilidad. En contra de lo que se ha creído desde antaño, las caderas grandes fueron siempre atractivas no tanto por su fertilidad —una relación manifiesta—, sino porque la medicina moderna no había descubierto todavía que la anchura de la pelvis y la intensidad de las contracciones era el factor decisivo en el parto.

Los pechos femeninos de gran tamaño son uno de los símbolos sexuales más misteriosos y específicamente humanos. En las otras especies de primates sucede justo lo contrario: unos pechos hinchados señalan que la hembra está preñada o lactante y, por tanto, que es estéril.

En lo que se refiere al cuerpo masculino, es destacable el hecho de que el pene humano sea el de mayor tamaño entre los primates. Podría tratarse de un ejemplo de extravagancia genial, algo común en especies en las que varios machos compiten por una hembra. Podría haber evolucionado para estimular a las mujeres y favorecer así la concepción, o para desalojar mejor el esperma de otros hombres.

Por otro lado, la estatura es una de las características masculinas más atractivas para el sexo femenino. Es revelador que tan sólo el 0,3 por ciento de las mujeres se casen con hombres más bajos que ellas, un porcentaje muy inferior al que cabría esperar como resultado del azar.

Pero también son importantes unos pectorales bien desarrollados. Por término medio, los hombres tienen más masa muscular que las mujeres y la mayor diferencia se concentra en brazos, pecho y hombros. El primer objetivo de los hombres que acuden a un gimnasio consiste en exagerar esta diferencia, pues aunque los músculos dejaron de ser un arma de combate vital hace ya mucho tiempo, seguimos presentando comportamientos ancestrales y evocando destrezas de supervivencia.

Los guapos lo tienen más fácil

Los estudios que ha realizado Victor Johnston arrojan algunas conclusiones científicas que vienen a confirmar cosas que, de alguna manera, todos intuíamos: básicamente que los guapos parten con ventaja. Parece ser que ser guapo resulta rentable en todos los aspectos de la vida.

Hay estudios que han demostrado cómo la belleza facilita la búsqueda de trabajo o la toma de decisiones. Además, da la impresión de que la gente guapa sea más inteligente, domina más. Esto es extraño, pero es la percepción en nuestra sociedad. Parece que nos rendimos ante la gente guapa, les abrimos las puertas, somos más benévolos con ellos. Hasta les perdonamos los errores con mayor facilidad.

Las personas no nos sentimos generalmente atraídas por otras de constitución bajita y regordeta. Pero los motivos de preferir hombres o mujeres delgados y de largas piernas no esconden ningún arcano relacionado con la belleza, sino que —según las conclusiones de Johnston— está relacionado con haber vivido en un clima tropical en el que la ligereza para correr era fundamental para sobrevivir. «En parte esto es así. Pero también indica que en la pubertad, cuando más crecemos, hemos recibido altos niveles de testosterona; por tanto, hay razones fisiológicas para que las personas altas, guapas y de tez oscura sean buenos compañeros».

La belleza, o lo que determinados grupos humanos entendemos por belleza, es algo directamente relacionado con la preservación de la vida. Lo mismo sucede con las preferencias que solemos mostrar por un tono de piel en vez de otro. Lo normal dentro de un determinado grupo social es que el color preferido, el considerado más atractivo, sea uno más pálido que el color dominante. La causa hay que buscarla en la asociación que se produce entre el color oscuro y la vejez; por tanto, un color más pálido nos habla de alguien más joven.

Parece que las especies que han desarrollado mucho la percepción del color pueden prescindir, hasta cierto punto, de los olores. De las feromonas. Su existencia en el caso de las mujeres ha sido ampliamente demostrada. No ocurre así con los hombres a quienes una mutación en el sentido del olfato podría haber cuestionado el imperio de las feromonas en su caso. Esto, que no les gustaría nada a los fabricantes de perfumes, sigue siendo objeto de debate y no existe consenso porque «si lo pensamos bien», apostilla Johnston, «resulta muy extraño que los humanos perdieran el pelo de todo el cuerpo pero lo mantuvieran en cambio en la cara. Cuando alcanzan la pubertad, los hombres desarrollan la barba y el bigote, y al mismo tiempo, si se observa la cara del hombre en la pubertad también se encuentra el acné, que consiste en que unas grandes glándulas se abren y segregan productos químicos hasta la barba y el bigote, una zona muy grande, lo cual es bueno para diseminar olores. Cuando nos besamos, juntamos las bocas, y barba y bigote quedan justo debajo de la nariz de la persona que estamos besando. Debo admitir que las pruebas de esto son todavía débiles, pero yo no descartaría la posibilidad de que los seres humanos estemos usando todavía las feromonas como parte de nuestro sistema de excitación».

¿Qué sucederá entonces en el futuro? La moda y la cosmética han cambiado o enmascarado históricamente estas señales producidas por la liberación hormonal. En la actualidad la cirugía estética se añade, de manera masiva, a estas transformaciones. ¿Se está precipitando un cambio en nuestra manera de relacionarnos? ¿Son compatibles estos cambios con los mandatos biológicos? Históricamente, en todas las culturas, la gente ha intentado cambiar su apariencia para parecer más atractivos, de manera que no es nada nuevo; lo que pasa es que ahora lo hacemos mejor. Podemos manipular las caras y los cuerpos mucho más de lo que se podía anteriormente, pero no deja de ser parte de un viejo patrón que los humanos llevan siguiendo desde que existe la historia.

¿Es todo biología?

Johnston nos ha dicho que la pasión por la belleza es un hecho biológico marcado por las hormonas, que forma parte de nuestra naturaleza básica y cuyo fin último es permitir que nos perpetuemos como especie. También que existen unos patrones innatos y universales de lo que es bello, formados desde hace millones de años y que no responden en modo alguno a opciones personales o culturales. Frente a este determinismo biológico que algunos pueden considerar reduccionista, psicólogos especializados en evolución, como Rosa Raich, de la Universidad Autónoma de Barcelona, y Jordi Serrallonga, director del Grupo de Investigación Homínid, en la Universidad de Barcelona, todavía defienden un componente cultural en la percepción de la belleza por parte del ser humano. Según Raich, en el hombre los procesos cognitivos superiores inhiben muchas veces los biológicos y en el atractivo influyen muchas características de la personalidad y factores intelectuales. «Hay un importante componente cultural en el concepto de belleza. La gran extensión de la corteza cerebral humana nos permite acumular una serie de conocimientos y aprendizajes directamente relacionados con la cultura en que vivimos y que influyen en nuestra percepción del mundo». Así y todo debería quedar claro que el componente cultural de la belleza, cuando se da, hace referencia a los principios universales de la ciencia, el arte y la tecnología mucho más que a la diferenciación específica de culturas locales. La persona que dominaba la técnica de la mezcla de materiales que permitía prodigar obras de arte en las cuevas donde moraban nuestros antepasados era con toda probabilidad un seductor o una seductora nata al margen de su estatura o proporción áurea.

Otros científicos, como Jordi Serrallonga, dan cabida a la cultura en el determinismo biológico que continúa vigente en nuestra percepción de la belleza, porque no conciben la cultura como algo ajeno a la biología. Y lo explica así: «Yo soy de los que me gusta ver la cultura como una parte también de nuestra biología, no me gusta separar biología y cultura. Somos seres culturales porque nuestra biología nos lo permite. Entre otras cosas tenemos un gran cerebro».

Feromonas: ¿el nuevo pesticida?

No somos muy conscientes de que los insectos adultos viven muy poco, algunos solamente horas, lo justo para reproducirse. Por tanto, necesitan asegurar que la reproducción será efectiva y para ello han desarrollado potentes efectos atractivos: las feromonas, unas sustancias químicas que segregan las hembras y que los machos detectan a kilómetros y kilómetros de distancia. Tal y como nos contó el químico Ángel Guerrero, del Instituto de Investigaciones Químicas y Ambientales de Barcelona, «los insectos se relacionan entre sí mediante unos compuestos que se denominan feromonas: tienen una multitud de efectos, y entre ellos quizá el más importante es el de inducir a aparearse a los machos con las hembras de manera que la especie se perpetúe. Las feromonas actúan sobre unos receptores antenales que se encuentran en los machos, presentes en un número muy elevado, pueden contarse hasta decenas de miles de receptores en las antenas de los machos, mientras las antenas de las hembras tienen muchísimos menos y además no son tan específicos. Los machos reciben estos mensajes químicos y gracias a los receptores los transforman en señales eléctricas, las cuales son enviadas al cerebro que las procesa induciendo un comportamiento de atracción y cópula hacia las hembras».

Investigadores del CSIC como Josep Bau Macià están estudiando la *Spodoptera littoralis*, un insecto-plaga que afecta a distintos cultivos, con el objetivo de interferir en el proceso de búsqueda de pareja de esta especie y así evitar que se reproduzca y se coma las cosechas. «Aquí, en el laboratorio, seleccionamos machos y hembras y los ponemos en condiciones de oscuridad, porque esta especie se reproduce de noche, y luego los transportamos hasta la sala del túnel de viento, donde simulamos las condiciones que se dan en el campo. Colocamos a la hembra dentro de unas jaulitas colgadas en un extremo del túnel y al macho en el otro extremo, encima de un soporte. Al percibir el olor de la hembra el macho levanta el vuelo y se acerca hasta la jaula de la hembra para posarse en ella».

En esencia, las feromonas son un método alternativo de control de plagas mucho más específico y menos tóxico, sin los inconvenientes de los pesticidas convencionales tradicionales: poca especificidad, mucha toxicidad y que además son acumulativos en el medio ambiente. Así que ya lo ven. En lugar de proteger nuestros cultivos con pesticidas podríamos simplemente interferir en el cortejo de los pulgones.

Modelos

La belleza, la idea que cada uno de nosotros nos hacemos de lo bello, incide en el mundo contemporáneo en demasiadas cosas. Por supuesto en nuestra vida sexual, pero probablemente también en la laboral e incluso en nuestra relación con nuestros vecinos de enfrente. Por eso no es extraño que la ciencia dedique tanta atención a la relación entre biología y cultura, dos cuestiones íntimamente ligadas. Jordi Serrallonga se declara «defensor de que hay unas bases biológicas, quiero que quede claro, pero respecto a las afirmaciones de Johnston y otros científicos sobre el éxito de la belleza, en el mercado laboral y otros campos, tengo mis dudas. Son fenómenos que ocurren en nuestra cultura, y hemos de decir que nuestra cultura representa un 2 o un 5 por ciento de lo que es la cultura planetaria de los humanos. Ya no hablamos ni de pulgones ni de chimpancés, sino de humanos. Las venus paleolíticas presentan ese aspecto obeso porque cumplían una misión dentro de unos ritos de fertilidad, pero en otras culturas se aprecian mujeres que a nosotros (occidentales y europeos) nos resultan extraordinariamente gruesas. Es decir, triunfa una mujer que tiene un cúmulo de grasa que le permitirá poder alimentar a su descendencia. Y eso es selectivo, eso es adaptación». Incluso en casos extremos como éste resultaría evidente que factores evolutivos muy consistentes, mucho más que las quimeras o los gustos estrictamente individuales, marcan los patrones de belleza.

A la Venus de Milo, que guarda una proporción de 0,67 entre su cintura y sus caderas, no le cabrían unos vaqueros de la talla 46. Hoy también sabemos que con las tallas 34 y 36 que se lucen en las pasarelas es difícil que una mujer pueda tener descendencia. En Mauritania, en la actualidad, las mujeres más bellas son extraordinariamente gruesas y en China, durante mil años, lo fueron las de pies más pequeños. ¿Dónde está el canon?

Una investigación realizada en Canadá demuestra que el cerebro de los hombres se activa de una manera muy particular ante la presencia de una mujer bella, o sea, que ellos las prefieren guapas y atractivas. El estudio prueba que ante la presencia de una mujer hermosa se activa un área concreta del cerebro masculino que provoca una modificación en su comportamiento, es decir, que los hombres actúan más impulsiva e irracionalmente cuando ven a una fémina atractiva, y que tan sólo es necesaria una imagen para modificar el funcionamiento de los centros cerebrales de decisión.

El experimento se ha realizado entre más de 200 jóvenes estudiantes que debían observar fotografías del sexo opuesto para así comprobar el papel que el atractivo físico desempeña en las relaciones sociales y en la toma de decisiones.

Los resultados han sido muy concluyentes. Mientras los hombres alteraban su conducta ante las imágenes, las mujeres permanecían impasibles a pesar de la gran cantidad de fotografías de hombres atractivos a las que fueron expuestas.

Al ponderar cánones de conducta como la empatía, el dominio del espacio o de las emociones, los distintos grados de agresividad según los sexos y hasta la maestría en el lenguaje no deberíamos olvidar nunca que —a pesar de la importancia de la biología—, la evolución ha marcado y sigue marcando las diferencias apreciables entre uno y otro sexo. Cuando las mujeres estaban acorraladas en la cría de niños era muy lógico que generaran una capacidad de empatía mayor que los hombres. Mientras los hombres estaban en los espacios abiertos de la caza y las mujeres en los espacios cerrados de la vida social era lógico que los primeros desarrollaran un sentido del espacio más sofisticado y los segundos, en cambio, de la comunicación social. Ahora bien, aunque todo ocurra en una perspectiva geológica del tiempo y, por tanto, se ralenticen los cambios y sobre todo su visibilidad, nadie duda de que la evolución implica cambios que inciden en las conductas. Cambiadas las circunstancias, cambian los atributos de género.

¿Cuál es la percepción biológica de la belleza que tienen las mujeres de los hombres?

Johnston y sus colegas mencionan la estatura como uno de estos marcadores, pero también otros que, a veces, no tienen nada que ver con el físico. Y es que, en el hombre, tradicionalmente más importante que la belleza han sido sus habilidades, sus cualidades, su poder, su fuerza. Es lo que se llama invertir en la descendencia. Un óvulo es más difícil de conseguir que un espermatozoide, las mujeres únicamente ovulan una vez al mes, por lo general. Por tanto, y con vistas a poder ser fecundadas, crear hijos, buscan en su pareja otros rasgos al margen de la estatura. Y ahí lo interesante es ver el gran cambio que se produjo entre las sociedades cazadoras recolectoras del Paleolítico a las sociedades productoras del Neolítico. Un claro ejemplo del peso de la evolución en las conductas diferenciadas. Jordi Serrallonga nos lo explicó durante su visita a *Redes:* «Al principio, por ejemplo, una mujer y un hombre, porque estamos hablando de una pareja, buscaban realmente la fertilidad y la fuerza, la capacidad de poder ir a cazar, la capacidad de poder traer sustento. Pero en el momento en que se pasa de una sociedad nómada a otra sedentaria pueden cambiar los indicadores biológicos y ocurre lo contrario de lo que dice Johnston. A veces el hombre más bajito, el más gordito, el más feo puede ser el que tenga más poder, es decir, puede ser el que tenga una parcela de cultivo más grande, el que tiene más excedentes, el que tiene más riqueza. Entonces es cuando vemos que la atracción amorosa, sexual, obedece a unos parámetros que no son estrictamente biológicos».

Nos quedamos, pues, con la duda de que no todo es biológico.

La belleza de la ciencia

Sabemos que la simetría está detrás de lo que percibimos como hermoso. ¿Puede ser que acaso lo único verdaderamente hermoso sean las matemáticas?

La física de Einstein y la cuántica se dieron la mano gracias a Paul Didac y a su vehemente convicción de que las ecuaciones fundamentales del universo debían ser, por encima de todo, hermosas. Su método científico se basó en asumir que la belleza de éstas residía en los símbolos y en la lógica que los relacionaba.

Así en 1928, a la edad de 25 años, mientras jugueteaba en busca de unas relaciones matemáticas, Didac formuló la ecuación que describe el comportamiento del electrón y que más tarde utilizó para predecir la existencia de la antimateria.

Dado que ésta es prácticamente la mitad del material que contiene el universo tras el *Big Bang*, podemos decir que la ecuación de Didac encierra la belleza de la mitad de la existencia.

Sin duda es una idea poética, pero es que de entre todas las artes la poesía es la que más se asemeja a las matemáticas. Ambas constituyen el máximo refinamiento en el uso de un lenguaje para describir una emoción o una realidad física a través de la completa armonía en la elección y la posición de sus elementos, sean éstos palabras o símbolos matemáticos; un mínimo cambio en un soneto de Shakespeare sería tan pernicioso como hacer la más ligera modificación en una ecuación de Didac.

En este sentido, la definición de belleza como un atributo que no puede ser ni siquiera ligeramente alterado sin destrozar su grandeza se ajusta por entero a las teorías matemáticas a pesar de que su belleza no sea tan fácilmente apreciable.

QUINTA PARTE

CÓMO FUNCIONAMOS

CAPÍTULO XIII

El precio del sexo es la renuncia a la inmortalidad

Los científicos han descubierto al responsable del envejecimiento, pero no han llamado a la policía porque resulta que también es responsable del sexo y de otras cuestiones vitales. Los seres vivos del planeta —desde la ameba más sencilla hasta la vecina de enfrente— no existirían si no fuera por las mitocondrias, que controlan nuestro nacimiento, nuestro envejecimiento y dictaminan cuándo nos llega la hora de morir.

Nick Lane es investigador en el University College de Londres, donde nació su fascinación por la relación entre la energía y la vida. En su último libro, titulado *Power, Sex, Suicide: Mitochondria and the Meaning of Life* [Poder, sexo, suicidio. Las mitocondrias y el sentido de la vida], explora los extraordinarios efectos que la existencia de las mitocondrias ha tenido sobre la evolución de nuestro planeta.

El poder de las mitocondrias

La inmensa mayoría de los habitantes del planeta pensamos que nuestro destino y nuestra vida dependen de los grandes poderes, de agencias secretas como la CIA o de las grandes corporaciones financieras o comerciales. Sin embargo, Nick Lane lo tiene claro. En su opinión, quien realmente tiene el poder es un microbio: la mitocondria. Lo que no deja de estar muy bien, pues es otra manera de bajarnos la prepotencia a los humanos. «Por supuesto, no es un microbio cualquiera; se trata de uno muy especial, que vive dentro de todas las células de nuestro cuerpo. Y ya no es exactamente un microbio, fue un microbio en un pasado muy remoto; fue una bacteria de vida independiente hace alrededor de dos mil millones de años. Pero ahora forma parte de todas nuestras células y, si no hubiera estado allí, probablemente jamás podríamos haber evolucionado. Y no sólo nosotros, sino toda la compleja vida de la Tierra, que nunca habría superado la etapa de las bacterias si no hubiera sido por las mitocondrias».

El mundo bacteriano persistió como único habitante durante 2.000 millones de años más o menos, desde el origen de la vida en la Tierra, hace casi 4.000 millones de años, hasta la aparición de lo que denominamos célula eucariota, una célula compleja con un núcleo. Y en el núcleo es donde se almacenan todos los genes.

Las células eucariotas son mucho mayores que las bacterias, por lo general, hasta cien veces, y tienen entre 10.000 y 100.000 veces más genes. Las células eucariotas constituyen todas las plantas, los animales, los hongos, las algas... Y todas ellas tienen mitocondrias. Es un hecho asombroso.

A pesar de que suponen el 10 por ciento de nuestro peso corporal y de que una sola célula puede albergar más de mil ejemplares, las mitocondrias son grandes desconocidas para la mayoría de las personas; incluso los biólogos que las estudian tienen dudas acerca de su origen.

Parece ser que el nacimiento de las mitocondrias se produjo hace muchos millones de años, cuando una bacteria aventurera decidió instalarse en el interior de otra bacteria; ambas se entendieron bien y siguieron adelante con su vida en común. Con el tiempo la bacteria atrapada evolucionó hasta convertirse en mitocondria —perdiendo su autonomía—, uno más de los orgánulos de la célula. Al unir sus fuerzas con las del núcleo transformó una célula simple en otra más compleja, como las que conforman todos los seres vivos.

Pero la convivencia entre mitocondria y célula no es tan idílica como parece, las mitocondrias conservan su propio ADN y se reproducen a un ritmo diferente al de la célula que las alberga. Lo que más o menos sabemos de ellas es que son las centrales eléctricas de la célula, que absorben el oxígeno y los nutrientes, y los transforman en energía. Esta función tiene también efectos negativos, pues durante la quema de nutrientes se desprenden radicales libres, moléculas altamente oxidantes que desgastan la célula.

Estas *chispas* afectan tanto a los genes mitocondriales como a los del núcleo en un bombardeo constante. Las consecuencias de esta agresión son el envejecimiento y las enfermedades como la artritis o las cataratas.

Otra de las funciones celulares que controlan las mitocondrias es la apoptosis o muerte celular programada. El suicidio de células individuales por el bien del organismo es muy importante, y un mal funcionamiento de este sistema puede provocar un aumento descontrolado de células, fenómeno directamente relacionado con la aparición del cáncer.

Pero quizá lo más desconocido de las mitocondrias es que son las responsables de que existan dos sexos: hombres y mujeres, machos y hembras. No sólo nos diferenciamos por los óvulos y los espermatozoides y por el cromosoma, existe algo aún más importante que diferencia al sexo masculino del femenino, y tiene mucho que ver con las mitocondrias. Dos géneros, ni más ni menos, son los necesarios para que uno transmita las mitocondrias y el otro haga exactamente lo contrario: desprenderse de ellas antes de fecundar el óvulo. Éstas son sólo algunas de las funciones vitales de las mitocondrias.

Imaginemos por un momento que nos encontramos hace 2.000 millones de años, durante el proceso en el que las células eucariotas acogieron en su interior a las mitocondrias. Ambas tienen sus propios genes y sus instrucciones para replicarse, para reproducirse. ¿Cuál fue la ventaja de su unión y qué es lo que, desde entonces, controla la mitocondria? «La gran ventaja es el suministro de energía», dice Nick Lane: «Las bacterias están limitadas, porque respiran a través de su membrana celular externa. Y tienen un problema con la relación entre superficie y volumen, así que, si la expandes al doble de su tamaño, de repente tiene la mitad de la superficie respecto de su volumen. Como toda su energía se genera sobre la superficie, es la mitad de eficaz desde el punto de vista energético, así que no se puede generar realmente una bacteria muy grande a no ser que el suministro de energía se vuelva interno. Y esto es lo que lograron con éxito las mitocondrias: abastecer a la célula de energía».

El suministro energético de la célula pasó a ser interno y las bacterias se liberaron de su problema de la relación entre superficie y volumen. La gran pregunta sería: ¿por qué las bacterias, por sí mismas, no fueron capaces de evolucionar en ese sentido? En opinión de Nick Lane, la respuesta está en la necesidad de conservar el genoma. «Todas las mitocondrias han conservado un pequeño genoma. A menudo se ha pensado que esto fue una mera casualidad evolutiva, un resultado del azar, que se produjo para la supervivencia. Hay distintos organismos que han perdido diferentes cantidades de genoma, pero ninguno lo ha hecho por completo. Pero todas las células complejas que han conservado las mitocondrias han conservado también el genoma».

Y justamente porque las mitocondrias disponen de un genoma son capaces de hacerse responsables del proceso de respiración de la célula en su conjunto. Ésta es la ventaja. Pero la conservación de los genes por la mitocondria también provoca graves riesgos para la célula eucariota que están relacionados con la existencia de dos sexos y con la apoptosis o suicidio celular, «tan importante en la formación de organismos multicelulares».

Del inconveniente de ser pequeño

Lo pequeño o lo grande es una disyuntiva biológica directamente relacionada con la energía, que a su vez lo está directamente con el metabolismo. Si apiláramos un montón de ratones hasta conseguir el tamaño de un elefante, el «monstruo» resultante necesitaría veinte veces más energía para vivir y de tiempo para llevar a cabo sus procesos. Un elefante tiene un metabolismo veinte veces más lento que un montón de ratones del tamaño de un elefante.

¿Y por qué? Si esto es así, ¿por qué demonios en la evolución desaparecen los seres de gran tamaño? Es decir, los orangutanes, los dinosaurios... parecería que, biológicamente, tener un tamaño grande es una ventaja, pero en realidad supone un inconveniente para sobrevivir. Es mucho más fácil que te extermine un meteorito si eres muy grande, e intervienen otros factores como la velocidad de replicación y la reproducción o la velocidad de evolución, porque los animales grandes se reproducen más lentamente y evolucionan más despacio. Quizá cuando el mundo cambia con mucha rapidez son menos capaces de adaptarse. Intervienen distintos factores, pero en general se da esta relación: cuanto mayor eres, más lento se vuelve tu metabolismo, por lo que necesitas comer menos alimentos y consumir menos en relación con el tamaño.

Un organismo grande consume menos energía y lo hace más lentamente que uno pequeño. Pero esto puede ser tanto una ventaja como un inconveniente. La realidad es que si un elefante quemase tanta energía (proporcionalmente) como un ratón, acabaría derritiéndose. Generaría tanto calor interno que se fundiría. «Pero puede que todo sea más complicado y que existan ventajas, ventajas energéticas, sólo por ser de mayor tamaño. Una vez que aparece la célula eucariota con mitocondrias internas, la célula se puede volver más grande, mientras que las bacterias, como respiran a través de su membrana externa, no tendrían ninguna ventaja por ser más grandes, sino más inconvenientes. Cuando la respiración se vuelve interna, ser mayor supone una ventaja, porque energéticamente es más eficaz. Así que se recompensan los tamaños mayores, quizá hasta llegar al tamaño de los dinosaurios, en el que sobrevienen los problemas».

Detective ADN

José Antonio Lorente, forense y profesor de Medicina Legal y Forense de la Universidad de Granada, colaborador del FBI y uno de los grandes expertos de nuestro país en identificación por el ADN, ha escrito un libro titulado *Un detective llamado ADN*, en el que pone de relieve el papel fundamental que ha adquirido la investigación genética en criminología. La mitocondria, en su opinión, tiene mucha importancia en el campo de la medicina forense, incluso un papel protagonista, porque contiene material genético especial, el ADN mitocondrial, que se hereda por vía materna: la madre lo transmite a todos sus hijos, y esto hace que se puedan estudiar generaciones a lo largo del tiempo.

El ADN mitocondrial presenta ventajas importantísimas en las investigaciones. Por ejemplo: supongamos que en la escena del crimen la policía forense encuentra sólo un pelo. En ese pelo hay una o dos células con una o dos copias de ADN nuclear, que, sin embargo, contienen cientos de copias del llamado complejo V mitocondrial, a partir del cual es mucho más fácil y estadísticamente más probable que el investigador obtenga un ADN de calidad con el que efectuar la comparación.

En una ocasión, Lorente recibió la llamada de una persona que quería identificar restos humanos, posiblemente procedentes de fosas comunes de la Guerra Civil. «Nos trasladamos al lugar donde estaban los cuerpos, tomamos fragmentos de huesos y de dientes, y volvimos a Granada para ponernos a trabajar. El material que comenzamos a estudiar estaba en muy mal estado, muy degradado, muy contaminado, procedía de una fosa muy antigua. Pero el ADN nuclear no aportó resultados positivos, por lo que decidimos trabajar exclusivamente con el área mitocondrial, que tiene mayor número de copias y se conserva en mejores condiciones en los huesos».

La extracción del ADN del hueso o del diente es un proceso realmente dificultoso y lento, porque se encuentra dentro de células que están calcificadas en la membrana, entre fosfatos y restos de colágeno. Lo que se hace, en primer lugar, es pulverizar el hueso y añadir una serie de sustancias que van rompiendo la membrana y permitiendo la liberación de ese ADN a un líquido, a partir del cual procedemos a la extracción.

Una vez extraído el ADN del interior de las células del hueso o del diente, lo que hay que hacer es multiplicarlo, porque la cantidad extraída es muy pequeña. Para ello se utiliza una técnica, la reacción en cadena de la polimerasa (PCR), que permite obtener miles o incluso cientos de miles de copias a partir de lo que había en el hueso o en el diente.

«La presencia de lo que denominamos contaminación biológica es un peligro muy importante en este tipo de casos», nos contó Lorente, «pues sobre el hueso o sobre el diente se depositan restos de ADN provenientes de otras personas; por ejemplo, los que han manipulado los cuerpos o han estado cerca. Pueden ser pelos, saliva e incluso el mero contacto con las manos. Esto es peligroso, porque el ADN de esas personas se mezcla con el que hay en los huesos en muy poca cantidad y puede ser causa de que finalmente lo que se estudia no sea el ADN del hueso, sino el de la persona contaminante. En aquel caso no hubo ningún problema con contaminación de tipo biológico, con lo cual pudimos pasar directamente a la secuenciación del ADN mitocondrial, que consiste en estudiar una a una las unidades o nucleótidos que conforman ese ADN, y así obtener el perfil genético mitocondrial de la víctima fusilada».

El ADN mitocondrial se hereda por vía materna; por tanto, para identificar a esta persona fusilada durante la Guerra Civil habría que contar con su madre o con un hermano. Pero ambos habían muerto. Tras varias investigaciones se consiguió la identificación de una persona que vivía en Argentina y era hija de una hermana del fallecido y, por tanto, que compartía su ADN mitocondrial. Se analizó su secuencia, se comparó y se comprobó que eran idénticas las secuencias entre la sobrina-nieta y la persona desaparecida durante nuestra guerra.

Una vez conocido este caso detectivesco llevado a cabo en los laboratorios de la Universidad de Granada, volvemos a interesarnos por la forma de vida de las bacterias y las células eucariotas. Por ejemplo, sabemos que las bacterias no son caníbales, no se comen entre sí, pero las células eucariotas sí lo hacen. Y esto supone una gran diferencia.

Las células eucariotas tienen en su interior, como hemos visto antes, las mitocondrias y éstas tienen un ADN diferenciado, sus propios genes. Es decir, que dentro de la célula eucariota vive un organismo diferenciado de ella. «Ya no hay ninguna duda de que las mitocondrias tuvieron como ancestro a bacterias de vida libre. La pregunta es cuál fue la célula, la célula colaboradora, ¿cuál fue la célula que la incorporó? ¿Fue acaso una célula eucariota que iba por ahí comiendo a otras células? ¿O bien fue otra cosa, otra bacteria, que no pudo comerla, pero que pudo haber establecido una colaboración que condujo a su absorción? Esto es mucho menos común: simplemente porque las bacterias no se comen a otras bacterias de este modo. La explicación más aceptada es que la mitocondria, o mejor dicho su célula antecesora, simplemente fue absorbida por una célula mucho mayor, una protoeucariota que iba por allí capturando a otras células para alimentarse, y que de algún modo sobrevivió. El problema de esta idea es que no explica por qué sólo tenemos un tipo concreto, por qué todos los organismos eucariotas tienen el mismo ancestro, por qué esta célula no podía engullir todo tipo de bacterias diferentes. No se explica por qué los eucariotas sólo evolucionaron una vez. ¿Qué tenía de especial esta relación? Pues bien, la teoría que más me gusta lo explica como una relación química especial entre dos células bacterianas, ninguna de las cuales estaba adaptada para vivir en simbiosis, pero llegaron a esa absorción de forma gradual, porque químicamente les resultaba apropiado. Y esto es mucho menos común».

El origen del sexo y de los géneros

Decíamos irónicamente al principio del capítulo que las mitocondrias, causantes del envejecimiento, no habían sido detenidas al ser descubiertas porque también participan en una cuestión de vital importancia: el sexo. Pero que la mitocondria ayude a la célula a dividirse, ¿qué tiene que ver con la sexualidad? Cuando la célula se divide en dos, se está replicando, y el sexo es lo opuesto a ese proceso; hablamos de sexo cuando un espermatozoide y un óvulo se fusionan. Según Nick Lane, podríamos explicarlo así: «Imaginemos una célula con muchas mitocondrias en su interior. Esta célula sólo puede dividirse un número determinado de veces, por lo que llega un momento en que las mitocondrias quedarían atrapadas en su interior sin posibilidad de dividirse... Tampoco pueden *asesinar* a su *anfitriona* y salir de allí; en esa circunstancia es cuando manipulan a las células para que se fusionen, y esta fusión de las células fue lo que más tarde derivó en el sexo». De esta manipulación de las células por sus mitocondrias existen ejemplos en las algas y los hongos primitivos.

El sexo es el sistema que utilizan los genes para perpetuarse. Con la reproducción se consigue que la muerte de un organismo no suponga también el fin de la especie. Tanto en las plantas como en los animales es el objetivo más importante que marcan las instrucciones del código genético: transferir la información que contiene el genoma a la siguiente generación y que esta cadena no se rompa nunca.

En el caso de los humanos y en el de otras muchas especies se necesitan dos progenitores, alguien del sexo femenino y alguien del masculino para crear un solo descendiente. Pero ¿por qué dos? La división entre machos y hembras supone un gran obstáculo para procrear, e implica —en el mundo moderno— que no nos podamos reproducir con más de 3.000 millones de individuos de nuestro mismo género. ¿No sería mucho más efectivo que no existiese esa diferenciación? Si sólo existiera un género, las posibilidades de encontrar una pareja se multiplicarían por dos. O mejor aún, que en lugar de haber dos géneros hubiera un número infinito de ellos, todos compatibles los unos con los otros, eso también sería una buena solución. Dos es definitivamente la peor opción posible, pero existe una razón para esta dualidad y se cree que las mitocondrias son las responsables.

En la reproducción sexual el nuevo organismo hereda el 50 por ciento de genes de la madre y el 50 por ciento del padre. Pero esta mezcla sólo se produce en el núcleo de la célula, donde se combinan los genes procedentes del óvulo y los del espermatozoide. En cambio, las mitocondrias se heredan únicamente por vía materna. Por tanto, si Eva hubiese existido de verdad, todos los seres humanos llevaríamos copias de sus mitocondrias.

Para que la célula funcione correctamente el genoma del núcleo y el de la mitocondria tienen que cooperar. Desde el núcleo se regula casi toda la actividad celular, pero necesita a las mitocondrias para procurarle energía. Es muy importante que la comunicación sea clara y efectiva. Si los genes mitocondriales también se mezclasen, el buen entendimiento entre los dos genomas se complicaría mucho. Sería como juntar en una tertulia demasiadas personas que hablan diferentes idiomas.

Para que tanto los genes de las mitocondrias como los del núcleo se adapten correctamente, machos y hembras especializan sus funciones en la reproducción: el sexo femenino, en transmitir las mitocondrias al descendiente, y el masculino, en no transmitirlas. Así se asegura que los genes mitocondriales se mantengan iguales que los de la madre, y se evita el conflicto entre dos poblaciones genéticamente diferentes.

Sexualidad o muerte

Ahora se entiende claramente la relación entre las mitocondrias y el sexo. ¿Servirían los mismos principios para explicar su papel en la apoptosis? Es decir, la capacidad de las mitocondrias para inducir la muerte en células que han dejado de funcionar correctamente. «Si existen componentes que no funcionan bien conjuntamente en el núcleo de la célula y en la mitocondria, lo que sucede es que el proceso de respiración se bloquea y entonces las mitocondrias liberan una proteína, llamada citocromo, que forma parte integral del suicidio celular, de la apoptosis. Así que si se bloquean los elementos respiratorios, la muerte celular está programada», nos explica Lane.

Finalmente los organismos superiores, entre ellos nosotros los humanos, no somos sino una comunidad andante de células. De mitocondrias y de células eucariotas. Por la complejidad que puede observarse al microscopio de la relación entre estos minúsculos seres, incluso la violencia, la organización de un organismo superior debe suponer algo así como una batalla biológica entre genes... No es difícil pensar en un organismo multicelular como un prodigio de colaboración celular en pro de un interés superior, pero no es así en absoluto: «Todas las células mantienen sus propios intereses. Los genes, como dijo Richard Dawkins, conservan sus propios intereses y las mitocondrias hacen lo mismo con los suyos. Se pueden ver las consecuencias de ello en el cáncer. Las células empiezan a actuar por su cuenta y escapan de los controles del cuerpo. Pero, por norma general, la razón de que no tengamos cáncer es que las células se ven forzadas a autodestruirse mediante este proceso de apoptosis. El cuerpo se mantiene gracias a las células que se suicidan según un calendario de desarrollo. Durante el embarazo, a medida que se desarrolla el feto, muchas células cerebrales, por ejemplo, se pierden por apoptosis. Y los dedos se forman porque las células que estaban entre ellos mueren. Así que es algo muy importante para el desarrollo».

La muerte de las células es inevitable salvo en aquellas que ocupan la función reproductora, el óvulo y el espermatozoide. Incluso las células rebeldes, las causantes del cáncer, que luchan por transmitirse, acaban fracasando. La sexualidad es la causa de la llamada «línea germinal», un mecanismo para que todas las células colaboren, porque sus intereses sólo pueden salvaguardarse si las copias de sus genes se transmiten a través de las relaciones sexuales a una generación futura.

Pero no todas las células pueden hacerlo. Simplemente son incapaces, la naturaleza no contempla su supervivencia. En la actualidad la clonación puede conseguirlo.

El proceso de reproducción sexual se ha impuesto hasta el extremo que resulta interesante preguntarnos por su eficacia. En él las células se fusionan en lugar de dividirse; por tanto, debería ser más lento, pero «todos los linajes que se volvieron permanentemente asexuales se han extinguido, salvo una o dos excepciones curiosas, que tienden a ser muy pequeñas y que tienen una propagación o proliferación muy rápida, lo que podría explicarlo. Así que el sexo es sin duda uno de los principales factores que permite que las células de un organismo sigan colaborando, porque la mayoría de células no pueden transmitirse salvo mediante este mecanismo sexual. Si intentan escabullirse, hay un castigo muy directo: simplemente son eliminadas».

Las mitocondrias se revelan ante nosotros como verdaderos personajes de una película de misterio. Creo haber escuchado a la bióloga estadounidense Lynn Margulis decir que las células que hace 2.000 millones de años se dividían para perpetuarse, las llamadas eucariotas, ya necesitaban, mientras estaban en ese proceso, la ayuda de las mitocondrias para poder respirar. Es decir, que ya eran las grandes colaboradoras en aquellos remotos tiempos.

El microbiólogo de la Universidad de Barcelona Ricard Guerrero nos visitó de nuevo en *Redes*, esta vez para ayudarnos a seguir descubriendo la personalidad de este agente secreto del que cada día sabemos más cosas. «Una mitocondria es en realidad una bacteria, es más, se ha comprobado que son alfaproteobacterias; es decir, un grupo determinado de bacterias que respiran por toda la superficie de su contorno. Esa bacteria injertada en el interior de una célula es lo que, de manera permanente, se convierte en mitocondria. Es verdad que podía haber existido vida sin necesidad de las células eucarióticas, pero para que existieran organismos grandes, animales y plantas, en un ambiente en el que había mucho oxígeno, era necesario un mecanismo emergente, una revolución. Y la revolución fue que diversas bacterias entraron en contacto, y en lugar de devorarse unas a otras organizaron una sociedad con distintas funciones, con distintas responsabilidades genéticas.

A esa sociedad la llamamos célula eucariótica, que es lo que permite la existencia de seres grandes y también determina su muerte».

Bacterias inmortales

El concepto de sexo biológico es algo distinto del que tenemos los humanos sobre el asunto. El sexo en biología significa recombinación de caracteres, recombinación o unión de dos genomas, de dos células distintas aunque sean de la misma especie, que desemboca en un resultado que puede ser totalmente distinto a los dos progenitores.

El sexo biológico garantiza la diversidad mediante la recombinación de genomas, de instrucciones genéticas, en la fusión de dos o varias células. Más tarde, aproximadamente hace 700 millones de años, esa fusión se hizo entre el esperma y el óvulo. Por así decirlo, la reproducción se especializó. Desde que existen las células eucariotas se puede dar el proceso, pero en organismos grandes, compuestos de miles de células, éstas no se pueden dividir una a una en dos para dar origen a un nuevo ser. Es más sencillo que una parte pequeñísima de él se especialice y se una a otra de otro organismo para dar origen a un tercero. Esa pequeñísima parte es la que sobrevive; el resto muere.

Este proceso, que visto a escala humana puede parecernos tan elemental, tuvo en la evolución una importancia extraordinaria, entre otras cosas porque las bacterias que antes de él formaban la vida no morían o al menos no necesitaban morir. Pero a partir de un momento determinado en la historia de la evolución se produce el *secuestro* de las células reproductoras. Y todas las demás —que son muchas más, las somáticas— se mueren. A partir de entonces el privilegio de transmitir la vida, de perpetuar la especie, va a estar en manos de unas pocas células. Hasta el punto de que el hecho de que tú y yo estemos vivos es consecuencia de la replicación de unos genes que no han parado de replicarse y nunca se han muerto desde el origen de la vida. Si no, no estaríamos aquí. Ha sido la reproducción continua.

Las mitocondrias están en el origen sexual de la vida y en la muerte. Son, por tanto, como afirmaba Nick Lane, el auténtico poder. Pero el poder también puede presentar problemas. En ocasiones las mitocondrias enferman, y por esta causa hay mujeres que no pueden tener hijos o los tendrían con graves problemas. La primera enfermedad causada por una mutación mitocondrial que se descubrió fue la llamada «atrofia óptica de Lever», una neuropatía que causa la atrofia del nervio óptico y que desemboca en la pérdida de visión central.

Es decir, que a algunos humanos (y por supuesto, también a otros seres vivos) les vendría muy bien modificar o cambiar sus mitocondrias. Podría ser una solución pero no parece fácil. Virginia Nunes, del Instituto de Recerca Biomèdica de Barcelona, nos lo explicó: «Si sabemos que el problema está en la mitocondria —y no en el núcleo—, como en el caso de la atrofia óptica de Lever, una solución, teóricamente, sería poder llegar a cambiar esas mitocondrias. Esto es difícil, aunque se está trabajando en ello».

Todo por sobrevivir

Vuelvo a preguntarme por la necesidad de tanta complicación en la reproducción de las especies. ¿Por qué la complicación de la sexualidad? Si antes todo era más sencillo... Guerrero nos lo explica: «Como decía nuestro querido profesor Ramón Margalef, la evolución tiende al barroquismo: se va haciendo cada vez más compleja y agota todas las posibilidades. Que era posible hacer células mayores que habitaran en otros ambientes, pues se hizo. La vida empezó con bacterias y seguramente acabará con bacterias. Cuando desaparezcamos los humanos quedarán bacterias, sobre eso no hay ninguna duda. ¿Por qué esa vida más complicada? La respuesta es que la evolución tiende a explorar todas sus posibilidades, es democrática dentro de una cierta regulación. Pongamos el ejemplo de un tren: ¿qué es más importante en él? ¿Las ruedas, los asientos, la locomotora, el sistema de captación de energía? Todo es importante». Ricard Guerrero quiere convencernos de la democracia celular, pero a mí se me antoja un sistema (el de la vida celular) un tanto fascista: a las que no funcionan se las condena a muerte, a las que enredan también. «A lo mejor», continúa Guerrero, «se han puesto de acuerdo sobre quiénes mueren y quiénes sobreviven...».

Es cierto, los científicos afirman que entre las bacterias existe un cierto acuerdo, una especie de quórum vital. Pero el sistema de reproducción sexual es duro. A partir de todo esto mi pregunta es la siguiente: para que las personas nos lancemos a la fusión, a la reproducción sexual, ¿la evolución ha previsto como necesario que enloquezcamos un poco, que nos enamoremos? Algunos neurólogos, particularmente británicos, han intentado identificar las reglas de conducta de unos supuestos inhibidores latentes cerebrales; la irrupción de estos mecanismos permitiría, en un vagón de tren abarrotado, por ejemplo, concentrarse en la lectura del periódico haciendo abstracción de todo el ruido circundante. Los enamorados harían gala de un funcionamiento exageradamente preciso de los inhibidores, puesto que el sujeto enamorado hace abstracción de todo el resto y ni reconoce defecto alguno al ser querido. A los artistas predispuestos a dejarse influir por cualquier incentivo, en cambio, a escrutar cualquier señal en busca de conocimiento, sus inhibidores latentes les fallarían una vez sí y otra no.

Tanto Virginia Nunes como Ricard Guerrero parecen estar de acuerdo en que no es necesario enloquecer, ni enamorarse, pero sí debe existir la atracción, por supuesto. Pero la atracción puede estar mediada desde por las feromonas hasta por cualquier otra cosa. Y, sobre todo, por una necesidad de perpetuación que está más allá del raciocinio. La esencia de la vida es dejar más vida, es crear materia que perviva y que pueda pasar a través del tiempo, y el objetivo fundamental que tienen los organismos es reproducirse. Para seguir existiendo en sus descendientes. Cualquier cosa, con tal de sobrevivir. Ahora bien, esto implica poder elegir un individuo de la misma especie y es muy difícil renunciar a cualquier metodología tanto en el caso de los humanos como del resto de los animales.

CAPÍTULO XIV

El origen del lenguaje

Es sabido que uno de los instintos más arraigados a lo largo de la historia de la evolución ha sido el instinto sexual. La ejecución del rito nupcial por la mosca del vinagre —ciega de nacimiento— en el interior del tubo de ensayo cuando se introduce otra mosca del género opuesto no se olvida fácilmente. Pues bien, hay quien ha defendido con éxito la idea de que otros instintos, como el del lenguaje, son igualmente innatos y potentes.

TODO EMPEZÓ JUGANDO

Chris Knight, catedrático de Antropología en la University of East London, dista mucho de ser una figura académica convencional. Su visión de la antropología rompe con muchos de los moldes tradicionales. Knight reivindica la importancia de la mujer, de la solidaridad y de la vida en comunidad en la evolución del ser humano y, muy especialmente, del conjunto de cosas que llamamos «cultura», y defiende la aparición del lenguaje como una adaptación al medio social. Sus ideas representan la creciente influencia del pensamiento evolutivo en la lingüística contemporánea y se oponen a la visión de numerosos lingüistas —Noam Chomsky entre ellos—, para quienes el lenguaje humano apareció como surgido de la nada y representa un principio totalmente distinto al de cualquier otro sistema conocido de comunicación animal. El acceso a una especie de gramática universal sería innato y sólo esto explicaría el hecho sorprendente de que un niño de 3 años pudiera dominar de repente algo tan complejo como el lenguaje. Dice Knight: «No creo que surgiera de la nada. Si analizamos el mundo animal, especialmente el de los monos y los simios, en busca de algo tan impredecible, tan libre, tan creativo e imaginativo como el lenguaje, mi teoría es que todos los animales, de pequeños, tienen el instinto del juego, el instinto de jugar. Esto se constata mirando cómo juegan dos cachorros, dos gatitos o dos monos pequeños. Son realmente espontáneos y muy ingeniosos».

Y ahí, en los impulsos que los arrastran y en las señales que emiten durante el juego, encuentra Chris Knight indicios de un posible origen del lenguaje, aunque admite que las señales del juego y del lenguaje no son las mismas. Lo importante, parece, es una actividad cerebral subyacente al juego. Las señales que se emiten no son las mismas «pero [en el juego] analizan lo que piensa el otro, se están comunicando..., aunque no es lenguaje. Si pensamos en nuestros niños podemos preguntarnos: "De acuerdo, tengo un niño de 2 o 3 años. ¿Qué pasa exactamente? ¿Qué sucede para que, de pronto, hable?". Todos estaremos de acuerdo en que es el momento en el que los niños son más imaginativos con el lenguaje y el habla. Es el periodo del juego simbólico. Así que no es imposible pensar que el origen del lenguaje viene del instinto del juego. Pero lo interesante es que en el mundo animal sólo se juega en la infancia, mientras que en el ser humano el juego durante la infancia tiene mucho de preparación para la realidad adulta».

Chris Knight parece sostener que la dimensión simbólica de la realidad en los humanos es una especie de juego basado en un acuerdo que dijera: vamos a fingir. Un fingimiento bastante serio que se extiende a las manifestaciones más veneradas de nuestra cultura como la religión o la literatura. Para él los animales tienen, como nosotros, el instinto de jugar y a través del juego se comunican, pero esa comunicación no llega a conformar un lenguaje. ¿Qué es lo que les falta, por ejemplo a los primates, para llegar a poseer un lenguaje? La respuesta de Knight, enunciada sin más explicaciones, puede resultar sorprendente: la política.

«¿Por qué un chimpancé joven, al que se le da muy bien jugar a pelearse, de repente detiene o cambia el juego y empieza a pelear en serio? ¿Por qué llega un momento en el que la lucha es de verdad? ¿Qué es lo que hace que se vuelva real? La respuesta es que esto pasa cuando el animal no se puede permitir perder. Quiero decir que el sexo en los monos y simios no es un motivo de juego sino más bien la fuente de enormes tensiones, conflictos y violencia. Y cuando el sexo está en juego uno no quiere perder, especialmente si es un macho. Cuando dos gorilas machos empiezan a incordiarse el uno al otro, no van a mostrarse juguetones, sino que habrá una pelea. Así que el juego de lucha en el periodo preadulto no se transforma, como en el caso de los humanos, en lenguaje y cultura que se transmiten de una generación a la siguiente, sino que es una preparación para las luchas reales. Lo que digo es que el conflicto sexual es lo que limita el juego al periodo presexual del animal. Y las expresiones del juego, los gestos del juego se paralizan, se pierden. Los animales adultos no los manifiestan, exceptuando, tal vez, cuando juegan con sus crías. Así que la inmortalidad, por así decirlo, de los gestos del juego desaparece: el juego no se transmite con sus formas de una generación a la siguiente. Cada nueva generación debe reinventar la rueda con nuevas expresiones de juego».

Sentirnos seguros

El juego es un momento placentero donde no existe el riesgo, o por lo menos no debería existir. A todos nos gusta jugar, ponernos en situaciones atípicas que nos saquen de nuestra realidad y de nuestra rutina. Es algo innato, un instinto que nos permite desarrollar la imaginación, compartir experiencias y además adquirir una serie de habilidades sociales que necesitaremos durante la vida adulta. Es un espacio donde tenemos la oportunidad de interactuar con nosotros mismos, con los demás y con nuestro entorno.

Jugamos porque necesitamos descubrir, conocer, aprender y sobre todo entendernos. Jugamos porque necesitamos experimentar sensaciones que nos provoquen placer. ¿Quién no se ha disfrazado alguna vez de médico? ¿Cuántas veces no hemos sido mamás y papás de ficción o hemos comprado verduras de plástico en un mercado improvisado?

Durante la infancia iniciamos un tipo de juego que será decisivo para nuestra vida adulta; es el llamado juego simbólico. Se da en una edad en la que necesitamos crear símbolos para los objetos, las personas o situaciones para entendernos mejor. A través de los símbolos niños y niñas consiguen reducir la complejidad de lo real y llevarlo a un territorio que pueden dominar. El juego facilita la comprensión de lo que somos y de lo que podemos llegar a ser y hacer. Reproducimos situaciones reales como si se tratara de un ensayo del mundo en el que nos toca vivir; el juego simbólico permite además jugar con la realidad pero no estar dentro de ella, por lo que es más seguro. También podemos equivocarnos, experimentar, probar, proyectar sin consecuencias punitivas.

El juego es aprendizaje y placer. Con estas virtudes es difícil imaginar una vida sin juego, que de hecho no desaparece nunca de nuestras vidas. Aunque se atenúen los actos lúdicos conservamos nuestra capacidad para crearlos. Paradójicamente, la especie humana es casi la única que conserva a lo largo de toda su existencia un cierto infantilismo y propensión al juego; en mayor medida en los hombres que en las mujeres en su edad adulta.

Tengo la impresión de estar llegando al meollo de la cuestión. Cuando Knight menciona el mundo «reglamentado», lo que sugiere —y lo que constituye en mi opinión su verdadera contribución al estudio de los orígenes del lenguaje— es que deben preexistir un modelo de regulación, ciertos derechos y cierta confianza mutua entre la gente. Es necesario disponer de un —aunque rudimentario— sistema de leyes para que aparezca el lenguaje. En cierto modo, debes tener buena predisposición hacia mucha gente. Si imperan la desconfianza, la ansiedad y existe una falta interna de civismo en el grupo, no hay, por así decirlo, manera de sentirse en buena disposición y, por tanto, las señales en las que el individuo logra confiar son distintas. Y esa seguridad, esa confianza en el grupo es lo que no llega a existir, por ejemplo, entre los chimpancés...

«Exacto, no llegan a confiar en nada que pueda manipularse, nada que pueda ser cognitivo, nada que pueda ser un engaño: ignoran ese tipo de cosas y se concentran en aquello que es difícil de fingir: un parpadeo involuntario, un movimiento del vello o un cambio en la coloración del rostro, porque ésas son manifestaciones difíciles de fingir y saben que son necesariamente auténticas, honestas. Nos ocurriría incluso a los humanos. Imagínate que tú y yo fuéramos de la mafia y robáramos un banco, y saliéramos de ahí cada uno con una parte del botín sin saber dónde ha puesto el otro su parte. Las palabras no bastarían: querríamos estar totalmente seguros de la información, tú me mirarías, yo te miraría, pero buscaríamos algo más fiable que un simple: "Ah, sí, pues el botín está en algún lugar del desván". Buscaríamos algo en lo que pudiéramos confiar. Los monos y los simios necesitan que sus señales sean fiables y, por tanto, comprueban la señal, su calidad, su fiabilidad, y la evalúan dentro de una escala determinada. En cierto modo, el modelo de comunicación animal se asemeja al ronroneo de un gato. Cuando un gato ronronea, sabes que es feliz: se trata de lenguaje corporal, no puede estar fingiendo. Un gato no puede ronronear y dejar de ronronear a su antojo».

El escaso valor de las palabras

Los animales solamente pueden crear, en cierto modo, lenguaje corporal. Pero los humanos nos sorprenderíamos si fuéramos capaces de observar cuánto de ese lenguaje corporal permanece en nuestro alambicado juego con las palabras. «En el caso de las señales animales, si están diseñadas por la selección natural para convertirse en señales, especialmente para la comunicación vocal, precisamente porque el canal auditivo es tan útil a efectos comunicativos, será difícil fingir el lenguaje corporal. Los primatólogos han establecido varias categorías de señales... tenemos el gemido de la copulación: si estás copulando y eres una hembra, emites un sonido determinado que significa, exactamente, lo que estás haciendo. No cabe duda al respecto: si escuchamos ese sonido, sabemos que esa actividad se está llevando a cabo. Luego está el gruñido de la comida, que significa que un chimpancé ha encontrado comida. El entusiasmo estimulado por la presencia de comida hace, estoy seguro, que se activen las glándulas salivares... Cuando oyes uno de esos gruñidos de detección de comida es como si escucharas la saliva, casi como si escucharas la comida. Y sabes que es verdad. Y lo importante es que los chimpancés no pueden falsear esta señalización, no pueden manipular sus señales vocales». Y muchas personas se preguntan por qué ocurre eso, creen que quizá se trate de algún defecto, que el pobre chimpancé no ha evolucionado muy bien, piensan que quizá le iría mejor si pudiera controlar cognitivamente sus señales vocales... «¡No es así en absoluto!», contesta Knight. Si esas señales se pudieran manipular no valdrían nada, serían como billetes sin las marcas de seguridad. Nos preguntaríamos: ¿quién lo habrá falseado? Los humanos hemos roto todas las reglas y podemos jugar a voluntad con nuestras señales vocales, controlarlas cognitivamente, pero ¿cómo pudo suceder eso? No hay nada ni remotamente parecido en todo el planeta.

Y aun así está comprobado que las palabras sólo transmiten el 7 por ciento del mensaje; el tono de voz, entre el 20 y el 30, y el resto de nuestro cuerpo, especialmente el rostro, entre el 60 y el 80 por ciento. La conclusión final es que el 93 por ciento de un mensaje se transmite mediante comunicación no verbal.

En la antropología social, la disciplina a la que pertenece Chris Knight, es costumbre hablar del concepto de cultura simbólica y, relacionado con él, lo que denominan el «sistema de leyes», lo que hizo posible que los humanos llegaran a confiar en el lenguaje verbal. «A menudo no se entiende lo que queremos decir, algunos creen que nos referimos sólo al lenguaje, pero la cultura simbólica va mucho más allá. Para explicarlo siempre recurro a la siguiente metáfora: imagínate que estás en una gran ciudad, por ejemplo, Barcelona, y conduces un coche en el que tienes instalado un equipo electrónico fantástico, con los intermitentes izquierdo y derecho, los faros, las luces de posición y de cruce, y luego todas las señales viales. Todo es muy sutil, pero es una manera de indicar adónde va cada cual, y si conduces un camión enorme deberás detenerte en un semáforo en rojo igual que si condujeras un pequeño Volkswagen. Pero ahora imagina que el sistema de leyes dejara de funcionar. Imagina que fallaran los semáforos y llegaras a una intersección muy grande. ¿Adónde irías? ¿Cómo te desplazarías? Sería un caos. De repente los intermitentes no servirían para nada, todas tus pequeñas señales electrónicas serían una pérdida de tiempo. Si conduces un vehículo grande, tal vez tengas mejores perspectivas que si conduces un vehículo pequeño y, a no ser que quieras quedarte en el cruce varias horas, será necesario asumir riesgos y tendrás que retar a los otros conductores a que se arriesguen a colisionar y, si no te importan demasiado los demás, probablemente ganes».

Knight parece querer decirnos que el lenguaje surge cuando previamente existe un contrato social: cuando funcionan los semáforos. Si los semáforos funcionan, entonces el potencial que tenemos para expresarnos con palabras se libera. Pero en el mundo real no hablamos de conducir por la izquierda o por la derecha, ni de vehículos ni de semáforos, hablamos de algo fundamental. Y la causa fundamental que pudo provocar un atasco en los monos y en los simios o los humanos es el caos sexual. El conflicto sexual. Así que la reglamentación, el código de reglas, debe aplicarse ante todo a aquello que es más difícil de controlar. Y no hay ningún instinto más poderoso y, en cierto modo, más incontrolable que el instinto sexual.

Si no podemos controlar ese instinto, no podremos controlar nada. Es un ámbito en el que tanto el conflicto como la cooperación parecen endémicos y muy fuertes. Los humanos hemos desarrollado numerosos semáforos para controlar la sexualidad: el sistema de parentesco, el tabú del incesto... el respeto a la suegra... «Tenemos unas reglas extremadamente estrictas en todos estos aspectos. Por supuesto, no siempre funcionan, pero tanto si eres un hombre o una mujer, si tu pareja te engaña, si se acuesta con otra persona... realmente afecta a vuestra manera de hablar el uno con el otro, y eso significa que, a no ser que lo arregléis, no estaréis en una buena predisposición para el diálogo. Pero también significa que, cuando uno está en esa situación (y quizá las mujeres lo sientan más que los hombres), en algunas circunstancias las palabras no ayudan. Si el hombre dice algo así como: "Lo siento, cariño, no pasará nunca más"..., a ella no le servirá de mucho. Ella necesita una señal fiable, algo más sólido, antes de restablecer la confianza y la buena comunicación».

Knight sabe que las palabras no sirven para nada. Las palabras, el lenguaje no sirven para que las personas sientan una buena predisposición para el diálogo. Para ganar la confianza de alguien se requiere algo más poderoso que las palabras. No es verdad que hablando la gente se entiende. Hablando la gente se confunde.

El niño empieza jugando y es el juego el que lo conducirá poco a poco a construir su modo de comunicación y su comportamiento en la sociedad. Pero ¿qué sucede si en la primera infancia aparecen dificultades o alteraciones del lenguaje, problemas en la comunicación? Al niño le será más difícil practicar el juego y por tanto desarrollar sus aptitudes de intercambio con sus padres, con los otros niños. Si la comunicación no aparece, sólo el juego la acabará provocando. El juego es la base de los aprendizajes, de todos los aprendizajes que el niño va a adquirir a lo largo de su vida. Cuando un niño presenta dificultades en el lenguaje o en la comunicación, muchas veces también presenta dificultades en el juego simbólico.

No sin mis genes

Knight no niega la importancia de los genes en el lenguaje. Son importantes en cuanto que desencadenan el instinto de hablar, de jugar con los símbolos. Cada niño tiene un instinto para el lenguaje, en el sentido de que se lanzará a hablar con tanta alegría, humor, creatividad y entusiasmo que es como si hubiéramos nacido para ser lingüísticos. Y hemos nacido para ser lingüísticos, no cabe duda. Pero debe haber libertad, debe haber un contexto que permita expresar ese instinto. Y un niño humano que se haya criado sin amor, con exceso de ansiedad y aislamiento social puede padecer graves deterioros en el desarrollo del instinto lingüístico. De la misma manera que un gatito necesita ver cosas cuando desarrolla los ojos, un bebé necesita jugar con su madre, necesita reír, necesita sentirse querido, necesita sentir que alguien lo escucha para que se desarrolle el instinto del lenguaje. «Y ésta es una faceta del tema que, en mi opinión, Noam Chomsky y los científicos que explicaron originalmente la revolución cognitiva no han tenido en cuenta. Y es una verdadera pena, porque en cierto modo es lo más importante porque, si lo pensamos, incluso los bonobos, también llamados chimpancés pigmeos, tienen algún tipo de potencial lingüístico. Si acoges a un chimpancé en tu casa desde pequeño, tal vez con su madre, y lo tienes en casa contigo, desarrollará algo de ese instinto».

Asombroso. Es cierto que en el seno del sistema familiar de los humanos se mantienen una serie de leyes. Comienzan en el sutil tratamiento que la madre brinda al bebé y culminan en todos los aspectos de la vida diaria guiados siempre por un criterio de protección hacia los más pequeños. Te sorprenderías de lo humano que puede ser un chimpancé, de lo gracioso y lingüístico que puede llegar a ser. No tanto como un niño, por supuesto, pero tendrá sentido del humor, inventará nuevos términos lingüísticos, utilizará metáforas. Por tanto, no se trata de que el resto de los animales no tengan potencial lingüístico, sino de que su vida política en estado salvaje, su política sexual especialmente, no permite que ese potencial para el lenguaje se libere.

La propuesta de Knight sobre el origen del lenguaje se aparta notablemente de los conceptos de aquellos que piensan que el origen del lenguaje estuvo en la mutación de un gen y que a partir de ella se desarrolló de forma paulatina y planetaria. Él propone que ese acontecimiento extraordinario que tuvo lugar en los albores de la vida humana fue la consecuencia de una revolución social, frente a Noam Chomsky y muchos otros lingüistas que se contentan con la idea de una revolución genética.

En cierto modo, esas tesis respaldarían las sugerencias más modernas de la neurobiología en el sentido de que estamos programados para ser únicos. Se ha comprobado que la experiencia deja una huella en el inconsciente que afecta al vínculo genético de manera que para explicarse procesos como el lenguaje hace falta el conocimiento de los especialistas en leyes universales ya sean del cerebro o del lenguaje —genetistas y lingüistas—, tanto como los psicoanalistas que puedan seguir la evolución e impacto de la huella dejada por la experiencia en el inconsciente.

Mujeres fuera de la historia

Ahora el discurso va a tomar aparentemente un rumbo muy distinto al que desarrollábamos sobre el origen del lenguaje. Y digo aparentemente, porque al final nos daremos cuenta de que la represión de la mujer en la historia, el ocultamiento de su protagonismo, forma parte de los errores, tópicos y obcecaciones de la humanidad y también de la ciencia.

Entre los arquetipos femeninos sin duda la bruja es de los más importantes. Personaje ligado al mal desde tiempos inmemoriales, la bruja tuvo en nuestra civilización cristiana occidental un protagonismo y una interpretación muy singular en los años finales de la Edad Media. Hasta entonces dominaba en la sociedad la idea de san Agustín (Agustín de Ipona), que venía a considerar cualquier acontecimiento en el mundo como obra de Dios. A partir del siglo XIII, santo Tomás de Aquino afirma que el demonio puede, y de hecho interviene, en los acontecimientos de este mundo. Fue entonces cuando la bruja, la curandera, la mujer que sufría cualquier trastorno de conducta que la hacía diferente, pasó a ser una aliada del demonio en su lucha por destruir la cristiandad. Entre los años 1450 y 1750, más de 110.000 mujeres fueron procesadas y 60.000 fueron ejecutadas sólo en Europa. ¿Qué hicieron para merecerlo?

La bruja es uno de los arquetipos femeninos más conocidos de la mitología popular. Todos tenemos en la cabeza la imagen de una mujer fea y malvada que prepara extrañas pociones y tiene tratos con el diablo, pero ¿de dónde viene esta imagen? Agustí Alcoberro, profesor de Historia en la Universidad de Barcelona, nos ayudará a descubrirlo. «El estereotipo de la bruja es el de una mujer vieja y sola que se congrega en unas reuniones llamadas aquelarres. El sistema de reunión es siempre el mismo. Las brujas llegan cabalgando a lomos de sus demonios, normalmente en forma de cabrones, aunque también pueden volar con escobas. Una vez reunidas, llega el demonio en forma de caballero o también de gran cabrón, y es adorado. Pero todo en un aquelarre funciona invertido, al revés. La adoración al diablo consiste en besarle el culo [el llamado beso negro u ósculo infame]. Luego se produce una orgía colectiva en la que el diablo copula con todos y todas los asistentes, pero siempre por detrás, y cuando llegan al paroxismo, las brujas se untan con sus ungüentos, vuelven a volar y entonces es cuando producen todo tipo de maldades».

Es bastante probable que el origen de este mito esté en el miedo. El miedo que las mujeres sentían a sus propios conocimientos. Desde la Prehistoria, mientras los hombres volcaban sus esfuerzos en actividades como la caza y otras ocupaciones externas, las mujeres, recluidas en sus cuevas o al menos siempre cerca y al cuidado de las crías, se volvieron expertas en el conocimiento de las plantas. Este conocimiento, que pasaba de mujer a mujer, llegó a convertirse en una especialización que perduró hasta la Edad Media. «Algunos ámbitos del saber popular correspondían esencialmente a las mujeres, incluso de manera monopolística. Eran las encargadas de traer los niños al mundo, las parteras, y, por tanto, las que conocían los remedios de grandes males, las curanderas».

Todo está en los libros

Podría y debería pensarse que el papel desempeñado por las mujeres era no sólo encomiable, sino científicamente importante. ¿Qué ocurrió en aquellos años para que la figura de la curandera se transformara en la de bruja? No fue, como cabría pensar, una casualidad, sino fruto del esfuerzo premeditado de algunos hombres. Todo comenzó cuando en el siglo XV dos dominicos alemanes llamados Heinrich Kramer y James Sprenger escribieron el libro *Malleus maleficarum (El martillo de las brujas)*, en el que describían y aseguraban la existencia de una supuesta secta universal. Su coincidencia con la aparición de la imprenta de tipos móviles gracias a Gutenberg multiplicó la difusión de este libro y de otros manuales de brujería por toda Europa. La caza de brujas fue un fenómeno represivo de gran crueldad, pero poco tiene que ver con los fenómenos que conocemos como, por ejemplo, la persecución del luteranismo por parte de la Inquisición. A diferencia de estos fenómenos, la caza de brujas surgió desde abajo, fue el pueblo el que lo protagonizó y fue el pueblo el que exigió que se hiciera una represión sistemática.

La imagen que se había creado en el imaginario colectivo dio lugar a una persecución sangrienta. Aquellas mujeres acusadas de brujería fueron torturadas para que confesaran y delataran a otras. Después eran colgadas en la horca, ya que la hoguera era una herramienta que sólo usaba la Santa Inquisición. Un fenómeno tan complejo y masivo como la caza de brujas no puede obedecer a una sola causa. Por un lado está la época que algunos historiadores han denominado «crisis del siglo XVII», caracterizada por un descenso en la producción de cereales y en general de la productividad agraria. Sabemos, a través de la historia del clima, que fue una época caracterizada por una pequeña glaciación, de inviernos más fríos y veranos más húmedos. Existieron muchos factores atmosféricos imprevistos y adversos. Por otra parte conviene remarcar también que fue una época en la que la intolerancia avanzó y dio pasos decisivos, tanto en el mundo de la Reforma protestante como en el del catolicismo. En la Contrarreforma se impuso un modelo de sociedad homogéneo según el cual aquel que era diferente o extraño pasaba a ser considerado una amenaza. «Pero probablemente el factor más importante es que la imagen de esta bruja diabólica que pertenece a una secta, que obedece al diablo y que actúa contra el mundo cristiano, penetró en las clases populares, y fue este arraigo lo que condujo a la gran caza de brujas del siglo XVII».

La caza de brujas es uno de los procesos históricos de persecución de la mujer mejor documentados. Miles de mujeres cuyo único delito era simplemente ser diferentes fueron torturadas y ahorcadas, lo que contribuyó a recrear el mito de la mujer hechicera malvada frente al hombre sabio y bueno. Estos estereotipos sobre la mujer han calado fuertemente en nuestra cultura, hasta el punto de que las contribuciones de la mujer a la evolución de la humanidad han sido borradas de la historia. ¿Hasta cuándo?

Economía sexual

Para mantener la vida y, en ocasiones, la evolución de la vida y de la especie, a la mujer no le quedó más remedio que ocultar sus conocimientos. Es significativo y aterrador descubrir de pronto —leyendo un manuscrito de una monja en tiempos de la Inquisición— el contraste inconfundible entre la profundidad de su pensamiento y la vulgaridad de sus faltas de ortografía y sintaxis en el mismo texto. Sorprendente, claro, hasta que descubres que las faltas de ortografía estaban destinadas a dejar creer a los inquisidores potenciales que se trataba de una autora vulgar y nada sofisticada. En modo alguno de una mente que pudiera cuestionar los principios sacrosantos de la Iglesia.

Chris Knight nos explica que uno de los trucos utilizados por la mujer para mantener cerca de ella y de sus crías a su pareja fue la ocultación de su periodo de celo. «Entre los primates, para un macho, la situación ideal es aquella en la que se ahorra tiempo en el sexo. Porque ahorrar tiempo en el sexo significa dejar embarazada a una hembra, pasar a otra, pasar a otra más..., y para ello necesita saber cuál es el mejor momento, necesita información que ayude a ahorrar tiempo. Y en eso consiste el celo, también llamado estro: es una señal, un indicador biológico de que la hembra está ovulando. En muchos primates, a la hembra también le interesa ahorrar tiempo en el sexo, porque después de un embarazo no puede quedar nuevamente preñada hasta pasado un tiempo. ¿Para qué necesita más esperma? Así que es una buena idea ganar tiempo en el sexo dando al macho la información correcta. Y, finalmente, también cabe esperar que, si la estrategia femenina es simplemente obtener esperma del macho, las hembras evolucionarán para no estar sincronizadas entre sí. Sus relojes interiores no estarán sincronizados, de modo que cuando una hembra ovule y emita una señal para ello, tal vez en tres o cuatro días otra hembra empiece a ovular y también lo señalice... El macho entonces podrá decir: "De acuerdo, ahora me apareo contigo, y en tres días o cuatro creo que me aparearé con ésa, que ya estará preparada para entonces". Ése sería el modelo de una estrategia de ahorro de tiempo eficaz en el sexo.

»La pregunta, sin embargo, sería: ¿le importa a algún humano ahorrar tiempo en el sexo? Creo que a pocos. En una comunidad sin lenguaje ¿qué podría hacer una hembra interesada en que el macho pase más tiempo junto a ella? Evolucionar. Pero ¿en qué sentido? Evolucionará para no ahorrar tiempo con el sexo, sino para desperdiciarlo... y se puede argüir, y espero que no se me malinterprete por ello, que la hembra humana es la que más tiempo desperdicia en practicar sexo en todo el planeta. Ha eliminado la información que ahorraba tiempo, ocultando el momento de su ovulación, es como si el estro, la señal de "estoy lista para el sexo" se hubiera extendido por todo el ciclo. Es como si la mujer, para conseguir tiempo del hombre, se negara a dar esa información correcta o hubiera evolucionado para no poder darla. Y ahora el hombre no sabe distinguirlo, así que piensa que es mejor practicar el sexo hoy, y mañana, y pasado mañana... porque quizá un día de estos ella quede embarazada».

La mujer necesitó que el hombre le dedicara tiempo, porque el tiempo se traduce en energía, en aprovisionamiento, en carne, en ayuda con los hijos..., entonces, quizá, debía invertir lo que haría una hembra normal y lo hizo. En lugar de señalizar la ovulación durante un periodo breve, la ocultó y, en lugar de evitar la coincidencia de su ciclo con el resto de mujeres, pasó a sincronizar incluso la ovulación. De este modo, aunque el hombre llegara a desarrollar una inteligencia para contrarrestarlo, incluso si llegaba a detectar el momento adecuado para el sexo, no le serviría de nada, porque cuando su pareja fuera fértil el resto de mujeres también lo serían, y todos sus rivales estarían pasándolo bien al mismo tiempo que él, de manera que las hembras lograrían maximizar el número de machos en el sistema reproductivo, además del tiempo que estos machos pasaran con ellas. Pero, por supuesto, en cierto modo el peor coste para la mujer es que tuvo que convertirse en una máquina sexual a todas horas.

Así que la mujer evolucionó para poder practicar sexo en cualquier momento de su ciclo hormonal. Incluso durante el embarazo o la lactancia. Es, afirma Knight, «como si la hembra humana hubiera evolucionado para actuar bajo la premisa de que los hombres son algo que conviene tener y que todas deberían tener por lo menos uno».

Esta revolución sexual llevada a cabo por las hembras en los albores de nuestra evolución como especie estaría en la raíz del nacimiento del conjunto de leyes que dieron seguridad al grupo, rebajaron el estrés y la desconfianza e hicieron posible la aparición del lenguaje.

El machismo de la cultura en general y de la ciencia en particular es algo que se ha reflejado en miles de modelos, hipótesis y teorías que se han formulado a lo largo de los siglos. El hombre bueno y sabio, frente a la mujer (la bruja) fea y malvada fue una de las concreciones que consiguieron arraigar en el imaginario popular, causar miles de muertes y convertirse en una especie de mitología familiar a través de la narración oral y literaria.

Aquí confluyen las dos historias, aparentemente tan alejadas, de este capítulo. Un cambio de perspectiva en la ciencia que aportará novedades sorprendentes, como la que propone Chris Knight sobre el origen del lenguaje.

CAPÍTULO XV

El mundo no existe sin memoria

Parpadea una sola vez y el mundo entero habrá cambiado. A nuestro alrededor todo está en continuo movimiento, que no nos engañen la aparente quietud de un paisaje montañoso o la calma de un cielo despejado. A simple vista nos pueden parecer imperturbables, estáticos, pero nada más lejos de la realidad.

La Tierra se mueve sin parar, cada día da una vuelta sobre sí misma, y no sólo eso, también gira alrededor del Sol a 30 kilómetros por segundo. Pero es que a su vez el Sol se desplaza por la Vía Láctea a unos 250 kilómetros por segundo y la Vía Láctea navega a su vez por el universo a más del doble de esta velocidad. Mientras tanto, nosotros no nos damos ni cuenta de lo rápido que se mueve todo.

Los sentidos nos engañan, nos abruma la permanencia de la arena de la playa comparada con la fugacidad de las huellas que dejamos en ella. No estaban allí antes de que pasáramos y cuando volvamos la vista atrás habrán desaparecido. La arena en cambio siempre ha estado allí y siempre estará, pero si miramos un poco más allá veremos que esto tampoco es cierto. Las huellas desaparecen porque las olas las borran, la arena que hoy pisan tus pies mañana puede estar a muchos kilómetros de la orilla.

El mundo es un proceso, por eso nunca podremos bañarnos dos veces en el mismo río. Cuando volvamos a sus aguas, ni el río ni nosotros seremos los mismos. Cambiarán nuestras ideas y nuestra forma de ser, y nuestro cuerpo también será otro. Dentro de un tiempo todas las células que nos forman habrán muerto y miles de nuevas las habrán reemplazado. Incluso en la contemplación hay movimiento, no importa lo tranquilamente que estemos mirando algo, nuestro ojo ha de moverse 50 veces por segundo para que la imagen no desaparezca de nuestro campo de visión.

Con cada uno de estos movimientos aumenta la actividad de la corteza cerebral visual. Es una señal que manda la visión al cerebro para que actualice continuamente su información. Las ráfagas oculares refrescan la imagen de la retina para no perder detalle. El movimiento lo impregna todo, en nuestro interior y en el exterior todo se mueve. Un cambio necesario para que todo siga siendo lo mismo.

Todo lo que conocemos del mundo nos llega por los cinco sentidos, empezamos a conocer cuando transformamos en señales eléctricas lo que nos envía la retina al cerebro. Hemos descubierto incluso la proteína con la que fabricamos los colores que, hasta ahora, creíamos que estaban en el universo. Sabemos algo sobre el oído. Empezamos a sospechar incluso que nos comunicamos químicamente mediante feromonas como los insectos, pero lo que no sabíamos, lo que no podíamos imaginar, es que sin la memoria el universo no existiría.

El presente no existe

El prestigioso neurocientífico mexicano Ranulfo Romo, cuyos trabajos sobre los códigos neuronales han resultado decisivos en variados campos de la neurobiología contemporánea, será recordado en el futuro por un descubrimiento trascendental: el mundo, tal y como lo conocemos, no existiría sin la memoria. Una conclusión a la que llegó tras largas investigaciones con monos *Rhesus*, con personas y gracias al auxilio fundamental de las computadoras.

El mundo no existiría sin la memoria. Enunciado así parece una conclusión excesivamente contundente. «Por supuesto, parece una conclusión lapidaria. Pero te voy a dar un ejemplo muy sencillo: los pacientes con la enfermedad de Alzheimer han perdido todos los circuitos cerebrales que tienen que ver con el almacenamiento de información de la experiencia acumulada en el pasado. Los sujetos son capaces aún de sentir cosas en las manos, de ver, de oír algo, de degustar probablemente sabores; pero son incapaces de reconocer el entorno en el que están, son incapaces de reconocer una pregunta, son incapaces de reconocer la cara de un familiar. Lo que tenemos en nuestro cerebro es una serie de circuitos cerebrales verdaderamente asombrosos que son capaces de guardar nuestra experiencia, que es lo que nos permite la identidad. En nuestro cerebro traemos todo el pasado y sin el pasado no podemos saber lo que somos en el presente».

El presente no existe. De alguna forma, aunque sólo sea por las milésimas de segundo que tardamos en procesar una información antes de actuar o de emitir una frase, vivimos siempre en el pasado... o desde el pasado. Estamos en el pasado. De hecho, las preguntas que me hacen los lectores ahora mismo puedo imaginarlas concediendo a mi cerebro unas milésimas de segundo para que yo las pudiera procesar. Y todas las respuestas que estoy emitiendo en este momento están en el pasado. Vivimos en el pasado. Lo que entendemos como el presente no es otra cosa más que el pasado.

Un planteamiento tan radical de nuestra dependencia de la memoria me lleva a preguntarme qué sucede cuando la memoria se pierde, cómo navega nuestro cerebro, qué le queda para representar, al menos, un simulacro de realidad. «Una de las grandes virtudes que tiene nuestro cerebro, afortunadamente, es que puede generalizar. Puede ir más allá de lo que ha aprendido y ha guardado en la memoria. Nuestro cerebro es capaz de transformar las experiencias y de transformar también la información que vierte sobre la realidad. Lo hace de tal manera que ya no sabes cuál es la realidad: si la que traes en el cerebro o la que entra a través de los órganos de los sentidos. Si no tiene memoria, le queda la asociación».

Ranulfo Romo hizo otro descubrimiento, trascendente para algunas cuestiones muy íntimas de los seres humanos, mientras trabajaba con sus monos *Rhesus* en el laboratorio. Comprobó que a medida que se prolonga un estímulo sensorial disminuye, en la misma medida, la descarga neuronal que dicho estímulo produce. Algo así como si la costumbre y el tiempo generaran una adaptación de la respuesta neuronal. Lo que trasladado a la vida íntima de una pareja humana, por ejemplo, podría tener consecuencias desastrosas... la rutina sexual, la falta de ilusión amorosa, el hastío... «Bueno, nosotros trabajamos en un ambiente frío y minimalista del laboratorio donde se ponen a prueba las hipótesis de trabajo, donde los estímulos ya no son tan naturales y no ocurren como en nuestra vida diaria, sino que son controlados por las computadoras, y escuchamos con nuestros micrófonos el lenguaje de las neuronas directamente. En ese ambiente, la fisiología sensorial nos enseña algo muy valioso: que no podemos estar prestando atención a la información sensorial todo el rato y por el resto de nuestros días. En algún momento tiene que romperse la cadena. Y lo que hemos observado en el laboratorio es que la atención del observador que tenemos en el cerebro o el que está en el cerebro del mono se enfoca realmente en un periodo limitado del estímulo, no durante toda su duración. Lo que hacen las neuronas es prestar atención durante los primeros segundos y después, poco a poco, se van desconectando, ya no prestan atención al estímulo aunque siga presente. Esto nos indica que nuestro cerebro no puede estar mirando o escuchando permanentemente la misma cosa. Es igual que cuando comemos; no podemos permanecer concentrados sobre un único sabor, sería aburrido». ¿Cómo interpretar esto en el contexto de las relaciones humanas y experiencias concretas como las del amor?

Sería aburrido, sí. Es decir, cuando sentimos una sensación de hastío, de pereza mental, debemos imaginar que nuestras neuronas están hartas de mirar siempre por la misma ventana o de soportar el mismo pensamiento, sentimiento o sensación. En la variedad está el gusto, dice un refrán, y parece que acierta. «Sin ser un consejero matrimonial ni jugar al doctor Amor, pienso que las relaciones humanas se mantienen gracias a que existe un componente atractivo de continuo cambio. No podemos mantener siempre la misma estrategia con el mismo individuo si queremos contar con su interés. Tenemos que hacer variaciones del mismo tema. Es como cuando tocas siempre una misma pieza al piano. ¡Hazle algunas variaciones para llamar la atención!».

El cuerpo como receptor

En la corteza cerebral se centralizan todos los estímulos sensoriales que capta nuestra piel. Nuestra cara es muy extensa, especialmente la lengua y los labios. La fineza perceptiva de estos órganos es básica; en la lengua reside el sentido del gusto y nos ayuda a distinguir los sabores. Tenemos, repartidas por toda su superficie, papilas gustativas que detectan los distintos sabores aunque recientemente hemos descubierto la importancia del olfato a la hora de recordar sabores de infancia. Las células olfativas son más complejas y sofisticadas que las gustativas. Los labios también son muy importantes; gracias a su extrema sensibilidad los bebés encuentran el alimento cuando aún no pueden abrir los ojos.

Pero sin duda las manos son el órgano mayor. Desde que éramos monos han sido nuestra herramienta principal y aún hoy nos sirven para hacer cosas básicas para sobrevivir. Son nuestras exploradoras más eficaces; cuando no conocemos nuestro entorno, palpamos todo lo que nos rodea. Nos sirven para transmitir los sentimientos, necesitamos tocar y que nos toquen, los estímulos que captan las yemas de los dedos desencadenan sensaciones en nuestro cerebro. Nos gustan las cosas suaves pero no las ásperas, preferimos las cálidas a las que están muy frías o muy calientes, utilizamos las manos para medirlo todo, nos proporcionan una información indispensable y nuestro cerebro lo sabe. Por eso destina al procesamiento de la información que le llega de las manos muchas más neuronas que para otros territorios de nuestro cuerpo.

El número de receptores sensoriales correspondientes a cada zona del cuerpo determina el espacio que dicha zona ocupa en nuestro cerebro, y en las yemas de los dedos tenemos muchos más receptores que en cualquier otra zona. Esta capacidad cerebral varía de una persona a otra. Un guitarrista tendrá las yemas de los dedos más sensibles que alguien que no toque la guitarra, incluso para una misma persona la representación cerebral de su sensibilidad cambia a lo largo de su vida: es un modelo dinámico que se va adaptando al ritmo que le marca su dueño.

La invención del color

Ningún sentido es más fuertemente estimulado en nuestra sociedad que el de la vista. Demasiado, opinan muchos. Vivimos en la civilización de la imagen y, por otra parte, quizá desde tiempos muy remotos han sido la vista y las imágenes que nos procura, la información a la que hemos otorgado más confianza. Ver para creer, decimos. Particularmente éste es un asunto que interesa a los artistas que se afanan por la búsqueda del color y por desentrañar sus significados.

Pero la ciencia nos depara sorpresas en este territorio. Si voy caminando por una playa y alguien lanza una pelota hacia mí, en un instante sé qué volumen tiene, la velocidad a la que llega, desde dónde la lanzaron y la veo de un color determinado. Y entonces ocurre que la ciencia dice: ese color no existe en la naturaleza, sólo está en tu cerebro. Si eso me lo dicen a mí, pues me sumen en la perplejidad, pero si se lo dicen a un artista que ha estado luchando por trasladar ese color, exactamente ése y no otro parecido, al lienzo, la perplejidad quizá venga acompañada de una cierta irritación.

El tema que siempre me ha fascinado es la representación de la realidad del cerebro. En una ocasión le dije a un colega que la realidad estaba en el cerebro y puso el grito en el cielo. Me dijo «¡Pero si ahí están las estrellas! ¡Eso es física, y aquí están las piedras, y aquí estamos sentados!». Estamos sentados y están las estrellas y estamos sintiendo todo gracias a nuestro cerebro, porque la realidad está en el cerebro. Es una paradoja que la realidad esté en el cerebro y que también haya una realidad física. No hay duda de que el mundo existe: los mares y el cosmos están ahí. Pero con esta realidad que está en nuestro cerebro hemos construido todo nuestro universo. Yo no sé cuál será el universo del mono o de la rata; de hecho, la rata no utiliza la modalidad visual ni auditiva, utiliza los bigotes para explorar el universo y por ello tiene una representación del universo basada en la información que entra por sus bigotes. Nosotros, los primates superiores, generamos una realidad basada en las propiedades, limitadas, que tienen nuestros órganos sensoriales y que amplificamos a través del mecanismo de las representaciones neurales. Pero no hay duda de que estas representaciones están y ocurren en el cerebro.

A lo largo de la historia no todos los colores tenían nombre. Algunos de los que hoy nos parecen tan distintos como el verde y el rojo incluso recibían un mismo nombre. Y el gris, el marrón o el rosado son producto de nuestra mente porque el que ve, en realidad, es el cerebro. Yo puedo ver tu cara y su contorno en tres dimensiones, pero en realidad la entrada de información a mi aparato visual es un plano en dos dimensiones; mi cerebro se encarga de ponerlo en tercera dimensión y de darle forma. La textura, como tal, tampoco existe: es una abstracción, un agregado que le pone el cerebro, como el color. «El color que creemos que tienen los objetos es una construcción central de nuestro cerebro que después proyectamos al exterior», dice Romo. «El cerebro interno se vuelve exocerebro mandando proyecciones hacia fuera. Yo puedo evocarte sensaciones activando artificialmente ciertas zonas internas de tu cerebro, pero las expresiones subjetivas de esas sensaciones y de esas percepciones son hacia fuera, son tuyas. Entonces no me extraña que lo que defienda el pintor sea el color de los objetos. Porque esos colores tan interesantes que está plasmando son proyecciones de su cerebro».

Verde, azul, rojo... Actualmente tenemos palabras no sólo para los colores, sino para sus tonalidades secundarias y terciarias, pero no siempre fue así. El término medieval sinopia se podía referir tanto al rojo como al verde, al menos hasta el siglo XV. ¿Cómo podían fusionarse?

En realidad la culpa la tiene la clasificación de los colores que hacían los griegos: los extremos eran el blanco y el negro: luz y oscuridad; el rojo y el verde eran colores medianos y, por tanto, equivalentes.

Según esta escala se describía con la misma palabra la oscuridad de una nube que la de la sangre, o el brillo de un metal que el de un árbol. Curiosamente, y a pesar de estar separados en la escala, amarillo y azul también compartían nombre.

Por razones que no están claras hoy en día, el mismo hecho se encuentra en lenguas eslavas, japonesas, africanas y americanas, y aún hay más: el azul era sólo una variante del negro para los griegos y los celtas, mientras que los vietnamitas y los coreanos no lo distinguían del verde en términos del lenguaje. Si a esto añadimos que el marrón y el gris tampoco tienen nombre en la mayoría de culturas, ¿quiere decir que algunos colores están discriminados? Pues sí, y existe un ranking que lo demuestra. El blanco y el negro son los números uno y casi todas las culturas tienen nombres distintos para ellos. Los sigue el rojo y, en la tercera posición, el verde y el amarillo. En cambio el azul, el marrón, el gris, el naranja y el rosado parecen captar menos nuestra atención. ¿Tendrá esto algo que ver con cómo vemos los colores?

Si se hace atravesar un rayo de luz blanca por un prisma, se descompone en distintas ondas de longitud diferente. Cada vez que vemos un color, en realidad lo que estamos haciendo es identificar una de esas ondas; las diferencias entre las longitudes de unas y otras son microscópicas, del orden de nanómetros, y un nanómetro es el resultado de dividir un metro en mil millones de partes iguales.

Es asombroso que cambios tan absolutamente pequeños sean los responsables de algo tan evidente para nosotros como los colores. ¿Dónde están el gris o el marrón o el rosado? ¿Acaso estos colores son productos de nuestra mente? ¿Es que los imaginamos? En realidad, los colores que vemos no son sólo el producto de las longitudes de onda distintas de la luz. Por ejemplo, una hoja intrínsecamente verde puede ser percibida de maneras muy distintas. Por tanto, cuando nuestro cerebro elabora un color, lo hace a partir de varios ingredientes que recibe de las señales visuales.

Dentro de nuestros ojos unos sensores reaccionan ante la llegada de los rayos de luz. Sólo tres tipos de receptores son necesarios —los que captan las ondas del rojo, del azul y del verde— para percibir toda la gama de colores, es decir, de mezclas de luz. Es el mismo sistema que se utiliza para obtener los colores en televisiones y en pantallas de ordenador.

Existen dos tipos de células receptoras: tenemos 120 millones de bastoncillos y cinco millones de conos en cada retina humana. Los bastoncillos absorben la luz de todo el espectro visible; sin embargo, no reconocen las diferentes longitudes de onda ni, por tanto, los colores, y son sólo capaces de informar al cerebro de si hay luz u oscuridad.

Estas células son las que empleamos para ver cuándo la iluminación es escasa, y por eso en estas condiciones nos cuesta tanto distinguir los colores. Los conos se clasifican en tres tipos, según su sensibilidad a la luz azul, verde y roja; los conos de luz azul son menos sensibles que los otros dos tipos y ésa es la razón por la que cuando está muy saturado nos parezca relativamente negro. En último término esto podría explicar la reticencia histórica de diferentes culturas por considerar al azul un color.

La combinación de estos tres tipos nos da el resto de colores que contienen la luz. Sin embargo, el ojo hace algo más que captar longitudes de onda. Es sensible también a la intensidad del rayo, es decir, a la cantidad de fotones que recibe. A eso lo llamamos brillo, y es sensible en particular a la longitud de onda del amarillo y, por eso, nos parece más brillante que el resto de colores.

Así nuestro cerebro construye algo llamado gris cuando nos llegan todas las longitudes de onda juntas pero a medio gas —luz blanca, poco intensa—, y construye marrones cuando lo que recibe son rayos amarillos o naranjas a medio gas, poco brillantes. Una especie de gris sucio, salpicado de esas longitudes de onda.

Pero además, los rayos de los colores también se mezclan con la luz blanca y se obtienen percepciones como el rosa, que no es más que rojo poco saturado, es decir, no puro.

Existen miles de colores producidos por estas combinaciones que nos resultan difíciles de catalogar. En cambio, quizá una intuición nos ha llevado a lo largo de la historia a identificar fácilmente los colores más puros. ¿Dónde acaba un color y comienza otro? Nuestras retinas son como una paleta de infinitas posibilidades. Somos nosotros quienes creamos el color.

Para que existan, en nuestro cerebro, los tres colores básicos —el azul, el rojo y el verde—, es necesario que en nuestra retina exista una determinada proteína. Ella es la responsable de que podamos verlos: «Éste fue un descubrimiento muy interesante realizado por colegas de la Universidad Johns Hopkins hace aproximadamente quince años. Es extraordinario en sí mismo, pero también porque nos pone sobre la pista de que no todo es neuronal, no todo es cerebro. Nuestros órganos sensores son aparatos preneuronales que traducen formas de energía. En el caso de la visión de los colores, la energía luminosa es absorbida por estas proteínas, que son las que codifican su longitud de onda, y una vez codificada, la trasladan a las neuronas de la retina. Estas neuronas transmiten al cerebro unas chispitas eléctricas que se trasladan por los circuitos cerebrales hasta la llamada corteza visual, que está en la parte de atrás del cráneo. En esa zona se forma un mapa espacial (tenemos que localizar algo en el espacio) y lo que está en ese mapa está codificado en el circuito en forma de tres colores».

Posteriormente el cerebro se encargará de realizar combinaciones entre ellos. Combinaciones no categóricas, sino sutiles, algo que permite *llenar* los picos entre diferentes longitudes de onda. Todo esto sucede en nuestro circuito cerebral y en nuestra corteza visual pero... no sucede en el cerebro de mi perra. «Algunos animales no tienen esta capacidad porque carecen de la proteína que absorbe esas longitudes de onda y del circuito neural que genera los colores», me explicó Romo.

Recordamos olores

Desde la famosa magdalena de Proust en *En busca del tiempo perdido*, es un tópico que determinados recuerdos vuelven a nosotros asociados a los sabores de la infancia, a los dulces de la abuela o al horrendo potaje que nos servían en el colegio. Sin embargo, parece que se trata de una creencia falsa. Los neurólogos saben, como sugeríamos antes, que las células gustativas son mediocres y que cuando mueren no se renuevan con facilidad. El secreto del recuerdo parece estar entonces en las células olfativas. ¿Son tan fantásticas como afirman los neurólogos? «El aparato preneuronal al que nos referíamos al hablar de la percepción de los colores es fundamental para lo que hará nuestro cerebro, porque lo único que recibe son chispitas eléctricas que vienen de cada uno de estos módulos sensoriales. En el caso del sistema olfativo, se descubrió una familia de proteínas en la mucosa nasal. Esas proteínas son receptoras de ciertos componentes químicos y están conectadas a las fibras eléctricas que transportan la señal en forma de chispas eléctricas al cerebro, donde se generan mapas de representación odorífica».

Lo fantástico de esto es que ¿cómo es posible que el olor que experimentaste hace treinta años con algún plato exquisito que te preparó la abuela lo asocies ahora con sentimientos, con afectos, pero además con espacios visuales o acústicos? «Lo que ocurre es que esta información que entra a través del olfato va a la parte más vieja del cerebro, que tiene que ver con la información en general y que, a través de la evolución filogenética de los organismos, ha permitido guardar las memorias. Por eso los perros, los gatos o las ratas tienen una memoria muy superior a la nuestra. En nuestro caso lo podemos recrear de una manera más *poética*, con matices emocionales, como si dijéramos. Estos circuitos están conectados prácticamente con todo y por eso nos permiten hacer asociaciones auditivas, visuales y afectivas con el olfato. Es una maravilla».

El olfato es un sentido primitivo y precoz, anterior al lenguaje. Se ha enriquecido con éste para servir mejor en su papel para la supervivencia, y de paso conseguir que en un rincón del sistema límbico (la zona del cerebro donde, entre otras cosas, se gestionan las emociones y que está estrechamente asociada con las estructuras olfativas) se estremezclan unas cuantas fibras de puro placer.

La trampa de entenderse a sí mismo

Ranulfo Romo lleva más de treinta años trabajando en neurología de la percepción. Ante una persona así, y dadas sus altas cotas de conocimiento científico, siento la curiosidad de saber si quedan ganas de seguir profundizando, o si por el contrario se siente al borde de saberlo ya casi todo y desea, por así decirlo, disfrutar de la vida. La respuesta de Romo en *Redes* fue, pásmense, una nueva advertencia para navegantes. «Una de las cosas que el ser humano debe entender es que jamás podrá entenderse a sí mismo, porque es el cerebro tratando de entenderse. Así como hemos discutido sobre si el cerebro nos engaña, el cerebro también nos puede generar la ilusión de que estamos en vías de poder entenderlo. Pero pienso que es una trampa. Una trampa muy bella, porque nos va a mantener activos, trabajando con la ilusión de que existe algo que podemos entender. Pienso que aún estamos muy lejos de hacerlo, aunque también creo que una de las funciones que algún día entenderemos muy bien es la percepción. Creo que estamos cerca de entender cómo vemos, cómo oímos, cómo escuchamos y cómo sentimos, cómo elaboramos nuestras percepciones, cómo hacemos asociaciones entre todas estas cosas. Prácticamente ya conocemos la biofísica y la neurobiología de estos procesos. Lo que no comprendemos todavía es la parte subjetiva de nuestras percepciones, cómo emana nuestra subjetivad, que yo creo que es la parte más atractiva del ser humano. En los próximos años vamos a enfocar este aspecto subjetivo del individuo y ésta es una de mis grandes pasiones. No sé hasta dónde se puede llegar, pero es como un marinero que se dispone a surcar un mar desconocido».

¿Qué tal si descubrimos América otra vez?

alguna diferencia [illegible] la percepción [illegible]
estamos acerca de entender [illegible] como otros [illegible]
[illegible] cabe [illegible]
[illegible] entre todas estas [illegible]
sas. [illegible] y [illegible] la [illegible] y la [illegible]
[illegible] que no [illegible] todos [illegible] esta
parte subjetiva [illegible]
[illegible] que [illegible] es la parte [illegible] del ser
humano [illegible] vamos a colocar este aspecto
[illegible] y [illegible] grandes [illegible]
No se [illegible] como un [illegible]
[illegible]

[illegible]

CAPÍTULO XVI

La educación sentimental

Educar nuestros sentimientos, controlar nuestras emociones y gestionarlas de forma correcta para poder hacer frente a la adversidad y a los fracasos, y saber relacionarnos con los demás son herramientas indispensables para llevar una vida más o menos feliz. Sin embargo, no nacemos sabiéndolas, sino que tenemos que aprenderlas. La publicación en 1995 del libro de Daniel Goleman, *La inteligencia emocional. Por qué es más importante que el cociente intelectual*, un *best seller* instantáneo traducido a más de 25 idiomas, revolucionó por completo muchos aspectos de la sociedad, desde los métodos de enseñanza hasta las relaciones padres-hijos, pero sobre todo trajo consigo una nueva forma de vernos a nosotros mismos, los humanos. El libro de Goleman y lo que afirma en él se han convertido en un verdadero fenómeno social y cultural, en una nueva manera de interpretar las relaciones interpersonales. La inteligencia emocional se ha convertido en una destreza esencial en el desarrollo tanto de personas como de organizaciones, porque sus principios proporcionan una nueva manera de entender y evaluar el comportamiento y las habilidades de cada uno. También ha resultado fundamental en la educación de los hijos en casa y en las escuelas.

Emociones peligrosas

Simplificando mucho se podría decir que en los animales funcionan el instinto y las emociones; su problema es la falta de inteligencia. En la especie humana, dotada de inteligencia, en cambio, el problema es la falta de control de sus instintos y emociones, no saber gestionar los sentimientos.

Un amigo mío, corresponsal extranjero, llegó un día a su hotel de Nueva York y sacó de la maleta su maquinilla de afeitar. Fue al cuarto de baño y cuando enchufó el aparato se le fundió. Salió a la habitación y comprobó que tampoco había luz allí. Cuando miró por la ventana vio que toda Nueva York estaba a oscuras, era el *blackout*, el famoso apagón de Nueva York de agosto de 2003, y mi amigo dijo: «Pero ¿qué he hecho?».

Algo parecido imagino que debió de sentir Daniel Goleman ante el tremendo alboroto desencadenado por la publicación de su estudio sobre inteligencia emocional.

¿Por qué este increíble revuelo por un libro?, pregunté a Goleman cuando me reuní con él en su nueva casa del distrito de Maine para un programa de *Redes* dedicado a ese tema.

«La gente empieza a darse cuenta de que la razón por sí sola no puede resolver todos los problemas, no basta. La tecnología ha contribuido tanto a mejorar como a empeorar nuestra situación. Tal y como explico en mi libro, seguimos teniendo el mismo cerebro y el mismo cerebro de siempre, y el corazón también es el mismo y nos mete en los mismos líos. El problema está en que la capacidad de las emociones para apoderarse y secuestrar al cerebro cuando nos enfadamos va ahora de la mano de un poder de destrucción mucho mayor, producto del desarrollo tecnológico. De ahí que nuestras emociones nunca hayan sido tan peligrosas».

Parece ser que los seres humanos seguimos siendo tan incapaces de controlar nuestras emociones, nuestros sentimientos, como lo éramos hace 10.000 años. Y, sin embargo, ahora vivimos en un mundo mucho más complejo en el que tenemos que asimilar el significado de símbolos sociales con los que nunca nos habíamos topado durante los miles de años en que fueron evolucionando nuestro cerebro y nuestros centros emocionales. Tenemos, pues, el cerebro emocional, que era muy importante para sobrevivir en el pasado y que hoy reacciona frente a realidades simbólicas. El científico Richard Dawkins llama a esta hipoteca heredada del pasado «el código de los muertos», un código que funcionaba más o menos hace 10.000 años pero que es totalmente inservible en el entorno moderno de Manhattan.

Los grandes enfados, los ataques de cólera, que en otro tiempo cumplían las funciones de garantizar la supervivencia frente a un peligro físico real o una situación de vida o muerte, no tienen ya una justificación práctica y sólo nos crean problemas. Por eso el objetivo hoy día sería introducir la inteligencia en el control de las emociones. Estoy hablando de la famosa «inteligencia emocional», popularizada por Daniel Goleman. «La inteligencia emocional», dice Daniel Goleman, «es una manera distinta de ser inteligente. No es la típica inteligencia de la que hablamos en la escuela, que se puede medir mediante coeficientes. Tiene que ver con cómo gestionamos nuestras emociones y las de los demás. Tiene cinco componentes: *el autocontrol*, es decir, conocer tus sentimientos y utilizarlos para tomar decisiones acertadas. Luego está la *gestión de las emociones*, principalmente las negativas, de manera que los estados de ansiedad no te conduzcan a hacer cosas de las que luego te vas a arrepentir. El tercer componente es la *motivación*, funcionar con objetivos, permanecer optimista a pesar de los contratiempos y los fracasos; el cuarto es la *empatía*, la capacidad de saber lo que los demás sienten sin necesidad de palabras, porque la gente casi nunca nos dice con palabras lo que siente, nos lo dice el tono de voz con sus muecas. Y por último estaría la *percepción social*, saber identificar las claves necesarias para interactuar, saber tratar a la gente para que se sienta mejor. Éstos son los elementos básicos».

Aunque —digo yo— que si nuestras emociones siguen siendo tan primitivas, las mismas que teníamos, por ejemplo, en la Edad Media, y en su gestión interviene tan poco el cerebro, entonces ¿se puede mejorar la inteligencia emocional? y, sobre todo, ¿se puede medir igual que se mide el cociente intelectual?

Las conclusiones de Goleman sobre inteligencia emocional están basadas en investigaciones sobre la empatía, la percepción social, las motivaciones. «No hay un índice específico que yo pueda recomendar como si se tratara de un cociente intelectual, pero sí es posible medir de forma independiente cada uno de los componentes de la inteligencia emocional. Hay unas que no se pueden agrupar bajo un único denominador, como el autocontrol, y otras que para valorar, siempre puedes preguntar a terceros. Esta persona: ¿pierde la calma?, ¿es tímida con los demás?, ¿sabe controlarse o se enfada con facilidad?...».

EL PODER DE LA MENTE

Existen ahora pruebas científicas sobre el poder de la mente para mejorar la salud del cuerpo. Hay incluso determinados médicos, como Larry Dorsy, que han estudiado los efectos beneficiosos de la oración, de la plegaria en la cura de las enfermedades. Para el profesor Goleman la cosa no es tan sencilla como decir «estoy bien» y en consecuencia estar bien, pero lo que sí se ha descubierto es que los centros emocionales del cerebro están conectados con el sistema inmunológico que lucha contra los gérmenes y el cáncer, y también con el sistema cardiovascular. Hay estados emocionales que afectan directamente a la capacidad de estos sistemas biológicos para conservar nuestra salud, de manera que ya sea rezar, creer o estar muy tranquilo o meditar tienen un efecto positivo e inmediato en el sistema inmunológico y en el corazón. Hay centenares de estudios con enfermos que demuestran, por ejemplo, que las personas que siempre están angustiadas o pesimistas, siempre enfadadas y alteradas emocionalmente tienen el doble de riesgo de contraer enfermedades de gravedad. Y también funciona al revés: las personas que afrontan la vida con optimismo, serenidad y buen humor tienen más posibilidades de permanecer sanas.

Es el gran tema de moda, la capacidad de gestionar nuestras emociones para así mejorar nuestra vida. Nos están diciendo que no basta con haber ido al colegio o estudiado una carrera o incluso haber hecho un máster en el extranjero. Ahora necesitamos también recibir clases para aprender a administrar nuestras emociones, o de lo contrario lo vamos a pasar muy mal. Y me atrevería a afirmar que la única educación que hemos recibido en este sentido no la han dado el cine, la televisión o la literatura. La ficción, en definitiva, ya que nadie se ha puesto a enseñarnos a manejar estas emociones en la vida real.

José Antonio Marina, que es nuestro Goleman español, es un gran defensor de la educación sentimental. Cuando estuvo en *Redes*, le formulamos la misma pregunta que a Goleman: ¿por qué esta explosión planetaria en torno a la gestión de las emociones, justo ahora en este momento? A su juicio, el inmenso interés por estos temas «viene a demostrar que existe una preocupación que raya casi en la alarma social, porque hay una gran falta de equilibrio entre nuestra educación científica, técnica, económica, que es cada vez más elevada, y nuestra capacidad para resolver problemas afectivos, que es cada vez menor. Y en este momento hay que tener en cuenta que esto supone el fracaso de una idea de la inteligencia propia de nuestra cultura, no de otras culturas. Llevamos nada menos que 25 siglos separando la inteligencia cognoscitiva de la inteligencia afectiva y eso no funciona, porque las personas somos las dos cosas indisolublemente y, por tanto, tenemos que recuperar esa unidad perdida».

Entender al otro

María Helena Feliù es psicóloga clínica y ha publicado varios libros sobre los problemas sentimentales de pareja y cómo afrontarlos. En su enfoque defiende la importancia de los componentes verbal y no verbal de la comunicación. «El hecho de que haya un contacto ocular adecuado, el timbre y el tono de voz... es significativo. Aunque todo esto a menudo está mediatizado por nuestras emociones, que nuestro interlocutor no sabe descifrar, o al menos no de la forma adecuada, porque tiene en mente otros prejuicios que a la vez están entorpeciendo el mensaje. De todas formas creo que debemos aprender a manifestar cómo nos sentimos sin palabras pero también con ellas, que es una parte importantísima de la comunicación, explicar nuestros sentimientos positivos y también los negativos, ser capaces de pedir lo que deseamos y también de detectar de dónde proceden las fuentes de insatisfacción y de satisfacción».

La comunicación no verbal, la expresión de las emociones con nuestro cuerpo, parece ser, pues, una de las claves para aprender a comunicarnos con los demás, una herramienta más en la educación sentimental que, a juicio de los expertos, tanto necesitamos. Empieza a aparecer en los libros de psicopatología una enfermedad llamada alexitimia, que es la incapacidad de expresar o poner en palabras las emociones. Quienes la padecen tienen dificultades para identificar y comunicar sentimientos. También les cuesta mucho distinguir entre afectos y sensaciones corporales y poseen escasa capacidad para el lenguaje simbólico y para la imaginación. Sin llegar a ese extremo, muchos individuos tienen enormes dificultades para expresar correctamente sus emociones y, curiosamente, son más hombres que mujeres. Los primeros son más evasivos, las segundas tienen menos reparos en verbalizar sus frustraciones o su resentimiento... Sin embargo, hablar demasiado en ocasiones puede ser pernicioso. Dejarse llevar por la ira, atacar al otro puede terminar *matando* la pareja. Y por eso es necesaria la empatía, que, como hemos visto, es una de las cinco bases sobre las que se asienta la inteligencia emocional.

Lo que necesitas es Amor

Cuando se produce un flechazo de amor, se desencadenan más de 250 sustancias que al parecer incendian literalmente el cerebro. Estamos hablando del amor químico, del amor biológico, del amor sentimental, del amor frágil al que se le pide que perdure en un mundo en constante *zapping*.

La necesidad de amor es quizá de lo poco que no ha cambiado en esta vida, pero si alguien se imaginaba a Cupido acertando con sus flechas del amor el corazón de las parejas, nada que ver con la realidad. Ahora sabemos que es el cerebro, ese gran desconocido, y no el corazón el que lleva la voz cantante cuando nos enamoramos.

Los científicos han encontrado algunos mecanismos neuronales y hormonales que explican los signos del enamoramiento. El cerebro segrega las sustancias amorosas: anfetaminas naturales que producen sentimientos de euforia y exaltación.

El psiquiatra Enrique Rojas está especializado en el tratamiento de la ansiedad, la depresión y los trastornos de personalidad. «En el momento del enamoramiento, en el momento más álgido físicamente, se producen unas descargas de adrenalina y se conjugan unas sustancias bioquímicas, los neurotransmisores, que regulan, organizan y ordenan todo lo que está ocurriendo. Es entonces cuando aparecen los síntomas físicos: opresión precordial, sequedad de boca, taquicardia; es decir, la resonancia somática de esa emoción. Desde el punto de vista psicológico aparece una sensación de dilatación de la personalidad, una hipertrofia del yo al descubrir a otra persona. Yo diría que es una de las emociones más placenteras que existen en la vida y en la que resulta fundamental saber elegir, fijarnos en la persona adecuada. Donde más se retrata el ser humano es en la elección amorosa».

El resultado es un estado de felicidad, un bloqueo cerebral a los influjos negativos. Un dato importante es que durante ese tiempo de éxtasis anímico la persona enamorada se muestra inmune a ciertas enfermedades y dolencias, pero también desciende de manera drástica su producción en el trabajo, rinde mucho menos.

Los seres humanos, según los expertos, al igual que los mamíferos, manifiestan tres emociones primarias: el deseo sexual, la atracción preferente por una determinada pareja y la relación afectiva o vínculo. Sin embargo, en los humanos, las tres emociones se pueden dar al mismo tiempo, lo que implica que no se puede sentir vinculado a su pareja estable, mientras se ve atraído por una segunda persona y desea a una tercera.

Para Enrique Rojas el concepto de amor ha variado a lo largo de la historia. Por ejemplo, en la Edad Media existía el llamado amor cortés, caballeresco, un amor totalmente platónico, idealizado, que cantaban poetas y trovadores. «El amor en la actualidad es más cercano y real, y por eso también es más conflictivo», dice Enrique Rojas, que además advierte diferencias entre el comportamiento sentimental del hombre y el de la mujer. «Yo diría que la mujer se enamora más por el oído y el hombre por la vista. Es decir, lo que la mujer percibe en primer plano del hombre es lo que escucha tanto directamente de él como a través de terceras personas, mientras que en el hombre todo entra por los ojos. La belleza, el aspecto físico de la mujer, es lo que más le llama la atención de entrada. Luego el hombre profundo, el hombre sólido, rico emocionalmente, ese que es capaz de buscar la belleza interior, es decir, la calidad humana, baja a los sótanos de la personalidad del otro y descubre allí el porqué de muchas de sus conductas».

En *El viaje al amor* mis lectores encontrarán una visión mucho más rupturista del amor al vincularlo al instinto de fusión de los primeros organismos en la historia de la evolución hace más de 3.000 millones de años. La falta de energía suficiente, la degradación de los tejidos y la necesidad de sobrevivir impulsaron el primer instinto de supervivencia que hoy llamamos amor.

Transformar el esfuerzo en gracia

No podemos vivir sólo de las emociones, porque nuestra vida sería un caos, pero lo cierto es que tampoco podemos prescindir de ellas. La emoción por excelencia, el amor, es objeto a menudo de definiciones simplistas. Dice José Antonio Marina que «debería estar prohibido utilizar la palabra «amor» porque se ha vuelto del todo equívoca. Cuando mis alumnos adolescentes están en esa época, en ese trance de supuesto «enamoramiento», intento enseñarles que saber lo que verdaderamente se siente por otra persona es más complicado de lo que parece y que, si a un sentimiento que suele ser confuso nos apresuramos a ponerle la etiqueta amor, nos meteremos en muchas dificultades y cometeremos muchas equivocaciones. Les recomiendo que más que preguntar a otra persona ¿qué sientes por mí?, porque eso producirá que la otra persona dé también una respuesta apresurada, le haga una pregunta que parece muy tosca, pero que es muy efectiva y constituye un test mucho más fiable del sentimiento amoroso: ¿qué te gustaría hacer conmigo?».

Seguramente es un buen consejo conferir algo de modestia y discreción a esta palabra tremenda: amor. E indagar, como sugería antes, en su utilidad. ¿Para qué y en qué contexto surge el impulso de fusión entre dos organismos? Además los españoles, me dicen, tenemos alguna hipoteca adicional en este campo, porque ésta es la patria del amor místico, y, cuando el objeto amado no es sólo fabuloso, sino inalcanzable, se produce un proceso de elevación y de ausencia de corrupciones que luego, probablemente, cuando intentamos trasplantar a la pareja de carne y hueso...

Una de las metáforas que se emplean para describir a una persona enamorada es que parece que tiene alas en los pies, que baila en lugar de caminar. ¿No nos gustaría a todos poder vivir en la vida como una especie de suflé andante, con esa soltura que se tiene durante el baile, incluidas las relaciones amorosas? Para José Antonio Marina «el gran mérito del bailarín es que consigue transformar el esfuerzo en gracia. Si fuéramos capaces de hacer eso, estaríamos más cerca de la perfección en la conducta. Porque el bailarín se pasa muchas horas en la barra practicando para que luego parezca que hace esa maravilla sin esfuerzo. Eso tenía que ser el centro no sólo de toda nuestra vida educativa, sino de toda nuestra vida a secas: transfigurar el esfuerzo en gracia».

Éste sería, pues, el mensaje: para volar, como advierte José Antonio Marina, antes han sido necesarias muchas horas de práctica y disciplina. Con lo cual volvemos al comienzo del capítulo, en el que Daniel Goleman nos decía que un gran componente de la inteligencia emocional, de otra manera de ser inteligente, es la concentración, el esfuerzo, la meditación. Para saber amar hay que estudiar primero. Es el llamado aprendizaje sentimental.

CAPÍTULO XVII

Por qué funciona el sistema

William Baumol es uno de los economistas más citados de los últimos tiempos. Sus 35 libros y más de 500 artículos lo sitúan como uno de los teóricos del dinero más prolíficos de la historia. A sus 86 años sigue trabajando en su despacho de la Universidad de Nueva York, donde nos recibió para hablar de por qué el capitalismo se ha convertido en el modelo económico triunfante en el mundo contemporáneo.

Entre tanto discurso pesimista que nos rodea, no viene mal conocer un enfoque muy optimista de cómo están yendo las cosas, por lo menos desde el punto de vista económico, aunque no sólo.

PRIMERO LA PRÁCTICA, DESPUÉS LA TEORÍA

La única nota negativa en el panorama, por lo demás bastante halagüeño, que dibuja el profesor Baumol de la economía mundial tiene que ver con el crecimiento del producto nacional en todos los países, al menos de Estados Unidos y de Europa. Este aumento de la productividad hace que los productos manufacturados sean cada vez más baratos, incluidos aquellos que sirven para la guerra y el terrorismo. Hoy pueden caer en manos de gente que no lo merece armas muy baratas, sobre todo si comparamos la situación actual con la de hace sólo 30 años. En cierto modo, el poder de las grandes multinacionales y de las grandes potencias pueden igualarlo individuos que recurran a los últimos adelantos de la biología o la nanotecnología.

Ciertos sectores de la sociedad culpan a la economía de libre mercado de todos los males de la humanidad. Baumol opina lo contrario: que la economía funciona mucho mejor de lo que jamás habríamos pensado. Aunque rápidamente se apresura a aclarar que no es un fanático del libre mercado, tampoco de la economía controlada, y menos aún centralizada. En sus libros siempre incluye un capítulo en el que analiza aquellos aspectos que en el libre mercado funcionan mal y en el que habla de la tendencia monopolista o de la contaminación ambiental, entre otras cuestiones que se oponen al bienestar público. «Lo único que, en mi opinión, ha hecho del libre mercado el mejor sistema económico posible es estimular el crecimiento. En este sentido no tiene rivales. Existen países que han creado una literatura y un arte sensacionales, pero ninguno de ellos ha instaurado los estándares de vida, de reducción de la pobreza y de longevidad de aquellos que han aplicado una economía libre. Aunque, desafortunadamente, esto sólo ha ocurrido en occidente».

La concepción de Baumol de la economía de libre mercado es la de una inmensa máquina de innovación, algo sin precedentes en la historia. Y precisamente es esa capacidad de innovación la que hace posible y mantiene el crecimiento. Claro que el primer concepto que deberíamos aclarar es el de innovación, que para él no se resume en el invento. La sociedad con una economía de mercado no sólo inventa cosas, inventa con ellas todo un proceso de puesta en el mercado, y ese proceso de acercamiento de un nuevo producto al mercado es la verdadera, la completa innovación. En su opinión siempre han existido economías (sociedades) con una capacidad de invención maravillosa, pero, «por lo general, los únicos inventos cuyo uso se generalizó fueron los militares: se utilizaban máquinas para destruir las murallas de las ciudades amuralladas, se inventaban y utilizaban mejores espadas. Pero los inventos para mejorar la alimentación, el alojamiento... en suma, la calidad de vida, prácticamente brillaron por su ausencia, economía tras economía, y aquí es donde nuestra economía de libre mercado destaca. Sin embargo, es importante recalcar que esto no sucede porque los capitalistas sean personas buenas, amables y virtuosas... Los capitalistas, como siempre, hacen lo que les aporta riqueza, poder y prestigio, y con el capitalismo ocurre, por primera vez, que la forma más fácil de enriquecerse es a través de la innovación, a diferencia de cuando la mejor manera de enriquecerse era convertirse en un burócrata, en alguien que recaudaba sobornos». Esta singularidad es la que olvidan, a menudo, críticos del sistema capitalista tan reconocidos como el propio premio Nobel de Economía.

Tendemos a ver la tecnología como el resultado final de un largo proceso. Como la resolución de una secuencia narrativa que tiene un planteamiento, un nudo y un desenlace. Hay una situación que necesita solucionarse, los científicos investigan posibles remedios y finalmente surge una nueva herramienta que resuelve el problema inicial. Pero ¿qué pasaría si, en lugar de avanzar hacia delante, la secuencia narrativa fuese hacia atrás? Es decir, ¿qué pasaría si surgiese primero una herramienta y luego se encontrase su explicación?

Esto es lo que sucedió con la bombilla eléctrica. Edison construyó el primer sistema eléctrico sin ayuda de las ecuaciones matemáticas que explican el comportamiento de la electricidad. Sólo unos años más tarde se desarrolló el conocimiento teórico necesario para explicar el invento matemáticamente, pero por entonces Edison y su equipo ya habían inventado y comercializado todos los componentes del sistema eléctrico, es decir, la bombilla, los cables y hasta los generadores. Otros inventos, como el motor de explosión, el avión o el automóvil, también siguen esta dinámica. Primero surge la tecnología y después la ciencia que explica su funcionamiento.

Sin embargo, la idea general es que la tecnología es el resultado de la aplicación de la ciencia, es un planteamiento que les viene muy bien a las empresas. Desde los departamentos de investigación se crean historias de nuevos inventos magníficos que solucionarán todos nuestros problemas. Es la manera más eficiente para convencer a los inversores y a la opinión pública en general. Las empresas farmacéuticas también utilizan este recurso: prometen encontrar la vacuna contra el cáncer y contra todas las enfermedades que nos acechan y así consiguen el dinero para financiar sus estudios. Pero ¿se cumplirán algún día todas estas promesas?

Muchos medicamentos se descubren de manera fortuita al observar los efectos que provocan en la aplicación de otros tratamientos. El ejemplo paradigmático es el de la Viagra, un medicamento concebido inicialmente para tratar la hipertensión y la angina de pecho, pero las pruebas clínicas desvelaron rápidamente el verdadero efecto de estas pastillas que han hecho felices a tantas personas.

La fuerza del egoísmo

Este devenir de la innovación tecnológica no ha tardado en generar críticas. La más común es que los propietarios de la innovación no permiten, mediante patentes u otros sistemas, que otros se beneficien de su aportación. Dicho más claramente, el innovador se convierte en un monopolista. Según Baumol, lo que acabamos de escribir no es totalmente cierto, es más, piensa que «de hecho es, sorprendentemente, poco frecuente». Aunque, «de nuevo, no es porque los capitalistas sean buenos, sino porque proporcionan sus innovaciones a los demás a cambio de dinero. Un ejemplo: IBM, una de las empresas más grandes del mundo, autoriza el uso de todas y cada una de sus innovaciones a otras empresas —incluidos todos sus competidores— en todo el mundo. Y esto no es porque IBM sea un modelo de virtud, sino porque a cambio obtiene dinero o los inventos de los demás. Según mis cálculos, en el último año del que dispongo de datos, que fue hace varios, el 20 por ciento de los beneficios de IBM procedía de permitir que sus competidores utilizaran sus inventos. Esto es exactamente lo que hace el mercado: parte de personas que son egoístas, que son avariciosas, que quieren riqueza y les dice: «podéis obtenerla si dejáis que los demás usen vuestros inventos, podéis obtenerla intercambiando vuestros inventos por los suyos, podéis obtenerla haciendo circular estos inventos tan rápido como sea posible». Y en consecuencia, muchas de estas empresas no sólo permiten que otras personas utilicen sus inventos, sino que intentan buscar clientes para sus innovaciones».

En el fondo se diría que miles de egoístas funcionando juntos generan una máquina de innovación poco egoísta. Es la máquina la que es poco egoísta, aunque las personas que la componen lo sean en alto grado. Y es que el sistema recurre al egoísmo para motivar a las personas. En el Renacimiento una de las cuestiones que más debate suscitaba entre los filósofos era: si Dios es todopoderoso, ¿por qué permite que la gente sea tan egoísta y se comporte tan egoístamente? Adam Smith fue el primero en responder a eso al afirmar que, de hecho, tras la expulsión de Adán y Eva del Jardín del Edén quedó patente que la humanidad ya no sería perfectamente virtuosa y que el egoísmo iba a convertirse en una de las fuerzas impulsoras más poderosas. Por eso Dios ideó un *plan B:* proporcionar incentivos que convirtieran el egoísmo en una virtud... De eso trata el fragmento sobre «la mano invisible» en su libro *La riqueza de las naciones*, porque en el siglo XVIII —cuando Adam Smith lo escribió— todo el mundo sabía que la expresión «la mano invisible» hacía referencia a Dios, era la mano de Dios.

La paradoja nipona

En todos los países existen leyes públicas para proteger los inventos a través de patentes. Sin embargo, Baumol suele citar en sus libros lo que podríamos denominar «la paradoja nipona». Japón consigue, con una protección pública mucho menor sobre estos asuntos, una mayor difusión del conocimiento y una mayor rentabilidad. La respuesta reside, una vez más, en la eficacia del juego de múltiples intereses, o de intereses cruzados: «Si yo invento algo y a ti te resulta fácil copiarlo, aunque necesites un año para descubrir cómo hacerlo, sé que perderé dinero si no te lo oculto; pero tú sabes que podrás ganar mucho más dinero si lo consigues inmediatamente en lugar de tener que esperar un año, de modo que la manera habitual de negociar este tipo de cosas es que yo te diga: "te dejo que dispongas de la patente inmediatamente, incluso formaré a tus trabajadores sobre cómo usarla —lo que constituye una práctica muy común— siempre y cuando de cada producto que vendas utilizando esta patente me pagues el 5 por ciento de los ingresos". De esta manera se consiguen ambas cosas: por un lado, el incentivo para que una empresa italiana, pongamos, invente algo nuevo, pero también un incentivo para que esta empresa italiana proporcione su invento con mucha rapidez a Rumania, porque divulgando su invento puede obtener el 5 por ciento de los ingresos. De modo que la empresa tiene incentivos para inventar, pero también incentivos para difundir sus inventos».

Resulta, siempre según Baumol, que como en tantas otras cosas, el grado intermedio es el adecuado. Japón no tiene escasa protección sobre sus ideas innovadoras, tiene exactamente el adecuado. Estados Unidos, donde el índice de rentabilidad en este aspecto también es de los más altos, se encuentra en un caso similar. «Se necesita cierta protección. Si no la hubiera, la única manera de beneficiarse de un invento sería mantenerlo en secreto y no permitir que nadie tuviera acceso a él, mientras que con la patente se convierte en una mercancía que se puede vender, porque yo puedo darte acceso a mi invento, pero tú sólo podrás usarlo si firmamos un contrato en virtud del cual pagues un precio que a ambos nos sea rentable. Esto es lo que sucede tanto en Estados Unidos como en Japón, pero en el caso japonés, hasta cierto punto, ha funcionado con más eficacia».

No existe una respuesta exacta, pero es probable que una sensación generalizada de que existe mayor cooperación entre las industrias o el mero hecho de saber que una innovación no se convierte automáticamente en monopolio genera un mayor crecimiento real y una mayor difusión de los conocimientos. «Antes he mencionado a IBM. Pues resulta que IBM me dijo, y me permitió publicar, que tenían un contrato con todos sus principales competidores del mundo para todos los componentes informáticos más importantes. Y de este modo, IBM puede permitir que el competidor disponga de todo lo que la empresa invente durante los próximos cinco años, pongamos, siempre que el competidor le permita a IBM disponer de todo lo que el competidor invente durante esos próximos cinco años, y pague el porcentaje que marquen sobre todo lo que vendan con esas patentes».

¿Bondades del monopolio?

William Baumol tendría escaso futuro como político, entre otras cosas porque defiende hasta cierto punto las ventajas del monopolio. Y lo cierto es que casi todos pensamos que la concentración de grandes empresas es lo peor que puede ocurrir. «Nuevamente, hay que encontrar el justo punto medio. No estoy postulando, como hacía Joseph A. Schumpeter, que el monopolio sea algo bueno... Lo que digo es que el oligopolio, que es algo más intermedio, es mejor en el proceso de innovación, pero sólo hasta cierto punto, y deberé explicarlo mejor, porque incluso esto no es completamente cierto. Los oligopolios desempeñan un papel importante en el crecimiento económico, pero a la vez engañan a la gente, a veces conllevan juego sucio y hay que vigilarlos. Porque en oligopolios hay muchas personas inmorales, desagradables, en las que no hay que confiar ni por asomo. En Estados Unidos hemos presenciado muchos ejemplos de esto en los últimos años. De modo que no digo que los oligopolistas sean buenos ni virtuosos, lo único que digo es que, al igual que sucede con el mercado, estas grandes empresas desempeñan un papel limitado en el proceso de crecimiento. Su papel es sólo parcial, porque son las empresas pequeñas las que han contribuido sobre todo al conjunto de grandes inventos que ha dado la historia reciente».

Confieso que no me resulta fácil seguir la argumentación. Si no son fiables, si hay que vigilarlos, si las pequeñas empresas son las más innovadoras, ¿para qué sirven los oligopolios? ¿Cuál es su mérito? Baumol argumenta que en el proceso de innovación son las pequeñas empresas las que han generado los inventos más apasionantes, más nobles y creativos, pero luego son las empresas oligopolistas las que hacen posible su materialización. Por ejemplo, los hermanos Wright inventaron el primer avión operativo, pero no fueron quienes lo comercializaron. De hecho la aviación pronto pasó a estar controlada por Boeing y Airbus, dos gigantes empresariales que invirtieron e invierten grandes cantidades de dinero en construir aviones más grandes, más seguros, más cómodos. Y más rentables, desde luego, porque eso es justamente lo que los impulsa a hacerlo. La división del trabajo consiste en que las grandes empresas casi nunca son las creadoras de los inventos realmente brillantes que constituyen un gran avance, ese papel corresponde a las pequeñas empresas, pero luego, o bien estas pequeñas empresas se vuelven grandes, o bien venden sus inventos a oligopolios gigantes que invierten enormes cantidades de dinero en el proceso, haciendo una pequeña mejora aquí, añadiendo un poco más de comodidad allá... y todo esto junto es lo que nos lleva de los pequeños aviones primitivos que creaban los inventores europeos y los hermanos Wright en Estados Unidos, al gigantesco Airbus 380 fabricado recientemente.

Los olvidados

Lo que argumenta el profesor Baumol está muy claro y parece sensato. El pez grande compra al chico, lo engorda y lo vende a trocitos. Trocitos de utilidad, de comodidad, de ¿progreso? En todo caso es la lógica de las cosas que suceden a nuestro alrededor. Y ha venido sucediendo desde hace más de un siglo. Hay mercados en los que las pequeñas empresas dicen claramente que están buscando un comprador para su estupendo invento.

Éste es el optimismo de William Baumol, un optimismo razonable que se basa en una interpretación nada emocional de la realidad. No discute que el genio sea engullido y transformado por la rentabilidad; cada uno, en su opinión, tiene su tiempo y su margen de realización. Es una visión burguesa de la realidad, quizá inadmisible para el idealismo, pero bastante confortable...

Junto al equilibrio o el posibilismo keynesiano del profesor Baumol existen otras formas de abordar el hecho económico. Y entre ellas, las que se enfrentan a las grandes interrogantes. Aquellas que, por ejemplo, se preguntan por qué en un mundo tecnológicamente desarrollado sigue habiendo millones de hambrientos. Arcadi Oliveres, experto en economía mundial y presidente de la Fundació per la Pau y la ONG Justícia i Pau, nos acompaña en la búsqueda de respuestas. Las diferencias las hallará el lector muy rápidamente: «Es evidente que la economía es aquella ciencia que intenta administrar los recursos escasos que nos suministra la naturaleza para satisfacer las necesidades de la gente. Pues bien, hay quien opina que la población mundial ha llegado a un límite. Yo no soy de este parecer. Entiendo, de acuerdo con lo que ha dicho la FAO, la Organización de las Naciones Unidas para la Agricultura y la Alimentación, que los recursos del planeta darían para alimentar hasta 15.000 millones de personas, pero esto tiene evidentemente otra cara: no es compatible con el ritmo al que consumimos los 1.200 millones de privilegiados que vivimos en el primer mundo».

Arcadi Oliveres piensa, es evidente, que la economía mundial podía ser de otra manera y sus opiniones, como profesor de Economía Aplicada de la Universidad Autónoma de Barcelona, están largamente meditadas. Existen numerosos rincones oscuros en el capitalismo global y él nos ayudará a descubrirlos: por ejemplo: «Era bueno y lógico elegir una palabra de importancia en el mundo económico como es *cooperativa*, porque en una cooperativa está implícito el concepto básico de empresa. Una empresa al fin y al cabo es la colaboración entre el que aporta el capital y el que aporta el trabajo para transformar bienes de la naturaleza en algo que pueda ser útil para cubrir las necesidades de los ciudadanos, y en la cooperativa prácticamente se unen en una misma persona el capital y el trabajo, lo cual podría hoy en día evitar muchísimos problemas. Por ejemplo, el problema de la deslocalización, en la cual el capital se queda en un sitio y el trabajo acude a otro, o estas otras cuestiones escandalosas, como son las enormes diferencias salariales entre los que ocupan puestos importantes y puestos de niveles más inferiores en las empresas, en casos patentes en que la multiplicación del salario puede ser de 100, de 200, de 700 veces el uno respecto del otro. En una cooperativa esto no puede existir, y pienso que si una parte del mundo empresarial fuese cooperativa (y afortunadamente una parte ya lo es), las cosas irían bastante mejor».

Sus experiencias en sociedades del Tercer Mundo, en lugar de sumirlo en la depresión a la que conducen a la mayoría de los occidentales, a él le infunden esperanza, una esperanza rebelde es cierto, pero muy alejada del nihilismo imperante. «Tuve ocasión de visitar Bamako [la capital de Mali] con motivo del Foro Social Mundial y, si bien por un lado pude constatar la verdadera pobreza e incluso miseria que sufre la mayoría de la población, era evidente también que existía una enorme esperanza entre las gentes. Grupos de campesinos con proyectos concretos de desarrollo agrario, grupos de protesta y también amargura por el trato que reciben en occidente sus emigrantes, es decir, voluntad de cambiar las cosas. Evidentemente la injusticia de la situación me rebelaba, pero, al mismo tiempo, sentí que un futuro era posible».

Como siempre, desigualdades

El agua que cubre la mayor parte de nuestro planeta se ha convertido en un símbolo. Es un bien magnífico, aparentemente a disposición de todos, pero en realidad es algo de lo que algunos abusamos y de lo que otros carecen. «Naciones Unidas ha presentado un informe según el cual «los norteamericanos consumen 550 litros de agua por persona y día; los europeos, un promedio de 350, y los africanos del África negra, entre ocho y 10 litros de agua por persona y día, lo cual demuestra las enormes diferencias del planeta. Ésta es una primera lectura, la segunda sería el mal aprovechamiento que los países del norte hacen de esta agua y además, algo todavía mucho más peligroso —ya que el agua debe ser por naturaleza y por principio un bien público—, empiezan a existir grandes empresas dedicadas especialmente a las bebidas que intentan privatizarla mediante la adquisición de manantiales. Si a esto añadimos el hecho de que, por ejemplo, en el Pirineo se construye una enorme cantidad de casas para gente que las ocupa 19 noches al año de media, la conclusión es que estamos claramente desaprovechando el recurso básico».

El informe es doblemente interesante, porque por un lado nos presenta la situación de los países del mundo en el área económica, los grandes datos sobre la renta, la deuda externa, el comercio exterior, el gasto militar y la educación, pero al mismo tiempo también hace algo muy interesante y que se ha puesto de moda en los 18 años que lleva publicándose el informe: establece un ranking de los países, no en función de la renta per cápita, lo más común, sino en función de lo que llaman Índice de Desarrollo Humano (IDH); un baremo en el que entra la renta, sí, pero también el nivel educativo y el nivel de salud. Un baremo que está en fase de perfeccionamiento para que en el futuro pueda dar cuenta de asuntos como el umbral de pobreza, la condición de las mujeres o la situación medioambiental.

'COPYLEFT:' CEDER PARA CRECER

Como vemos, el mundo sigue dividido entre aquellos que se conforman con explicarse el porqué y el cómo suceden las cosas, y los que aspiran a saber cómo deberían ser y qué se puede hacer para que eso ocurra. En la última década —algo más, afirmarían los puristas de la cronología— las nuevas tecnologías han cambiado realmente dos aspectos trascendentales: nuestro concepto de realidad (lo virtual se ha incorporado a lo real) y nuestra relación con el trabajo que equivale a constatar la trascendencia de la fusión entre biología y tecnología en los próximos años. Ante este fenómeno realmente nuevo, y al mismo tiempo asimilado socialmente en un tiempo récord, existe, cómo no, un nuevo dualismo. De una parte se encuentran quienes opinan que las nuevas tecnologías promueven el individualismo y el consumo masivo y, de otra, quienes piensan que pueden servir para todo lo contrario. Obviamente en el segundo apartado se encuentran los más jóvenes, quienes como Susana Noguero, profesora del Instituto Audiovisual de la Universidad Pompeu Fabra y responsable de Platoniq, empresa especializada en desarrollo de *software*, bases de datos y logística, piensan que «la combinación del *hazlo tú mismo* con una buena dosis de reciclaje útil y mucha información ciudadana sería una buena fórmula para no gastar tanto dinero y que lo interesante de Internet en estos momentos es que se ha convertido en una especie de dios consultor que lo sabe todo y que permite la creación de espacios en los que muchas personas comparten informaciones útiles».

Un ejemplo de esto serían las licencias *copyleft*, que, traducido del inglés, significa algo así como licencia permitida o autorizada y que precisamente se han desarrollado para permitir la libre circulación de nuevas ideas y obras culturales. Los propios autores son los que deciden qué permisos ceden a la hora de usar y distribuir sus trabajos. A Susana Noguero este hecho le parece una «consecuencia obvia de la revolución tecnológica que ha permitido que los bienes culturales y los conocimientos se independicen de los viejos formatos físicos y que puedan distribuirse en las grandes redes telemáticas de una forma potencialmente mundial y bajo un coste casi cero».

¿Qué nos parecería una estación pública de radio donde se pudiese acceder a la música de más de 800 artistas de todo el mundo con licencia *copyleft* totalmente legal y al mismo tiempo gratuita? El colectivo Platoniq, en colaboración con un grupo creciente de músicos, artistas y sellos discográficos que distribuyen su música o sus contenidos bajo licencias *copyleft* en Internet, lo hacen posible. «A partir del año 2003 empezamos a desarrollar el proyecto Burn Station. La idea fue combinar la experiencia de los sistemas de intercambio de datos, donde la gente se puede bajar y subir archivos muy fácilmente, con el espíritu de los sistemas de sonido y fiestas radiofónicas que montaban los jamaicanos en las décadas de 1950 y 1960 en las que disfrutaban además de la música, de estar entre amigos y otra gente a la que le gustaba la música. Por otro lado, Burn Station es un *software* libre diseñado para el sistema operativo Linux, lo que permite que otros grupos y espacios se lo puedan instalar y reproducir así el proyecto en otras ciudades del mundo».

¿Y qué opinaría el lector de un espacio público donde pudiese enseñar lo que sabe a todos los interesados en aprender? ¿Y si además aprendiese algo de manera gratuita? Éste es el caso del proyecto Banco Común de Conocimientos, una plataforma de producción colectiva de contenidos *copyleft* y de experiencias piloto en torno a la transmisión libre de conocimientos y la educación mutua. En Barcelona existe desde septiembre de 2007.

Vanguardia empresarial: nuevas soluciones

Se las conoce como *spin-off* y son empresas surgidas de una institución madre que las impulsa a crecer, las protege y las acoge durante sus primeros pasos, los más difíciles en el mundo empresarial. Representan la forma más elegante de permitir a la sociedad beneficiarse de los últimos descubrimientos científicos: con empresas creadas dentro del ámbito de la universidad o de los centros de investigación.

Carlos Buesa y Tamara Maes nos hablaron en *Redes* de su experiencia con Oryzon Genomics, una empresa que apostó por las aplicaciones de la biotecnología en el campo de la salud. Una empresa que, como algunas otras, responde al desafío de transformar la investigación universitaria en riqueza y puestos de trabajo. «Oryzon se ha enfocado al desarrollo de herramientas diagnósticas, sobre todo en dos tipos de enfermedades, las enfermedades oncológicas y las neurodegenerativas, como el Parkinson y el Alzheimer. Lo que buscamos son biomarcadores, pequeñas o grandes moléculas que están presentes y que suben o bajan de nivel de una manera muy notable cuando una persona padece una determinada enfermedad». Iniciaron sus actividades recurriendo a la familia, a los amigos y a los conocidos... un caso claro de *friends, fools and family* (amigos, locos y familiares). «Tenemos una expresión muy castiza que es el *sablazo* y realmente Oryzon empezó a funcionar con dos rondas de *friends, fools and family*. En dos grandes *sablazos* recaudamos más de 250.000 euros de gente que creyó en nosotros cuando la empresa no era más que unos papeles en blanco con anotaciones». Después lograron una serie de préstamos blandos, del programa de ayudas NEOTEC del Ministerio de Industria y de la Fundación Bosch i Gimpera, y pusieron en funcionamiento un embrión de empresa con el que generaron los primeros equipos, y finalmente consiguieron convencer al capital riesgo de que el suyo era un proyecto de interés.

En siete años Oryzon ha conocido un formidable crecimiento, es una empresa tecnológicamente muy sofisticada y cuenta con 50 personas en plantilla. Pero empezó con dos personas en una habitación alquilada de unos 15 metros cuadrados. Hoy ocupa una extensión de 700 metros cuadrados en el Parque Científico de la Universidad de Barcelona. El pensamiento que hizo posible el proyecto es sencillo: que una serie de científicos traslade sus investigaciones al mundo empresarial y trabaje en el desarrollo de productos basados en sus investigaciones. De esta manera la investigación puede llegar a los pacientes, a la agricultura o a cualquier otra aplicación práctica.

En el contexto anterior veremos, con toda seguridad, afianzarse en los próximos años lo que en el mundo anglosajón se ha calificado de proyectos traslacionales; son empresas apiñadas en torno a un pequeño centro de investigación que sabe trasladar simultáneamente al mundo real de la enseñanza los logros conseguidos para, finalmente pero en el mismo centro, distribuir el producto a los que lo demandan o necesitan. En el campo de la gestión emocional, por ejemplo, esto implicaría crear un centro de investigación cuyos productos sirvieran para confeccionar un modelo que se destinaría, primero, al profesorado interesado y del que se aprovecharían también los padres o alumnos en busca de ayuda a raíz de la crisis de la adolescencia.

Hemos divisado el mundo de la economía visto desde el inmediato presente, un punto en el que convergen el análisis clásico y parcialmente optimista de Baumol con la crítica política y ecológica, las posibilidades aparentemente infinitas de Internet y el valor de cambio de la investigación aplicada. Una convivencia sin duda apasionante, que evoluciona a velocidad de vértigo y que, en el fondo, es sólo otra manera de interpretar, de observar el rostro mutante de nuestra sociedad.

Aquí concluye nuestro recorrido por las interrogantes y también por las respuestas científicas que nos brindan los cerebros más activos de nuestro tiempo, desde el misterio de las primeras moléculas que aprendieron a replicarse hasta los seres complejos en que nos hemos convertido. Quizá, incluso, demasiado complejos.

En el camino hemos descubierto muchas cosas de nosotros mismos; por ejemplo, que somos comunidades de bacterias, que la razón (uno de los dioses de nuestro pasado más reciente) no basta para canalizar la vida o que un pequeño cambio en alguno de los genes que contiene nuestro ADN podría transformar radicalmente nuestro comportamiento.

La *residencia* de lo que llamamos inteligencia o, dicho de otra manera, el funcionamiento de nuestro cerebro quizá sea el tema más apasionante de la investigación contemporánea. Por eso a través de los neurocientíficos hemos podido vislumbrar asuntos como el lenguaje de los humanos, ese milagro de la evolución, y aproximarnos a nuevas perspectivas sobre la sexualidad y la reproducción, algunas inquietantes.

Sobre asuntos menos susceptibles de ser analizados en un laboratorio, como la belleza, el dinero o el comportamiento en sociedad, hemos compartido las ideas de antropólogos, economistas y filósofos, todos ellos situados en el vértice de su especialidad y también cercanos, interesados por la ciencia pura. Porque uno de los avances, de los hechos que pueden mover al optimismo en la actualidad, es la convergencia que se está produciendo entre la comunidad, científica y el resto de la sociedad del conocimiento. Una aventura que no ha hecho más que comenzar.

Bibliografía básica

ACARÍN, N., *El cerebro del rey*, RBA, Barcelona, 2001.
BAUMOL, W., *Mercados perfectos y virtud natural*, Celeste Ediciones, Madrid, 1993.
—, y BLINDER, A. S., *Macroeconomics: Principles and Policy*, South-Western College Publications, Georgia (Estados Unidos), 2007.
—, *Microeconomics: Principles and Policy*, South-Western College Publications, Georgia (Estados Unidos), 2007.
BOLINCHES, A., *Amor al segundo intento: aprender a amar mejor*, Grijalbo, Barcelona, 2006.
DAMASIO, A., *En busca de Spinoza: neurobiología de la emoción y de los sentimientos*, Crítica, Barcelona, 2005.
DAWKINS, R., *El gen egoísta*, Salvat, Barcelona, 2000.
DENNETT, D., *Darwin's Dangerous Idea: Evolution and the Meanings of Life*, Simon & Schuster, Nueva York, 2002.
DEXTER, B. D., *A Field Guide to Bacteria*, Cornell University Press, Ithaca, Nueva York, 2003.
ECCLES, J. C., *Evolution of the Brain: Creation of the Self*, Routledge, Nueva York, 1991.
GAZZANIGA, M., *El cerebro ético*, Paidós, Barcelona, 2006.
—, y HEATHERTON, T., *Psychological Science: Mind, Brain, and Behavior*, W. W. Norton, Nueva York, 2006.
GERHARDT, S., *Why Love Matters: How Affection Shapes a Baby's Brain*, Brunner-Routledge, Nueva York, 2004.
GOLEMAN, D., *Inteligencia emocional*, Kairós, Barcelona, 2008.

—, *La práctica de la inteligencia emocional*, Kairós, Barcelona, 2007.
GOULD, S. J., *La grandeza de la vida: la expansión de la excelencia de Platón a Darwin*, Crítica, Barcelona, 1997.
HENAHAN, S., «Miller, Stanley: From Primordial Soup to the Prebiotic Beach», 1996 (entrevista con Stanley Miller en: http://www.accessexcellence.com/WN/NM/miller.html).
HOLMES, F. L., *Reconceiving the Gene: Seymor Benzer's Adventures in Phage Genetics*, Yale University Press, New Haven, Connecticut, 2006.
KANDEL, E., *En busca de la memoria: una nueva ciencia de la mente*, Katz Barpal editores, Madrid, 2007.
—, *Psiquiatría, psicoanálisis y la nueva biología de la mente*, Ars XXI, Barcelona, 2006.
KNIGHT, C., «Language and Revolutionary Consciousness», en A. WRAY (ed.), *The Transition to Language*, Oxford University Press, Oxford, 2002.
LANE, N., *Power, Sex, Suicide: Mitochondria and the Meaning of Life*, Oxford University Press, Oxford, 2005.
LEDOUX, J., *El cerebro emocional*, Planeta, Barcelona, 2000.
LORENTE, J. A., *Un detective llamado ADN: tras las huellas de criminales, desaparecidos y personajes históricos*, Temas de Hoy, Madrid, 2003.
MARINA, J. A., y BERNABÉU MERLO, R., *Competencia social y ciudadana*, Alianza Editorial, Madrid, 2007.
—, *Aprender a convivir*, Ariel, Barcelona, 2006.
MICHOD, R. E., *Eros and Evolution: A Natural Philosophy of Sex*, Addison-Wesley, Boston, 1995.
PÉREZ SIMÓ, R., *El desarrollo emocional de tu hijo*, Paidós, Barcelona, 2004.
PUNSET, E., *El viaje a la felicidad: las nuevas claves científicas*, Destino, Barcelona, 2005.
—, *El alma está en el cerebro: radiografía de la máquina de pensar*, Aguilar, Madrid, 2006.
—, *El viaje al amor: las nuevas claves científicas*, Destino, Barcelona, 2007.
— (coord.), *Emociones básicas*, Fundación Santander Central Hispano, Madrid, 2007.

SCHUMPETER, J. A., *Historia del análisis económico*, Ariel, Barcelona, 1996.
SERRA, M. *et al.*, *La adquisición del lenguaje*, Ariel, Barcelona, 2000.
SMITH, A., *La riqueza de las naciones*, Alianza Editorial, Madrid, 2008.
VALLEJO-NÁJERA, A., *El amor no es ciego: las claves del éxito amoroso*, Temas de Hoy, Madrid, 2005.
WAGENSBERG, J., *El progreso: ¿un concepto acabado o emergente?*, Tusquets, Barcelona, 1998.
WEINER, J., *Tiempo, amor, memoria: estudios sobre los orígenes del comportamiento*, Galaxia Gutenberg, Barcelona, 2001.
—, *The Beak of the Finch: A History of Evolution in Our Time*, Vintage, 1995.

[illegible], J. V.: *Historia del [illegible]*, [illegible], Barcelona, 1996.

SERRA, M. et al.: *[illegible]*, [illegible], 2000.

SMITH, A.: *[illegible]*, Alianza editorial, Madrid, 2008.

VALLEJO-NÁGERA, A.: *[illegible]*, Temas de Hoy, Madrid, 2003.

[illegible]: *[illegible]*, [illegible], Barcelona, 199[illegible].

W[illegible], T.: *[illegible]*, [illegible], Barcelona, 2001.

[illegible], Vintage, 1995.

Últimos títulos publicados:

Alguien con quien hablar
Ángel Gabilondo

Convivir
Luis Rojas Marcos

El hombre que detuvo a García Lorca
Ian Gibson

Mira por dónde
Fernando Savater

Ligero de equipaje
Ian Gibson

El alma está en el cerebro
Eduardo Punset

La seducción de las palabras
Álex Grijelmo

La Biblia y sus secretos
Juan Arias

Nuestra incierta vida normal
Luis Rojas Marcos

El nuevo dardo en la palabra
Fernando Lázaro Carreter

Esperando el porvenir
Carmen Martín Gaite

Tirando del hilo
Carmen Martín Gaite

La prensa sin Gutenberg
J-F. Fogel Y B. Patino

La verdad de las mentiras
Mario Vargas Llosa

Eduardo Punset en
punto de lectura

EDUARDO PUNSET
El alma está en el cerebro
Radiografía de la máquina de pensar

Emociones, ideas, temores, deseos, espiritualidad y otros aspectos de la vida de los seres humanos dependen de las complejísimas operaciones del cerebro. Cuando nos interrogamos acerca de nosotros mismos, las preguntas que surgen son infinitas: ¿es el alma sólo el resultado de reacciones químicas y eléctricas?, ¿se puede manipular el pensamiento de otros?, ¿los artistas tienen un cerebro distinto?, ¿lo que sugiere nuestro inconsciente es lo que somos?, ¿nos engañan nuestras percepciones?... Eduardo Punset nos acerca a las reflexiones más relevantes de los investigadores sobre ese gran secreto que es el cerebro.

«Escuchar y leer a Punset es advertir que el desciframiento de nuestra materia gris puede suponer la frontera final de una humanidad que hasta ahora ha permanecido a oscuras y ha vivido equivocada. Recorrer El alma está en el cerebro supone desaprender multitud de asunciones y descubrir otras tantas.»

Qué leer